私の文学渉猟

曾根博義

夏葉社

私の文学渉猟

曾根博義

第一章

持つと持たぬと

第二章

『L'ESPRIT NOUVEAU』第七号の行方

第三章

犬も歩けば　近代文学資料探索

第四章　伊藤整と私小説

装画　樋口達也（カバー・扉）

第一章

持つと持たぬと

持つと持たぬと

専門が日本の近代文学で、もっぱら実用だけを考えているので、蔵書の大半はどこにでもある全集、単行本、雑誌の類である。むかしは図書館や文学館に頼っていたから、区立か市立の図書館の近くで、国会図書館と日本近代文学館と神田の書店街にすぐ行けるところ、たとえば市ヶ谷あたりに、小さなマンションを借りて住むことが夢だった。しかしその夢がかなえられそうもないことがわかってから、図書館に行けば見られるような本でも買うようになり、自然に本が増えた。

一五年ほど前に家を新築するとき、一階の生活空間には本を一冊も置かないで、二階約二〇坪全部を書庫と仕事場にあてることを考えた。素人なりに詳細な見取図を描いて大工に渡し、本の重みに十分耐えられるように建ててもらうことにした。二階全体を細長い板の間の書庫にし、両端だけを仕切って仕事部屋にする。部屋の内も外も壁面はすべて床から天井まで作り付けの本棚で、所々に書見台兼用の小さな窓を設ける。当時持っていた本を全部収めても本棚には余裕があり、何も置いてない板の間は卓球ができるくらいの広さがあった。

それが三年経つか経たないかで本棚は満杯になり、丈の高い既製の本箱を注文して、板の間の中央に背中合わせに並べなければならない羽目になった。本箱の数は年々増え続け、卓球場は瞬く間に過密な書庫になってしまった。いくら耐震設計とはいえ木造の二階だ。これ以上本を置いたらいつ二階が落ちてくるかもしれない。

こうして本を置かないはずだった一階の廊下や部屋の壁面にも次々に本が進出しはじめ、間もなく、それも限界に達した。どうせ雑本ばかりなのだから、思い切って処分することを考えればいいのだが、若いとき、一度大量に手放して後悔した覚えがあるので、どうしてもその気になれない。近年、思考力が衰えてきたせいか、資料を使わないと書けない仕事が増えている。夜中にそういう仕事をしているとき、ちょっと確かめたい本や雑誌が手もとにないと、そこで仕事が止まってしまう。いつの間にか、図書館を利用する暇と身軽さを失ってしまっていた。

それ以来、現在までの数年間、根本的な解決策を怠り、本の置き場所だけを求めて愚行の数々を重ねてきた。

まず最初に、猫の額ほどの庭に、戸袋から張り出してたった三坪の書庫を作った。それでも五〇〇〇冊は置ける計算だった。しかしこれも焼石に水。

　次は家のすぐ隣りの公団住宅が改築されて空家募集があった。十何倍かの倍率だったので、どうせ外れるだろうと思って応募したら当たってしまった。それで本気になり、友人たちに自慢して歩いた。みんな羨ましがる中で一人だけが、売り物にもならないような雑本を置くだけのために月々一〇万円以上の家賃を払うなんて、お前それでも本気か、といった。その一言で正気に戻り、契約日の前日に権利を放棄した。

　続いて今度は近くに住む別の友人が、新聞の折り込みを見て、ライゼ・ボックスという安いトランク・ルームが近所に出来たそうだから借りないかといってきた。一坪弱というのはいかにも狭いが、一〇万円の後で月八〇〇〇円という借賃はタダみたいに安いと思って迷わず契約した。ところが歩いて十数分のそのボックスに、さて何を入れようかと、本を選んで運ぶだけの時間がなかなか見つからない。契約した日に置いてきた二、三冊の本以外、何も入れないで一年が過ぎてしまった。友人も同じで、結局、計一〇万円近くの借賃をドブに棄てたも同然で解約。

　次はちょうど一年前のこと、家の隣りが駐車場になり、その隅の四坪ほどの細長い区画を安く借りられそうな話があったので、そこにイナバの物置を大小二つ買って置くことにした。

手始めに古い全集や叢書などを、ダンボールではなく、中が見える透明なポリ・ボックスに入れていくつか運び込んだが、それ以後、整理の時間がないまま現在に至っている。

蔵書の管理法というより本の置き場所だけについてバカみたいな話を書いてしまったが、これからもよほどの覚悟をしないと同じような愚行を繰り返しかねない。何十年間もただ持っているだけで、一度も使っていない本や雑誌は即刻処分したほうがよい。持っている本は、必要なときにすぐ出てくるように整理しておかないかぎり、あっても何の役にも立たない。要するに蔵書の再点検と再整理以外に抜本的な解決策はないことは十分わかっているつもりなのだが、つい目先の手軽な話に乗ってしまう。

結局、振り出しに戻って、蔵書は必要最小限にとどめ、図書館を活用するのが一番の得策ということになりそうだ。そのかわり図書館にも文学館にもどこにもない本や資料で、どうしても自分に必要だと思うものがあったら、多少高くても、かさばっても、ためらわずに買うこと。これまで手もとの本や雑誌からしか得られなかった情報がパソコンやインターネットを通じて容易に得られるようになれば、自分で本を持つことの意味や価値はますますなくなるだろう。最高の蔵書管理法はなるべく蔵書を持たないことかもしれない。

ただ頭ではそう考えていても、果たしてそれが実行できるかどうかということになると、はなはだ心もとないことが、私にとって最大の問題だということになろうか。

娘の眼

文学者の娘が文学者になる例は多い。思いつくままにあげても、森茉莉、幸田文、広津桃子、室生朝子、萩原葉子、津島佑子、最近では吉本ばななかそうだ。それに対して文学者の息子が文学者になった例は、吉行淳之介、北杜夫、青野聡など、ないわけではないが、娘にくらべるとやはり少ない。もしかしたら文学的な血は息子より娘の方に流れやすいという遺伝の法則みたいなものがあるのかもしれないが、その前にごく単純な事実に思い当る。これまで日本の作家はほとんどが男で占められ、もともと数の少ない女の作家のなかで、子供を産んだり、家庭を持ったりした人はもっと少なかったという事実である。

文学者の子供が普通の家庭の子供にくらべて文学的な才能と環境に恵まれていることはやはり否定できまいが、子供がそれを生かして世に出るためには、文学者である父親との衝突や確執をくぐり抜けなければならない。息子の場合、これが厄介な仕事であることはフロイトを持ち出すまでもない。どんな職業でも、世間の有能な父親たちは、そのことを考えて、息子に同じ職業をつがせるのをためらう。ところが、娘の場合には、父親との関係は比較的スムーズに行く。息子にくらべて、娘の作家が生まれやすいのは、そのためではなかろうか。付け加えれば、戦後、女性の地位が向上し、女性が家庭の外に出て活躍できる場が増えたことが、彼女たちにさらに有利な条件をあたえたといえよう。

戦後四〇年以上経った現在、女性作家の数はますます増え、その文学的エネルギーはしばしば男性作家を脅かすほどになった。彼女らの多くは家庭を持ち、子供を産み、その体験を作品に生かしてきたが、子供の方は、成長するにつれて、今度は作家である母親からの自立という新しい問題に直面させられることになる。子供が母親と同じ文学の道に進もうとすれば、その関係はいっそう難しいものになり、父親が作家であったこれまでの関係を裏返したような立場に立たされる。機械的に考えれば、息子の方が作家になりやすいということになるが、世間一般の慣習から必ずしもそうはならないにしても、今度は娘が苦労することは確かである。

こんなことを考えたのは、最近、たまたま円地文子と有吉佐和子という戦後を代表する二人の女性作家の、どちらも一人娘が、母親とのことを書いた本を続けて読んで、感じるところろがあったからである。冨家《ふけ》素子『母・円地文子』と有吉玉青《たまお》『身がわり』は、三月二〇日に新潮社から同時に出版された。たんに最近亡くなった作家についてその子供が書いた本が同じ日に同じ出版社から出たというだけではない。多分、偶然だろうが、戦後に登場した女性作家の娘が母親との関係を書いた文章が同時に出たということは、右に述べたような事情を考えると、ちょっとした事件なのである。

戦後の作家といっても、円地文子は明治三八年生まれで、戦前から戯曲や小説を書いている。しかし戦中・戦争直後の不遇時代の後、『女坂』以下の作品で作家としての地位を固めるのは、宮本百合子と林芙美子が相次いで亡くなってからしばらく経った昭和三〇年代の初めで、有吉佐和子の登場とほぼ同じ時期だから、やはり戦後の作家だといってよい。一人娘の素子さんは昭和六年生まれの有吉佐和子より一つ二つ下らしい。玉青さんの方は昭和三八年生まれだというから、円地文子から見ればちょうど孫の世代に当る。

作家である母親と、その下で育ってきた自分の思い出を語るといっても、語る内容や語り方におのずから違いが出てくるのは当然である。時代や世代の違いのほかに、家庭環境の違いがある。よく知られているように円地文子は上田万年の娘で、父に対する敬愛の念の深さは遺作となった『夢うつつの記』にもよくあらわれていたが、万年の大きな影は孫娘の素子さんをも包んでいたことがわかる。帝大教授、貴族院議員という肩書だけでなく、想像以上の経済的な余裕に恵まれた都会の家庭だという上流意識が、父亡きあとも、娘や孫娘のうちには大事に保たれていた。円地文子は考えていた以上に良家のお嬢さんだったのだなという印象を受ける。一高、東大出のエリートではあっても田舎者の夫との不幸はおもにそこから来ていたように見える。二人の娘である著者は、自分の下着を夫に洗わせることはあっても、自分では洗ったことがないというような、円地文子のお嬢さんぶりを披露してあきれたり、父に同情したりしているが、全体を読むと、そういう著者もまた良家のお嬢さんであることを誇りにして生きてきた人のように見えるのは、育ちの悪い田舎者の読者のひがみだろうか。

そういう恵まれた環境と気風のなかで平穏に暮らしてきた娘が、親を通じて外の世界の人に出会ったり、外の世界を覗いたりした時の率直な反応、それがこの回想記の面白さである。圧巻は娘の結婚前後のくだりで、最初の候補者の青年に母親の円地文子の方が娘以上に惚れ込み、彼にすでに婚約者がいることがわかっても彼のあとを追いつづけるよう娘をそそのかし、そのあともずっと娘には内緒で彼に会っていたという話は、お嬢さんゆえの大胆さをうかがわせて、円地文学の核心に触れる思いがする。

有吉家の娘の場合は家庭から何からまったく異なる。最初からそこには父親がいない。母と、一人娘と、母の秘書役と娘の養育係を兼ねる母の母という、女ばかりの家族なのだ。二〇歳で母を失うまでの娘の物語の時間は短いし、登場人物はほとんど女三人の家族だけに限られている。しかしその短い時間と狭い空間のなかで彼女がたどる自分と母親の関係についての意識の変遷は、限りなく外に開かれていて、緻密なうえに明晰で、劇的な展開を伴う。

幼い頃から娘は自分が自分として扱われず、いつも有名作家の娘として見られてしまうことに苛立ち、母に抵抗する一方で、中学生の級友が有吉佐和子という作家を知らないことを知って衝撃を受ける。それがたんに自意識のなかをぐるぐる廻っているだけのことで、それを断ち切りさえすればいいのだと思っても、母親への対抗意識、嫉妬、劣等感、敗北感からは解放されない。母の急死によって、突然、解放は訪れる。しかしそのとき、母を失ったことは母と対峙してきた自分を失ったことだという苦い自覚が彼女を襲う。

これは息子が父親に対抗し、父親から自立して行くのとほとんど同じ型の、その意味ではありふれた親子の物語だといってよい。しかし注目に値するのは、それが女同士の確執や嫉妬のドラマを書いて抜きん出た戦後の才女作家の、母に劣らぬ才気に恵まれた娘によって書かれた物語だという点にある。最後に母のあと祖母も失って、否応なく自立させられた娘は、自分のなかで一つの時代が終わったという認識に達するが、そういう娘の物語は確実に「作家と娘」の新しい時代の到来を告げているのである。

索引がこんなに面白くていいかしら

本欄の前任者柘植《つげ》光彦《てるひこ》氏は、本誌二月号に昨年の近代文学研究「十大ニュース」を発表し、ビッグ3に次の三つを選んだ。

①「昭和文学」花ざかり

東郷克美・小森陽一・石原千秋氏の企画による『講座　昭和文学史』（有精堂）の刊行と、昭和文学会の活動。

②ニューアカデミズムの旗手が登場

小森陽一氏の二冊の著書の同時刊行。

③研究方法の二極分解

小森氏や若手研究者による構造主義的研究と、紅野敏郎氏ら上の世代による文献調査を中心とした実証的研究への、研究の二極分解。

④以下にはだいぶ異論があるが、ビッグ3に関するかぎり柘植氏の選び方には私も全面的に賛成だ。この発表の直後、長い昭和が終わった。例によって原稿が集まらなくていつまで経っても予定の巻が出せず、業を煮やした出版社が本の出る前から広告だけを出して執筆者の尻に火を点けてきた『講座　昭和文学史』も、この雑誌が出る頃には、まことにタイミングよく最終巻の第五巻を出して、めでたく完結するだろう。この三月には、構造主義や記号論をいちはやくわが近代文学研究の世界に持ち込んで若手研究者にバトン・タッチしたまま倒れた故前田愛氏の著作集全六巻（筑摩書房）の配本がいよいよはじまり、目下、小森陽一氏は、吉田凞生《ひろお》、十川信介氏らとともにもっぱら続巻の編集・解説に力を集中しているようだ。この二つが完結した時点で、新しい方法の成果をどう評価するかが、今年から来年にかけての最大の問題になりそうな気配だ。やがて本欄でも取り上げなければならないかと思うといまから気が重いが、今回は③の研究方法の二極分解の傾向のうち、最近の実証的研究に触れておきたい。

柘植氏は実証的研究として文献調査しかあげていないが、一口に実証といってもいろいろあって、広い意味での作家の伝記的研究もあまり目立たないところで依然として続けられている。たとえば新潟の若月忠信氏は、坂口安吾の中学時代に、他家に嫁いでいた腹違いの長姉が姑を毒殺しようとした事件が大々的に土地の新聞に出たというショッキングな事実を突き止めて、くわしく紹介しているし（『資料　坂口安吾』武蔵野書房）、三島の藤沢全《まとし》氏は井上靖の母方・父方の家系とその一族を二〇〇〇年前に遡って一人一人徹底的に調べ上げ、それだけで一冊の本になるくらいの長大な論文を大学の紀要に連載中だ（「井上靖伝覚え書」）。かつて漱石の恋人問題で大塚楠緒子《くすおこ》説を唱えて話題になった岡山大学の小坂晋《すすむ》氏は、未発表の漱石宛楠緒子書簡を公表して、自説の防備を固めている（「新考・夏目漱石と大塚楠緒子」）、等々。

これらの諸氏が文学の研究というものをいったいどう考えているのか、聞いてみたい気もするし、ましてやこういった二、三の伝記的調査や資料の公開を拾い上げることによって、構造主義や記号論の嵐はもうとっくに通り過ぎたかのように思い込む安易な居直りだけは絶対に避けたいが、個々の分野では、このような、狭いかもしれないが執念をかけた調査や紹介も行われていることを忘れてはならないだろう。

文献調査についていえば、いま行われている文献調査なるものの多くは、個人全集を作るための一人一人の手仕事の副産物のようなものではないかという感じがする。もちろん信頼できる本文の確定は研究の大前提だし、紅野敏郎、竹盛天雄、保昌正夫氏ら、早稲田を中心とする人々がそのために払ってきた多年の情熱と労苦にはただただ頭が下がるばかりだが、近代文学の研究全体を考えた、より大局的、組織的な調査や、二次・三次文献の整備にももっと意欲的であってよいのではなかろうか。

ところでこの面での最近のトピックは、何といっても『明治文学全集』別巻『総索引』の刊行（筑摩書房）と、それによる二五年がかりの全集全一〇〇巻の完結だろう。故稲垣達郎、紅野敏郎、竹盛天雄、石崎等、石松盈美、大屋幸世《ゆきよ》、佐藤房儀、関口安義、中島国彦、山崎一穎《かずひで》の一〇氏のチームワークによる労作『総索引』は、全集の最後を飾るにふさわしい文字どおりの偉業である。

全集に収録した作品から一二万の重要語句を拾い出し、それらを五十音順に排列してその出所を示した、というだけでは、この索引の内容を伝えたことにはならない。一〇人の研究者が、すべてカード方式の手作業で、これまた二〇年がかりで完成させた索引だ、といっただけでも、まだ足りない。要はその結果である。固有名詞を中心にした立項と排列に並々ならぬ苦労と工夫のあとがうかがえ、そのおかげでどこを引く、というより、読んでも、和洋接合のために涙ぐましい努力を重ねた明治の文化の総体が、一つ一つの言葉を通じて、立体的、多層的に浮かび上がって来て、興味が尽きないのだ。

実はその面白さについても、すでに編集者によって面白すぎるくらい面白く紹介されている。昨年の八月から「ちくま」に連載された「明治文学全集総索引余話」である。だいぶ評判にもなったから知っている人が多いと思うが、版元のPR誌に載ったものだからといって、たんなる前宣伝どころではない。毎月一頁の短い匿名の文章だが、編集の苦労話や具体的な用語例を混じえて、細かいけれども気が遠くなりそうに奥行きの深い話を、「FOCUS」のライター顔負けの軽妙さで語ってみせる。読むたびに舌を巻くと同時に、『総索引』を早く手にして見たいという気持が募った。学はともかく、こんな芸のある文章を書く人が編集者のなかにいたかなあと思って、毎月、あらためて一〇氏の顔とふだんの論文を次々に思い浮かべてみた。一〇人の誰かにきいてみようかとも思ったが、やめた。

二月に『総索引』が出て、四月に「余話」の連載は九回で終わった。最後まで大いに読ませて、これで終わってしまうのは惜しい気がした。ことによったら『総索引』そのものよりこっちのほうが面白いかもしれないとさえ思った。感銘のあまり、もう一度一回目から全部読み直し、いったい誰が書いたのだろうと、また考えた。ふと索引の話だからと思って、毎月の文章の末尾に記されているアルファベット一文字の署名を順に「排列」してみた。すると、何とそこには、

TAKIOSAMU

という人名らしきものが浮かび上がってきたではないか。念のために既刊の『明治文学全集』を調べてみたら、果たせるかな、全集担当の筑摩書房のベテラン編集者らしい人の名前の読みと見事に一致した。私は謎が解けたことを喜ぶと同時に、TAKIOSAMU氏の芸の細かさに三嘆した。九回の連載もはじめから計算のうちだったのだから、ニクイ。二〇年にわたる一〇人の研究者の地味な苦労が実を結んだのも、陰にこういう人がいたからこそだろう。

雑誌の発売日

『新潮』が先月に出た五月号で創刊一〇〇〇号（臨時増刊号を含めると一〇〇四号、別巻まで含めると一〇〇五号）を迎え、同時に『群像』が創刊五〇〇号（臨時増刊号を含めると五〇二号）に達して、それぞれ記念特大号を出した。雑誌に発表される作品を中心に動いてきたわが国の近代文学の歴史を考えるとき、これらの文芸雑誌の果たした役割はことのほか大きい。たまたま私は『新潮』の記念号のために年表形式の「新潮一〇〇〇号小史」なるものを編む機会をあたえられた。実はこれを書いているのはその原稿が校了になった直後なので、少々宣伝めくが、そのことから書きはじめることをお許し願いたい。

せっかく良い機会をあたえられたのに、知力、体力、時間、スペース等のどうしようもない限界のために、われながら不本意な仕事しかできなかったのは遺憾だが、そのための調査の過程でいろいろ勉強させてもらえたのは幸いだった。最初から私なりにこれだけは調べて書き込みたいと思ったことがいくつかあった。その一つに、明治三七年創刊以来八五年間、『新潮』の発売日がどう変わってきたか、があった。

つまらぬことを、とお思いの方が多いだろう。しかし雑誌の発売日を知っていることが些細なようで案外大事だということを、私はこれまでの貧しい研究の過程で何度か体験してきた。同じ思いを味わったことのある人は決して少なくないだろうと思う。ちょっと前の雑誌になると、発売日を知りたいと思っても、そのための資料がほとんどないのだ。『新潮』にしてからが、芥川龍之介の「藪の中」を掲載した大正一一年一月号（発行日が一月一日であることは雑誌を見ればすぐわかる）が実際に何日に出たのか、太宰治の「走れメロス」を載せた昭和一五年五月号、坂口安吾の「堕落論」を載せた昭和二一年四月号が書店の店頭に並んだのは何日なのかを知る必要が生じても（そういう場合は決して少なくない）、それをかんたんに知る確実な手がかりは何一つないのである（実際には順に一二月二九日、四月一三日、五月三日頃）。

現在、『新潮』『文學界』『群像』『海燕』の月刊文芸誌四誌は、首都圏では、毎号、前月の七日に発売されている。取次の関係で、月刊・週刊の商業誌の発売日は決まっている。このことは誰でも知っている。日販と東販では各誌の発売日が一目でわかる雑誌目録を本屋に配っている。例えば、日販で出している『雑誌のもくろく』一九八八年版（定価二五〇円）には、昭和六二年一一月末現在、全国の書店で販売されている雑誌約三〇〇〇誌が載っている。もっと詳しい情報が必要なら『雑誌新聞総かたろぐ』（メディア・リサーチ・センター、一九七九年版より年刊）という年鑑があって、一九八七年版には実に一万六〇〇〇点以上の雑誌・新聞についての情報を収め、書店で買える月刊誌については発行日と発売日を併記している（出版ニュース社の『日本雑誌総覧』の方が収録点数は多いが、発行日、発売日の記載はない）。こういう便利なものが昔から出ていれば苦労しないですむわけだが（最近、復刻版が出た昭和一〇年代の『雑誌年鑑』もこの点では役に立たない）、残念ながらこの種の目録が出はじめたのは一〇年ほど前からにすぎない。しかも『雑誌のもくろく』の類いは電話帳などと同じで、バックナンバーを保存しているところは、私の調べた限りではどこにもない。日販にもない。現在活躍中の文学者の詳しい著作年表を作っているか、将来作りたいと思っている人で、十分に長生きできる自信のある人は、すべからく毎年手に入れて大事に保存すべき資料であろう。

著作年表のことを出したついでにいえば、雑誌の発行日と発売日の差が大きくなっている現在、正確な著作年表や文献目録を作成するために、諸雑誌の実際の発売日を記録しておく必要はますます高まっている。従来、文学者の年譜や著作年表を編む場合、著作は、初出の雑誌・新聞・書籍等に記載された発行日（あるいは月号）に従って配列したり、各月に振り分けたりするのが慣例となっている。近年は発行の月だけでなく、日まで正確に記載しないと信用されない風潮がある。それはそれで結構なことだと思うが、しかし何のための年譜であり、年表であるかを考えないと、本末転倒な些末主義、形式主義に陥る危険がある。

いうまでもないことだが、年譜や年表が明らかにすべきことはその文学者にまつわる事実の正確な記録とそれらが生起した順序、先後関係であり、著作の場合には、執筆あるいは発表（一般読者の目に触れること）の順序である。しかし実際上はそれがほとんどの著作について確かめられない場合が多いので、あくまでも便宜上の手段としてわれわれは発行日や月号を基準に作品を並べているのである。けれども発行日と発売日または執筆時のずれがある程度わかっている場合、編者の良心はすべてを発行日で統一することの虚偽と矛盾に悩まざるを得なくなる。

現在の時点でわかりやすい例をあげれば、いまかりにある文学者が、①四月七日発売の『新潮』五月号、②四月二二日発売の『オール讀物』六月号、③四月二六日発売の『サンデー毎日』五月八日号、④四月三〇日付の『朝日新聞』夕刊、のそれぞれに作品を発表していたとすると、慣例では、四月の項に④、五月の項に①③、六月の項に②の作品が記載されるということになる。この虚偽と矛盾を前にしていささかも動じず、相変わらず発行日主義を金科玉条のごとくに奉じつづける人に幸いあれ。

もう二〇年以上も前に『書誌小林秀雄』（昭和四二年四月、図書新聞社）を編んだ吉田凞生、堀内達夫両氏は、私の知るかぎり、この一見些細な、しかし決して蔑ろにできない問題に初めて真剣に悩んだ不幸な先駆者であった。吉田凞生編の年表は止むなく慣例に従ってはいたが、「あとがき」で「年表作成の方法についても、たとえば実際の執筆・発表月と特に雑誌の月号数との時間的ずれの問題など、研究の余地は多い」と記していたのが強く印象に残っている。たまたま最近買った杉浦明平編『立原道造詩集』（昭和六三年三月、岩波文庫）を見ていたら、吉田凞生氏とともに不幸な先駆者の一人である堀内達夫氏が、雑誌発表作品の記載を雑誌の実際の発売日で統一した年譜を巻末に付しているのを発見して、ほとんど感動した。同じことがどの文学者の場合にも可能だとはいえまいが、いま自分の作っている年譜があくまで便宜上のものだという自覚と、不可能を知りつつ一歩でも目標に近づく努力だけはやはり忘れたくないものだと思った。

さて、過去に遡って雑誌の発売日を調べたいと思って誰でもまず思いつくのは、編集後記、総目次、社史、その他の内部資料、編集者の日誌や回想記などの直接資料であろう。しかし実際に当たってみると、それらの資料にも長い期間にわたって発売日の変遷を記録しているものはほとんど見当たらないことがわかる。そこで次に考えられるのは、これも誰でもすぐ思いつく新聞広告である。月刊商業誌の場合、日刊の大新聞に広告が出るのは、発売日前後と考えてよいからである。ただ広告を希望する日の希望の面や欄が他誌あるいは他の広告に取られてしまったような場合、若干のずれが見られる。あるいは何らかの事情で広告が出ない月もある。そのようなことを忘れさえしなければ、新聞広告は発売日確認のための、決定的な証拠にはならないまでも、有力な状況証拠あるいは第二次資料として利用できる。

さらに戦前については、雑誌も、毎号、検閲を受けるために印刷直後、発売直前に内務省に納本することを義務づけられていたから、その日がわかれば、発売日をその翌日から二、三日以内と推定することができる。そして実はその日付は、書店に出る雑誌であったら、原則としてどんな雑誌にも、毎号、奥付や表紙に印刷納本日として発行日と併記されているのである。現在でも奥付に印刷日と発行日を日付を変えて併記する習慣が残っているが、現在、その慣例がほとんど意味を失っているのに対して、戦前はちゃんと意味を持っていた。

スペースの限られたこの文章は、雑誌の発売日についての調査が行われるべきではないかという提言を主な目的としている。虫のいい話だが、私としては趣旨に賛同してくれた誰かの手によってなるべく早いうちに徹底的な調査が行われ、その詳しい報告がどこかに発表されることを切望している。誰もやってくれなければ、自分でやるしかない。これまでに私がやってみたのは、ごくおおざっぱなランダム・サンプリングにすぎない。しかしそれだけでもなかなか重要かつ興味深い事実がわかった。以下、その一端をご報告して、より詳細、正確なデータ発表への呼び水としたい。

明治については未調査なので、大正以降の月刊文芸雑誌、総合雑誌に話を限れば、大正九年ごろまでの発売日は号によってまちまちだが、だいたい発行日の前後五日以内と見て大過ないようである。大部分の雑誌は毎月一日が発行日になっているから、前月二五日から当月五日までに発売されていたことになる。もっとも当時でもすでに『講談倶楽部』などの大衆雑誌は前月七日前後、少年少女雑誌は一〇日過ぎから中旬、婦人雑誌は二〇日過ぎに出ていた。総合雑誌の発売日が早くなるのは、大正九年一一月からで、その火付け役は、大正八年四月と六月に相次いで創刊された『改造』と『解放』の販売合戦だったと思われる。『改造』は発売日を以前より一〇日近く早めて前月二〇日~二三日、『解放』は二三日とした。『中央公論』はさすが老舗だけあって、当初、これに同ぜず、相変わらず月末から月初を守っていたが、とくに新聞の大広告をはじめとする『改造』の激しい食い込みに押されて、震災後、発売日を徐々に早め、二〇日~二五日とした。『改造』はこれに負けじと、大正一五年に入ると一九日にする。ちなみに一四年一月に創刊された『キング』の発売日は最初から前月五日であり、大正末年のマスコミの飛躍的発展は雑誌全体の競争激化と発売日の先陣争いを引き起こしていた。昭和改元前後、『中央公論』と『改造』の二大総合雑誌の間には協定が結ばれたのか、以後、両誌とも一九日発売となり、少し遅れて『文藝春秋』もこれに合わせる。一方、文芸雑誌は『新潮』『新小説』『文章世界』『中央文学』などいずれものんびりしていて、昭和に入っても月末にならないと本屋に並ばなかった。ひどい時は当月の一〇日近くになってようやく出る場合もあった。したがってこの時期の文芸時評などを見る場合には、その時点までに読むことのできた雑誌とできなかった雑誌を確かめてかかる必要がある。影響関係を云々する場合はいわずもがなである。

昭和まで生き残った『新潮』一誌についていえば、尻に火が付いたのは『文學界』『文藝』『行動』等が相次いで創刊された昭和八年以後である。とくに八年一〇月に改造社から創刊された『文藝』が、一一月創刊号から発売日を『改造』と同じ前月一九日にしたことが響いた。多分、その噂はかなり前からあったのであろう。『新潮』は八年に入ってから少しずつ発売日を早めていた。『文學界』の昭和八年一〇月創刊号（この発売日が九月一五日であったことは、最近、新潮社版『川端康成全集補巻二』に収められた川端康成宛林房雄書簡からわかる）に載っている武田麟太郎の「新潮の作品」によると、『新潮』は九月号から一九日に配達されるようになったらしい。九月号の「記者便り」にもその旨が記されている。これが一部に限ってのことであったとしても、一二月号から『文藝』と同じ一九日発売になったことは、納本日や新聞広告日からみて間違いのないところである。

この後、昭和九年五月からは『文藝』に合わせて一時的に一二日になったこともあるが、一三年ころから『文藝』とともに一三日に落ち着く。『文學界』も文藝春秋社に移ってからほぼこれに従っている。太平洋戦争開戦直前の一六年一二月号から三誌とも発売日が二〇日過ぎと遅くなり、一九年になると二八日前後にまで後退する。

戦後、二四年ころまでの文芸雑誌の発売日は、『群像』など後発誌も含めて、用紙その他の事情から、号によってまちまちだが、総じて発行日より大幅に遅れている場合が多い。一か月遅れはザラで、二か月遅れている場合も珍しくない。発行日と発売日のずれは過去最大である。この時期の作品の先後関係や影響関係を云々する場合には、一号、一号について発売日を確認してからでないと危険であることをよくよく肝に銘じておきたい。発売日が安定するのは昭和二五年ころからで、以後、今日まで再び徐々に早くなる。初め一三日であったものが、昭和三〇年代に入って一〇日前後、三五年ころから八日になり、現行の七日になったのは、四〇年ころからである。

以上は文芸誌を中心とした月刊商業雑誌についてのおおまかな経緯であって、それ以外の同人雑誌その他については、他の何らかの方法で一冊、一冊調べて行くしかないであろう。それにはほとんど絶望的な困難が予想されるが、それにしてもせいぜい過去一〇〇年以内のことである。まったく不可能とは言い切れまい。

芥川龍之介と宇野千代

今回も雑誌の紹介から始める。

戦後の文芸雑誌でも忘れ去られてしまっているように見受けられるものが少なくない。その一つに『歴史』というのがある。昭和二七年一月、春歩堂創刊。編集人 清川豊、発行人須藤酉寿。月刊で四月発行の四号まで国会図書館蔵。文芸年鑑をはじめ、各種文学事典、戦後雑誌目録の類いにも漏れている。尾崎士郎、尾崎一雄、榊山潤ほか、昭和一〇年代作家が多く書いている。広告によると、春歩堂は尾崎士郎の『人生劇場』、榊山潤の『歴史』、富田常雄の『姿三四郎』などの再刊本を出している出版社である。表紙の誌名の上に「文芸雑誌」と銘打っている。A5判、定価二〇円。一号から三号まで四八頁、四号のみ四九頁。発行日は毎月一日だが、発売日は不詳。ちなみに国会図書館の受け入れ日は、創刊号が二月四日、四月号が四月二一日と不定。毎号、小説二、三本のほか、短い随筆をたくさん並べている。

次に主な作品を掲げておく。（　）内は号数。

小説――大鹿卓「明治三十六年」（1）、榊山潤「怯え」（1）、宮内寒弥「うつりかはり」（2）。外村繁「化粧と嫉妬」（2）、十和田操「銭苔や南京虫」（2〜3）、保高みさ子「塀の話」（3）、中谷孝雄「浅間山」（3）、儀府成一「困った神」（4）、福田清人「大浦お慶」（ラジオ・ドラマ、4）、八田尚之「瓢人先生」（4）。

随筆・その他――尾崎士郎「音無河畔より」（1、3）、尾崎一雄「冬眠居日録」（1〜3）、丹羽文雄「伊香保にて」（1）、塩谷温《しおのやおん》「坂口安吾氏に答へる」（1）、大井広介《ひろすけ》「犬は如何にして小便するか」（1）、今東光「後土御門院の御製一首」（1）、浅見淵《ふかし》「作家と作品の運命」（1）、添田知道「日露戦争と演歌」（1）、山内義雄「物忘れ」（2）、上林暁「向井潤吉氏との一夕」（2）、寺崎浩「外国文学偏重」（2）、梅崎春生「押売り」（2）、大鹿卓「句・月天心」（2）、榊山潤「僕の頁」（2、3）。巌谷真一、小山内徹、与謝野秀《しげる》、岡本太郎、岩野薫「父母を語る」（2）。坪田譲治「きつぷの事」（3）、向井潤吉「競争者」（3）、田宮虎彦「歴史小説を書く時」（3）、伊藤永之介「再興の農民文学」（3）、筒井敏雄「芥川龍之介の恋文」（3）、藤田信勝「東大事件の反省」（4）、下村湖人「心窓去来」（4）、和田伝《つとう》「古米」（4）、

今東光「天台院閑話」（4）、大鹿卓「雑談」（4）、村松定孝「『滝の白糸』と支那劇」（4）。

以上、八割方拾ったが、どちらかというと戦後文学史の本流からは外れた地味な作家の地味な作品が多い。あえて紹介するまでもないといわれそうだが、ここまではいわば前置きである。

本稿の目的は、右のうち、昭和二七年三月一日発行の第三号に発表された筒井敏雄「芥川龍之介の恋文」を紹介することにある。

筒井敏雄は、七枚ほどのその文章の冒頭に、藤村千代宛の芥川龍之介の書簡を引いている。それをそのまま左に写す。原文の漢字は正字。

　御手紙と原稿と確に落手しました。御返事が遅れたのは丁度新年号の原稿を書く為、繁忙を極めてゐたからです。
　小説はいけません。あれでは題材も描写も平凡だから駄目です。御雪さんの離縁話が世間の離縁話とはずつと風の違つてゐるものか或は事件はあの儘でも、あの事件を解釈するあなたの眼がもつと鋭くなつてゐるか、どちらかになつてゐなければ及第しません。

もしこの次に何か書くのだつたら、あんな大事件でない事を、もつと丹念に見て、もつと丹念に書いて御覧なさい。御雪さんの離縁話を霊活に書きあげる為には、少くとも今の文壇の大家位な手腕が入ります。

（途中欠如）

来た時分に小林勢以子といふ女の人が来たでせう。あの人も近々結婚するさうです。今は大正活動の女優になつてゐるやうです。私の所へ来る連中も大分顔ぶれが変りました。今来る連中はみんな大人です。宇野浩二なぞと言ふ豪傑も遊びに来ます。その代り美人は一人も来ません。札幌はもう寒いでせう。東京も雪がありました。私は毎日書斎にとぢこもつた儘、行火《あんか》にばかり親しんでゐます。

草々

十二月二十日　　芥川龍之介

藤村千代様

藤村千代はいうまでもなく宇野千代である。惜しいことに途中が欠けているが、どうやらこの書簡、筒井敏雄が紹介してから今日まで、埋もれたままのようである。全集にも未定稿集にも旧岩森コレクション目録にも載っていない。また私の調べたかぎり、この書簡に触れた文献もほかに見当たらないし、この文献自体、管見のいかなる芥川龍之介参考文献目録にもあげられていない。筒井敏雄は「この手紙は故あつて私の珍蔵するところとなつてゐる」と書いているばかりか、この手紙をめぐって宇野千代と話したこともあるそうで、その時の会話を以下のごとく再現して見せている。（原文のまま）

——僕は芥川氏からあなたに宛てたラブレターを持つてゐますよ。一見すれば、なんでもない手紙なんですが、かんじんな真中のところが破かれて無いのです。むろん破つた本人はあなたでせう。

——あら？　あの手紙なら、ほんとになんでもないものだつたのが事実ですよ。でも若いときつて仕方のないもので、あの手紙を貰つて読んだときは……なにか大変なことが書かれてあるやうな気がして、誰かに読まれてはいけない気がして……あわてて破つてしまつたのですわ。たぶん、そのときの私は小娘のやうに胸をドキドキさせてゐたかも知れませんねえ。

——とにかく手紙が破かれて、その文字がないというのは怪しいですよ。空白というものは、いつでも余情閃々です。ラブ・レターといはれても文句はないでせう？

――さうですね。人の口には戸がたてられませんから仕方がありませんわ。

――それに手紙の持主たる僕にすれば、単なる文学少女宛の手紙といふよりも、ラブ・レターだといふことにした方が、その価値に於て千里のへだたりがあるのです。第一その方が、ずつと奥ゆかしいではありませんか。

――いやですね。死人に口なしとはいふけれど、私はまだレツキとして生きてゐるのですからね。とんだ汚名をたてられては、いささかさしさわりもあるし…何よりも死んだ人にお気の毒ですよ。ほんたうですよ。


宇野千代の口述についての文責はすべて筆者にあると断っているように、二人の間で実際にこのとおりのやりとりが行われたかどうかは保証のかぎりでない。しかし後述の理由から、これが筒井敏雄の意図的な創作でないことだけは信じてよさそうである。

それにしても、小説では高みに立って相手を突き離しながら、「その代り美人は一人も来ません」以下、最後の四行ではそっと擦り寄って見せた、このラブ・レターまがいの芥川の手紙を「珍蔵」し、受取人の宇野千代とこんなに気軽に口をきいている筒井敏雄とは、いったい何者か。

どこかで見たか、聞いたかしたことのある名前のような気がしたが、すぐに思い出せなかった。もっぱら当方の不勉強のせいで、手もとの『日本近代文学大事典 机上版』には、一〇行余りながら、ちゃんと出ている（執筆者は清原康正）。

明治三八年、愛知県生まれの小説家。本名七原敏雄。昭和五八年没。はじめ小山内薫の門下として劇作に志したが、のち小説に専念。尾崎士郎に師事……というところまで来て、宇野千代とのつながりも、戦後、雑誌『歴史』に書いていることも想像できた。「酒徒菩薩」（『新潮』昭和八年一一月）という小説がデビュー作だというが、戦後は児童ものを手がけ、戯曲や歌集もあるようだ。

調べていくうちに、宇野千代とは、尾崎士郎門下というだけのつながりではないこともわかった。

中央公論社版『宇野千代全集 第十二巻』の大塚豊子編「年譜」によれば、宇野千代が室伏高信《ぶせこうしん》を介して尾崎士郎を知ると同時に同棲を始めたのは大正一一年。翌一二年に馬込に一戸を構え、一五年二月に正式の結婚届を出している。そして昭和三年の項には「馬込の士郎、千代の家には、千代の妹勝子と、その夫筒井敏雄（本名七原敏雄）、士郎の母と、犬のフィリッツがいた」とある。保高徳蔵《やすたか》「桃源郷馬込村」（『新潮』別巻1、昭和二六年一月）によると、千代が縁遠い妹勝子の結婚相手に見立てた筒井敏雄に対して、口利き役をつとめたのは保高徳蔵だった。筒井は千代に信頼され、五年に千代が東郷青児と知り合い、尾崎士郎と別れる前後のことも身近にいていちばんよく知っていたという。件の芥川龍之介の手紙はその際に千代が筒井夫妻のもとに残していったものだと考えれば、万事納得がいく。

ところで筒井敏雄は前記の文章において、書簡の年代を大正五年か六年と推定している。しかしこれは明らかに誤りである。大塚豊子によれば、大正六年、二〇歳で上京した千代が、最初の夫藤村忠に伴って札幌に住むのは、九年九月から一一年四月までの約一年半（「脂粉の顔」が『時事新報』の懸賞小説の一等になるのは一〇年一月）であるから、九年か一〇年の一二月としなければならない。その前の東京にいた三年間、本郷燕楽軒の女給に出たことがきっかけで文士たちの間で評判の女性になっていたことについては、久米正雄、今東光、その他多くの証言があり、千代自身、何度も書いているので、よく知られている。芥川龍之介との関係では、芥川の短篇「葱」（『新小説』大正九年一月）が、今東光から聞いた話をもとに千代をモデルにして書かれた作品だということになっている。しかし一般に知られているのはせいぜいその程度である。

森本修「芥川龍之介をめぐる女性」（『人間芥川龍之介』昭和五六年五月、三弥井書店）には、芥川と何らかのかかわりのあった二〇人近くの女性とのことが詳しく報告されているが、宇野千代とのことはまったく触れられていない。また『芥川龍之介事典』（昭和六〇年一二月、明治書院）巻末の宮坂覺《さとる》の労作「年譜」の大正六年から九年の項を見ると、秀しげ子、小林勢以子、平松麻素子《ますこ》、佐多稲子はもちろん、日曜の面会日に来訪した数多くの女性たちの名が記されているが、そのなかにも宇野千代の名は見当たらない。

右の書簡は、大正八年ころ、宇野千代も田端の芥川家を訪れて芥川の気を惹いていた女性の一人で、小林勢以子（葉山三千子）とも顔を合わせていたことを証している。千代も芥川にあこがれていた。「あの頃、この頃―女から観た芥川さん」（『婦人公論』昭和二年九月）によれば、二、三度、田端の家を訪れて、夕方まで長い間、訪客でいっぱいの書斎に、「ここに私は坐つてゐる、貴方の前に坐つてゐる」とでもいうように黙って坐っていた。そのことを思い出すと今でもひとりでに赭《あか》くなるという。だが、それ以上のことはわからない。

ここでふたたび書簡の年代を考えると、小林勢以子に「近々結婚」の噂があるというのが一つの手がかりになる。今東光によると、勢以子が高橋英一（岡田時彦）と義兄の谷崎潤一郎の二人から同時に結婚を申し込まれているという話を彼女自身の口から聞いたのは、大正九年の夏過ぎだったという。芥川が宇野浩二を識ったのも同じ年の夏らしい。これらのことから推すと、書簡が書かれたのは大正九年の一二月である可能性が強いが、確証は得られないので、結論は差し控える。

宇野千代が芥川に送った原稿についても、少し調べてみたが、よくわからない。書簡とぴったり一致する内容の作品は、既発表のもののなかには見当たらないようである。「御雪さんの離縁話」という点で、中篇「人間の意企」（『中央公論』大正一二年六月、『脂粉の顔』所収）の原型とも考えられるが、「人間の意企」は「題材も描写も平凡」とは決していえない。

以上、わからないことだらけでお恥ずかしい限りだが、芥川龍之介、宇野千代に詳しい方のご意見、ご教示を賜りたい。

最後にその後の書簡の消息について一言。筒井敏雄の存命中、表装されていた書簡は、人手に渡ったらしい。譲り受けたと思われる人は数年前に亡くなっている。周辺の何人かの人に当たってみたが、書簡の行方は、誰も知らない。

日本近代文学館編『文学者の日記』について

「日本近代文学館資料叢書」の第Ⅰ期として出はじめた日本近代文学館編の『文学者の日記』について書けという注文である。

日本近代文学館は、故中村真一郎氏のあとをうけて中村稔氏が理事長に就任して以来、さまざまな改革に取り組んできた。その一つが館所蔵の肉筆資料を積極的に公開して行こうとする計画で、現在、着々と進行中である。

原稿、草稿、日記、書簡、その他、館が所蔵する膨大な肉筆資料は、従来、未公開のものでも所定の手続きをとれば誰でも閲覧することはできたが、それを利用して論文を書いたり、研究をまとめたりすることには制限があった。そのような制限が設けられたのは当初から館の運営にかかわってきた研究者たちの自主規制という面もあって、そのことを決して忘れてはならないが、それが結果的に肉筆資料全体の一般への公開を先送りにし、資料の死蔵を助長してしまうという面もないわけではなかった。そうかといって、国や地方公共団体からの援助なしで苦しい経営を続けている館には、自ら所蔵資料を写真版や翻刻の刊行によって公開して行くだけの財政的余裕はない。その壁を思い切って破るために、理事長が中心になって新たに二つの方向で積極策が打ち出された。一つは館蔵肉筆資料全体を総点検し、出版社の協力を得て何らかのかたちで出版できる見込みのあるものがあれば進んで出版して行くという方向であり、いま一つは、それと併行して、すぐに出版できる見通しがつかない資料は誰でも自由に閲覧、利用できるようにするという方向である。

前者の方向から生まれたのが「日本近代文学館資料叢書」の企画であり、その最初の試みとして、まず明治から昭和までの比較的まとまった日記類で、資料的な価値も高いと思われるものを選んで翻刻し、日本近代文学館編『文学者の日記』全八巻として博文館新社から出すことになった。八巻の内訳は、池辺三山三巻、星野天知一巻、長与善郎・生田長江・生田春月合わせて一巻、宇野浩二二巻、長谷川時雨・深尾須磨子合わせて一巻。全体の編集委員は池内輝雄、紅野敏郎、曾根博義、高橋英夫、十川信介、保昌正夫の六名で、各巻の翻刻・解説には編集委員以外に一一名の研究者に協力を依頼した。一九九九年五月から刊行が始まって、七月末現在、第五巻の長与善郎・生田長江・生田春月と第四巻の星野天知の二巻が出ている。シリーズ名は『文学者の日記』となったが、池辺三山の多種多様な遺稿類や星野天知の「自叙伝」等は厳密には日記とはいいがたい。しかしそれらを含めることで、シリーズ全体は作家の内面の記録という以上の歴史的な拡がりと豊かさを持つ資料集になるはずである。

以上、〈研究ノート〉欄であることを承知の上で、半ば公的な報告をさせていただいたが、以下、直接私のかかわった生田長江、生田春月の日記と、現在かかわっている深尾須磨子の日記について述べる。

長江の日記は明治四二年八月に与謝野鉄幹、石井柏亭とともに紀州に講演旅行に出かけたときのわずか二〇日間の日記だが、このときに新宮で佐藤春夫と初めて会って京都まで同道していること、この日記そのものが帰途、車中から鳥取県淀江に帰郷中の生田春月に送られたものであること、春月の日記は、そのあと、ふたたび上京して長江のもとに戻る直前の九月から一〇月にかけての約一か月間の日記である点などに資料的な価値がある。

これとは別に、春月は前年の明治四一年に上京して初めて長江の門を叩く以前の投稿少年時代から一部感想録風の日記を残していて、その大部分は、現在、米子市立図書館の「生田春月文庫」に保存されている。明治四一年一月から四二年八月まで一三冊、原稿用紙に換算して計七〇〇枚以上に及ぶ大量の日記である。今回、たまたま日本近代文学館にあるという理由で翻刻の対象になった日記は、それに直続する時期の五〇枚足らずの日記なのだ。となると、その解説を書くためにはどうしても米子市立図書館所蔵の日記を見なければならない。昨年の一一月半ば、私は米子を訪れ、市立図書館の好意によって二日がかりで日記全体に目を通すことができた。そして、生田長江宅に寄宿していた半年間を中心とするそれらの日記に、館所蔵の日記には見られない面白さがあることを発見した。明治四〇年代初頭に上京して長江宅の玄関番を勤め、長江の感化を受けた満一六歳の早熟な投稿詩人、文学少年の眼に、当時の文学者や文壇の状況がどんなふうに映っていたか、という面白さである。

圧巻は明治四二年一月八日の日記で、午後、長江から「煤烟」執筆中の森田草平のところへ行ってみようと誘われて千駄木林町の家を出た春月は、神楽坂の通りへ出る四辻で、漱石と、漱石門下で東朝の記者になっていた中村蓊《しげる》（膽駒古峡《いこまこきょう》）の二人に出くわす。長江が漱石と立ち話をし、漱石が帰った後、三人は横寺町の奥の正定院という小さな寺の一室を借りていた森田草平を訪ねる。あいにく草平は不在なので、みんなで部屋に上がって帰りを待つ。朝日に連載されはじめた「煤烟」の執筆現場である乱雑なその部屋の様子を、春月は克明に日記に書き留めている。そこへ郵便が来て、見ると草平気付長江あての女文字の手紙である。

長江はその場で開けて読もうとするが、もう暗くなっていて読めないので、春月に預ける。長江のところへ来るその種の手紙を春月はよく読んでいた。平塚明子からの手紙などは日記にそっくり書き写している。館所蔵の春月日記の翻刻・解説を引き受けたおかげで、思いがけない見つけものをした気持になった私にとって、米子への二泊三日の旅は忘れがたいものになった。

しかし米子市立図書館蔵の春月日記が私の心を躍らせたのは、漱石、長江、草平らを仰ぎ見ながら、それまで写真でしか知らなかった漱石の印象を「士方の親分然たるところがある」と書いたり、新婚早々の長江の女性関係を覗き見たり、「煤烟」事件後、「煤烟」を書くまでの森田草平の動静を拝むような気持でつぶさに観察したり、長江の尻馬に乗って早稲田派の文学者たちを口汚く罵ったり、文壇通になるにつれて自分自身もいっぱしの文学者であるかのような錯覚に陥ったり、というような文壇史向けの材料からだけではない。先の日記に漱石とともに登場する中村蓊、——前年、朝日に小説「回想」を連載し、三年後には漱石の斡旋で同じく朝日に「殼」を連載して評判になりながら、漱石の没後、「殼」に書いた実弟の精神異常がきっかけで変態心理学、精神医学の道に進むことになる中村古峡という人物に、かねてから私はひそかな関心を寄せていたのだが、昨年はその中村古峡についての伝記的、書誌的調査も集中的に進めていたからである。ちなみに古峡は一高で生田長江、森田草平らと同期の文学仲間でもあった。そして、古峡を追いかけているうちに、明治三〇年代から四〇年代にかけての彼ら三人の動き、とくに漱石、「自然主義」、「新しい女」などをめぐる彼らの言動にも関心が拡がってきていたからである。春月の日記を読んで、春月自身はもちろん、それまで顔や姿の見えなかった彼ら三人が私のなかでにわかに生きて動きはじめた。資料を調べていて、これほどのよろこびはない。そのあたりのことについてもう少しくわしく書けば、近年ますます拡散する関心を持てあまし気味の私自身の〈研究ノート〉らしくもなるだろうが、残念ながらここでは省略せざるを得ない。

次に深尾須磨子の日記だが、こちらは佐藤健一、藤本寿彦両氏との共同作業である。翻刻するのは、昭和一四年三月から一二月にかけての三回目の渡欧日記と、敗戦前後から昭和二四年三月までの戦後日記、合わせて約五〇〇〇枚である。深尾須磨子は日独伊親善協会の使節として渡欧、ムッソリーニ率いるファシスト団体や女子大学の規律正しさに感服し、ムッソリーニにも直接会って感動した後、ドイツ、フランスを経てふたたびイタリアに戻り、ムッソリーニの故郷に近いイタリア中部の村、シーザに滞在中、第二次世界大戦開戦の報に接する。この渡欧がきっかけになって、帰国後、女性詩人の先頭に立って戦争詩へとなだれ込んで行くことになる。戦後の日記には、そうした戦中の自己に対する反省と、そこから立ち直ろうとする意欲が漲る。深尾須磨子は八五歳で死ぬまで自分の年齢を誰にも五歳若く言っていたが、昭和一四年には五〇歳を越えていたはずのその年齢をまったく感じさせない若さと素直さが（イタリアでは二〇代の若い作曲家と恋もしている）、ムッソリーニとイタリアに対する手放しの礼讃と熱狂に結びついたのだろう。自分の心覚えのために書かれた日記で横文字も多いので、三人寄っても判読できない箇所があり、翻刻にはだいぶ苦労している。

このように、最近、資料を調べたり、読んだり、編集にかかわったりする仕事が多くなって、まとまった〈研究〉をする暇がない。〈研究ノート〉と称しながら〈研究以前ノート〉にしかならない所以である。困ったことだが、もともと調べるのは嫌いなほうではないから、致し方ないと思っている。ここ数年は新潮社版の『井上靖全集』の編集に時間と労力の大半を費やした。これも引き受けた以上、いい加減な仕事をするわけにはいかない。最後の別巻の刊行が遅れたが、ようやく年内には出る予定である。井上靖に関心のある人もない人も、別巻だけはぜひ見ていただきたい。

『新日本文学全集』と戦争下の出版状況

一

『新日本文学全集』は改造社が皇紀二六〇〇年（昭和一五年）記念出版の一つとして企画・刊行した戦争下の代表的現代日本文学全集である。昭和一四年一二月九日および一二日の日付を併記（九日印刷、一二日発行ということか）した内容見本によれば、「躍進期国民の精神的の糧として、また昭和文化の精華として後世に伝へるにふさはしい清新潑剌たる中堅新鋭作家の代表的傑作を網羅」せんとしたもので、明治大正の文学を集大成した『現代日本文学全集』の「姉妹出版」という性格をあたえられていた。内容見本に発表された「全二十七巻総内容」と、実際に刊行された巻の発行年月日および配本順を併せて一覧すれば、次のとおりである。

第一巻　横光利一集　昭15・3・22　③
第二巻　川端康成集　15・9・14　⑥

第三巻　岸田國士集　15・7・20　⑤
第四巻　牧野信一・(梶井基次郎)・嘉村礒多・北條民雄集
　　17・5・4　⑮
×第五巻　瀧井孝作・堀辰雄集
第六巻　尾崎士郎集　17・1・18　⑭
×第七巻　中野重治・宇野千代集
第八巻　林房雄集　17・11・28　⑱
第九巻　武田麟太郎集　15・11・12　⑦
第十巻　井伏鱒二集　17・9・1　⑰
第十一巻　林芙美子集　16・2・28　⑨
×第十二巻　徳永直・真船豊集
×第十三巻　芹沢光治良集
第十四巻　坪田譲治集　17・7・13　⑯
×第十五巻　深田久弥集
第十六巻　阿部知二集　16・9・13　⑫

第十七巻　石坂洋次郎集　15・2・4　②
第十八巻　丹羽文雄集　15・12・20　⑧
第十九巻　島木健作集　16・5・14　⑩
第二十巻　石川達三集　16・7・13　⑪
第廿一巻　高見順集　16・11・20　⑬
×第廿二巻　和田伝・間宮茂輔集
×第廿三巻　伊藤永之介集
×第廿四巻　窪川稲子・久板栄二郎集
第廿五巻　岡本かの子集　15・5・20　④
第廿六巻　火野葦平集　14・12・16　①
第廿七巻　（第廿四巻）上田広・日比野士朗集
18・3・20　⑲

右のうち、×印を付した巻は実際には刊行されないままで終った。第四巻には当初「梶井基次郎集」は含まれていなかったが、昭和一五年九月発行の月報第六号の予告より加えられ、そのとおり刊行された。また初め第廿七巻に予定されていた「上田広・日比野士朗集」は、予告なしで第廿四巻に変更、最後の配本となった。実際に刊行されたのは予定の二七巻のうち、全一九巻である。このようなことは大出版社発行の文学全集としては異例に属する。予定より巻数が増えることはよくあるが、出版社が倒産したのならともかく、そうでもないのにこのような中絶に等しい大幅な縮小が行われることはめずらしい。いうまでもなくこれはもっぱら「時局」の進展による用紙・言論両面にわたる統制の結果である。昭和一四年一二月発行の「火野葦平集」に始まり、一八年三月発行の「上田広・日比野士朗集」に終る本全集は、その意味で戦争下の出版状況・文学状況をうかがうための好箇の資料となっている。

『新日本文学全集』が、かつて大当りに当って円本ブームを捲き起こした『現代日本文学全集』（全六二巻・別巻一、大正一五年一二月～昭和六年一二月）の顰《ひそ》みにならって、その昭和版を企図したものであることは、新全集のさまざまな面にうかがうことができる。円本全集が「僅かな金で完全な文学図書館が出来る＝明治大正文学のエッセンス」（内容見本）をキャッチフレーズとしたように、新全集も「驚異的の廉価」による「昭和文学の小図書館」であることを強調した（内容見本、「本全集の特色」）。しかし造本・定価等において円本全集の水準を維持することはさすがに困難であったらしく、四六判、ハコ無しカバー付（装幀佐野繁次郎）、口絵写真一葉、本文八ポ二段組、一冊平均五〇〇頁（約一二〇〇枚分）、定価一円五〇銭とした。予約制を採ったことは円本全集と同じである。各巻に四頁の「新日本文学全集月報」を附録として挟み込んだが、円本全集附録の「改造社文学月報」にくらべるとだいぶ見劣りがする。用紙難の折りから毎月一冊配本の予定が守れず、本文・月報ともに紙質も粗悪で、のちになるほどひどくなった。読者の側から配本の遅れとともに用紙についての苦情が絶えなかったことが、月報の「刊行者より」の欄からうかがえる。しかし各巻巻末に著者自身（物故あるいは出征中の場合は適任者）執筆の解説および年譜を付けたのは新しい試みであった。

以上のような諸々の悪条件にもかかわらず、本全集は、当時唯一の同時代文学全集として大変な売れ行きを示したようである。出発当初の正確な発行部数はわからないが、昭和一七年七月一三日発行の第一六回配本「第十四巻　坪田譲治集」以後の巻の奥付には、実に一一万三〇〇〇部とある。のちになって部数が記されたのは、昭和一五年一二月に発足した出版統制機関である日本出版文化協会が漸次統制を強化し、一七年三月以降、書籍の発行承認制を実施した結果、奥付に「出文協承認」書籍であることと発行部数を明記することが義務づけられたからであるが、本全集は予約出版であるから、各巻とも最低一一万三〇〇〇部は出ていたという証拠になる。もっとも月報第一九号（最終号、昭和一八年二月）の「『新日本文学全集』の予約購読者各位に」なる続刊中止公告などをみると、実際には最後まで予約を受け付けていた形跡がある。しかし一方で発行部数は、第一六回配本以後、最終回の第一九回まで一一万三〇〇〇部で一定である。そのあたりのことをどう考えたらよいのか、手がかりになる資料がないので正確なことはわからないが、全集ものは後になるほど部数が減るという出版常識を適用して、各巻とも一一万三〇〇〇部以上、全一九巻で計二一四万七〇〇〇部以上は発行されていたと考えることは許されるであろう。昭和初年の円本ブーム時代ならともかく（三大円本全集の第一次予約者数は、改造社の『現代日本文学全集』二三万、新潮社の『世界文学全集』五八万、平凡社『現代大衆文学全集』二五万といわれる）、戦時統制下の出版物としては驚くべき数字である。内容的には問題の多い全集であるが、営業的には大成功を収めた企画であったといってよい。内容あるいは内容に対する統制について述べる前に、統制にもかかわらずこのような成功を収め得た原因を考えてみたい。しかしそのためにはまず広く戦争下における文学書出版全体の状況を見ておく必要がある。

二

布川角左衛門「戦時中の出版事情」（『文学』昭和三六年一二月）によれば、昭和七年から二〇年までの普通出版物納本数（内務省警保局調べ）の推移は、昭和七年以後急増、一一年に三万一九九六点に達してピークを記録したが、その後四年間、年毎に激減、昭和一五年には二万六二七九点に落ち込み、一六年には二万九二〇四点と一時的に増加したが、以後は急激に減少、二〇年には八七八点にまで落ち込んでいる。時局の深刻化による用紙不足や生産力の低下に言論統制が相乗された結果であるが、このような一般的趨勢の中で文学書はきわめて特徴的な独自の推移を示している。昭和一一年にそれまでのピークを記録し、一六年以後、激減している点は同じであるが、その中間の時期、つまり支那事変勃発の昭和一二年から太平洋戦争突入の一六年までの約五年間は、出版物全体とは対照的とさえいえる動きを見せているのである。すなわち前掲普通出版物全体の納本数は、一六年の一時増を除けば、一二年以後、低下の一途を辿っているのに対して、文学部門納本数は、一二年　二六五六、一三年二四五二、一四年　三〇〇〇、一五年　三一一二、一六年　三五三一と一四年以後著しい上昇を見せ、一六年には一一年を上回る過去最高の記録を作った。しかも一七年以後の落ち込み方も全体にくらべてはるかに緩やかで、一七年の三三〇八点はまだ一一年三一八九点を上回り、一八年の二五〇九点でさえ一三年の二四五二点よりわずかに多い。

これを要するに、戦時下における原材料不足や言論統制による出版界全体の著しい不振、大幅な縮小の中にあって、出版点数に関するかぎり、文学書だけは例外的に伸びているということである。このことは同期間における総納本数に対する文学部門の比率の急上昇となってあらわれている。すなわち昭和一三年に八・三二パーセントであった同比率は一七、八年には一四パーセント台に達し、一九、二〇年にはそれぞれ、一八・二六、一九・四七パーセントという異常な高率にはね上っている。

戦争下における文学書出版、ひいては文学そのものについて考える場合、右の事情は念頭に置いておく必要がある。もちろん納本点数だけで出版界全体の動向が占えるわけではないが、およその目安にはなるであろう。文学書出版界がこれほどの好況に恵まれたのは、これも布川角左衛門の記すところによれば、大正一四年から昭和三年の四年間以来のことであり、昭和一四年から一七年まではほぼその時期と並ぶ納本数を記録している（それぞれの期間の最高は大正一五年・昭和元年の三九〇〇点に対して昭和一六年の三五三一点）。昭和初年と戦時中というこれら二つの時期になぜこのような文学書ブームが起こったのか、そこにはそれぞれさまざまな要因がからみあっていて単純な理由づけは困難であろう。しかしともかくもいま注目すべきことは、改造社の二大文学全集、『現代日本文学全集』およびその「姉妹出版」たる『新日本文学全集』はそれぞれ正確にこの二大好況期を狙って刊行されているという事実である。

これら二つの大規模全集自体が文学書出版の隆盛に寄与し、新たな需要創出効果を果たしたことは疑えないとしても、両全集の成功は基本的には両時期の文学書出版界全体の需要の増大と好況に支えられていたのである。裏返せば、改造社は、文学全集出版に関するかぎり、二度とも当てたのである。

昭和一二年七月の支那事変勃発以後、用紙難にもかかわらず新刊書の点数は減る気配を見せず、一冊あたりの売れ行き部数も増えつづけたこと、とりわけ文学書の需要と供給が著しく増えたことは、諸種の資料によって確かめることができる。とくに文学書が昭和一四年になって飛躍的に伸びたことは、前掲の文学部門納本数の推移からも明らかである。

改造社の場合、昭和一〇年以後のドル箱作家は、まず『麦死なず』(昭和一一年一〇月刊)、『若い人』(前篇一二年二月、後篇一二年一二月)の石坂洋次郎であり、次いで支那事変以後は『麦と兵隊』(一三年九月)、『土と兵隊』(一三年一一月)、『花と兵隊』(一四年八月)のいわゆる「兵隊三部作」の著者火野葦平であった。とくに改造社が出版権を独占した「兵隊三部作」は、軍部の買い上げなどもあって発行部数何と二五〇万部に達したといわれる。しかしこのような好景気は、ひとり火野葦平と改造社を潤しただけではない。これが文学書一般のブームという性格を持っていたことは、文学書中心の新潮社の例を見ればわかる。『新潮社八十年図書総目録』（昭和五一年一〇月、新潮社）によれば、昭和一四年の新潮社の刊行点数は一二年の一一二点、一三年の一四一点から一挙に一八四点に達し、戦前・戦中を通じて最高の記録を作った。同書の昭和一四年の項には、この記事に続いて、この年度の出版状況が次のように記されている。

「戦争の拡大とともに用紙難はますます深刻化するが、一方で緊迫した内外事情を背景に修養と娯楽面の欲求が読書に集中し、時局ものの他文学作品がよく読まれ、特に廉価版・普及版の売行きが盛んとなる。このため出版界では事変前の不況から脱し円本以来の活況を呈する。」

この年、昭和一四年の一二月に配本を開始した改造社の『新日本文学全集』は、右のような状況を踏まえて企画・刊行されたのである。しかも第一回配本は「火野葦平集」で、「兵隊三部作」全篇のほか、それまでの火野葦平の作品のほとんどを網羅した。第二回配本は「石坂洋次郎集」とし、「若い人」「続若い人」以外に代表的短篇を収めることによって一般予約購読者の意欲をあおった。続いて第三回には、これも改造社と縁の深い純文学の代表的作家横光利一を配し、第四回には、二、三年前から華々しい活躍により注目を浴びていた、殁後間もない岡本かの子を起用して、いわゆる純文学の読者にも、これが本格的な文学全集であるという印象をあたえようとした、たくみな布陣であった。このように『新日本文学全集』は、これを営業政策面から見れば、当時のベストセラー作家、火野葦平と石坂洋次郎を抱える改造社が、彼らの人気を利用しつつ、にわかに増大しつつある現代文学作品一般に対する需要を大がかりに掬い上げようとしたものであったと考えてよいであろう。

当時、「文学全集」と銘打ってこのような企画を実行に移した出版社は改造社以外になかった。しかし類似の選集・叢書がほかにまったくなかったわけではない。その一つは、新潮社の『昭和名作選集』全三〇冊である。しかも『昭和名作選集』は『新日本文学全集』に一歩先んじて好調なスタートを切っていた。後者の企画が前者の刺激をまったく受けないで生まれたと考えることは難かしい。

新潮社が『昭和名作選集』の刊行を開始したのは昭和一四年五月、『新日本文学全集』より七か月ほど早い。各冊巻末に付された「昭和名作選集刊行の言葉」によれば、大正三年から一五年まで同社が刊行した『代表的名作選集』全四四篇の昭和版ともいうべきもので、「現下文壇の第一線に活躍しつゝある中堅諸家の作品を選輯して」「昭和新代の『代表的名作選集』」を企図したものであった。「中堅新鋭作家の代表的傑作を網羅」すると謳った『新日本文学全集』との違いは、「選集」か「全集」か、「選輯」したか「網羅」したかの違いにすぎず、企画の趣旨そのものにそれほどの差はなかったと考えてよいであろう。ただ新潮社の方は、代表的作品名を書名とし、「選集」を表立たせていない。表紙と背表紙の下の方に小さく「昭和名作選集」と記されているだけである。予約出版でないことも大きな違いである。四六判、紙装、口絵写真一葉、本文九ポ一段組、平均三〇〇頁、装幀有島生馬、定価一円。巻頭に著者の序、巻末に他の批評家・作家による解説を付している。定価は改造社の一円五〇銭にくらべて一円と安いが、収録枚数は四〇〇枚から四五〇枚で半分にも満たない。しかし売れ行きは好調で、『新日本文学全集』の出はじめる昭和一四年一二月までの七か月間にすでに次の一五冊を出していた。

横光利一「寝園」、坪田譲治「風の中の子供」、林芙美子「清貧の書」、尾崎士郎「鶺鴒《せきれい》の巣」、石坂洋次郎「闘犬図」、伊藤永之助「鴉」、岡本かの子「鶴は病みき」、丹羽文雄「南国抄」、堀辰雄「聖家族」、石川達三「蒼氓《そうぼう》」、徳永直「八年制」、武田麟太郎「銀座八丁」、島木健作「第一義の道」、高見順「故旧忘れ得べき」、深田久弥「贋修道院」（刊行順）。

このあと、昭和一五年に入って、川端康成「花のワルツ」、井伏鱒二「丹下氏邸」、和田伝「沃土」、阿部知二「北京」、葉山嘉樹「濁流」を三月までに出して計二〇冊となり、好評のためさらに八冊を追加、既刊の「濁流」と「故旧忘れ得べき」は昭和一七年に当局の指示を受けて「子を護る」と「如何なる星の下に」に差し替えられた。追加の八冊は、火野葦平「河豚」、中野重治「歌のわかれ」、窪川稲子「樹々新緑」（以上昭和一五年）、芹沢光治良「愛と死の記録」、舟橋聖一「木石」、榊山潤「歴史」（以上一六年）、中山義秀「碑」（一七年）、太宰治「富嶽百景」（一八年一月）である。これを見てわかるように、全三〇冊のうち大半を昭和一四年から一五年にかけて集中的に出している。そして、『新潮社八十年図書総目録』によると、昭和一五年三月の二〇冊刊行時点で総発行部数六〇万部に達し、八冊を追加したのちもなお、各巻ともに三万部を越したという。最高に売れたのは石川達三「蒼氓」で一八年一〇月までに九万部、林芙美子「清貧の書」、坪田譲治「風の中の子供」、岡本かの子「鶴は病みき」、火野葦平「河豚」がそれぞれ五万部以上、川端康成「花のワルツ」、堀辰雄「聖家族」、芹沢光治良「愛と死の記録」がそれに次いで各々四万部以上を記録した。新潮社にとってこれは大成功であり、昭和一四年度の同社の営業成績が上がったのも、この選集に負うところが大きかったと思われる。

『新日本文学全集』はこのような『昭和名作選集』の好調なすべり出しに刺激され、それを上回る「全集」成功の見通しをつけた上で刊行に踏み切ったものではないかと考えられる。そしてそれが営業的に新潮社をはるかにしのぐ大成功を収めたことは、両者の発行部数を比較しただけでも一目瞭然である。しかし日増しに厳しくなる戦時統制下にあって、半年以上の出遅れと、予約制を採用したことは、改造社に幾多の苦難を強いることとなった。その一つは主として用紙不足による配本の遅れであり、いま一つは言論統制による内容の改変である。そしてそれら物心両面にわたる統制がついには全集の継続発行そのものを不可能ならしめる。しかしまた見方をかえれば、「時局」によって強制的に完結させられた全集であるともいえるのである。

三

内容見本と実際とをくらべてみると、『新日本文学全集』の企画は短期間に急いで立てられ、細部が煮つまらぬうちに刊行に踏み切った気配が濃厚である。統制強化を見込んだ上での措置かとも思えるが、内部的、営業政策的にも刊行を急いだ形跡がある。それを最も如実に現しているのが内容見本における各巻収録作品の予告である。全二七巻三五名の作家のうち、収録予定作品があげられているのは二三名で、一二名については具体的に何の予告もされていない。また内容見本で作品を予告した作家の場合も、言論統制によるとは思えない変更が多い。なかには、用紙難から、頁数の関係を考えて変更あるいは削除されたと思われるものもある。第一回配本の「火野葦平集」の内容は予告どおりであるが、第二回の「石坂洋次郎集」、第三回の「横光利一集」は早くも多少の異同が見られる。

前に述べたように、本全集は毎月一冊配本の予定でスタートした。しかし配本を予定どおり行なえたのは第二回の「石坂洋次郎集」までだった。月報によれば、予約の〆切はこの「石坂洋次郎集」が出た直後の昭和一五年二月一〇日とされているが、そのあと第三回の「横光利一集」は「用紙其他の調達が時節柄予定通りに参らず、配本遅延いたしました段深くお詫び申します」（月報第三号）とある。以後、第四回の「岡本かの子集」からは隔月刊、時によっては三、四か月も待たせる状態が恒常化する。第五回の「岸田國士集」あたりまでは、その都度、月報に配本遅延のお詫びが出たが、以後は読者の方も事情を認めて苦情を寄せなくなったのか、断わることもしなくなった。

ところで実際に出た巻に関するかぎり、明らかに言論統制によると判断される収録作品の変更はそれほど目立たない。第七回配本の「武田麟太郎集」、第八回「丹羽文雄集」、第十三回「高見順集」にその形跡が認められる程度である。「武田麟太郎集」の場合、内容見本および月報第六号の「次回配本予告」に掲げられていた作品のうち、「釜ヶ崎」と「風速五十米」

が急拠削られ、かわりに「銀座八丁」「続銀座八丁」「日本三文オペラ」が入れられた。「丹羽文雄集」は前号の月報予告のとおりであるが、内容見本の予告は全面的に改められている。多分、風俗描写に対する当局の取締りを恐れた自主規制によるものであろう。次に「高見順集」の場合は、内容見本には作品名を掲げず、昭和一六年九月発行の月報第一二号の「次回配本予告」において、「如何なる星の下に」「故旧忘れ得べき」ほか八篇の予告が出された。ところが二か月後の一六年一一月に実際に出た本では、「故旧忘れ得べき」が抜け、かわりに「湯たんぽ雀」と「更生記」が加えられている。月報第一三号にはその断り書きがあるが、「予定の『故旧忘れ得べき』は都合により掲載出来ませんでした」としか記されていない。しかし明らかにこれは「故旧」が往時の左翼運動に触れるところのある作品だという理由から当局によって差し止められた結果であろう。前に触れたが、新潮社の『昭和名作選集』にははじめこの作品が収められていた。昭和一四年一二月の発行であるが、しかしその時点で左翼運動に関する部分は作者自身によって大幅に削除、改訂されていた。それが、二年後の一六年一一月になると、発行そのものが許されなくなったのである。同じ圧力により一七年三月に新潮社が「故旧」を引っこめて「如何なる星の下に」を出したことは前述したとおりである。

しかし内容の変更と並んで大きな問題は、当初予定されながら結局出来ないで終った巻にある。が、それを考える前にまず続刊中止になる経緯を見ておきたい。月報によるかぎり、出版社側は最後の最後まで予定どおり二七巻全部を出す姿勢を見せている。月報には、第二号以後、毎号四頁目に内容見本に掲げたのと同じ「新日本文学全集総内容」(巻数と作家名のみ)なるものが掲載されているが、前に記したように第六号から第四巻に梶井基次郎が加えられたほか、第一八号(昭和一七年一一月二八日)まで全二七巻の内容にまったく手直しはない。それが最終回配本の「上田広・日比野士朗集」に付いた月報第一九号(一八年三月二〇日)にいたってはじめて変るのである。すなわち四頁目の「新日本文学全集総内容」が「新日本文学全集既刊目録」となり、第廿七巻から第廿四巻に移された「上田広・日比野士朗集」を含めて、既刊一九巻の不揃いの巻数と集名だけが掲げられ、未刊の巻はリストから除かれているのである。そして三頁目最下段に「『新日本文学全集』の予約購読者各位に」なる公告を出し、最近用紙その他資材難のため現状では続刊が許されなくなったので、今回配本をもって予約は打ち切り、すでに払い込みの予約金一円はこの巻の代金の一部に充てること、また未刊分は随時「自由販売(分売)」とすることを読者に告げたのである。ところがそのすぐ上には、「次回刊行予告」として「第五巻　瀧井孝作・堀辰雄集」の予告がその内容とともに出ていることを考えると、続刊中止が決まったのは校了間際になってからのことであったと推定される。いずれにせよ、こうして全集は終った。未刊分が「自由販売」のかたちで出ることもなかった。

次にその未刊の巻についてであるが、あらためてそれらを示せば、

第五巻　瀧井孝作集・堀辰雄集
第七巻　中野重治集・宇野千代集
第十二巻　徳永直集・真船豊集
第十三巻　芹沢光治良集
第十五巻　深田久弥集
第廿二巻　和田伝集・間宮茂輔集
第廿三巻　伊藤永之介集
第廿四巻　窪川稲子集・久板栄二郎集

の八巻である。一見してわかることは、半数以上が旧プロレタリア文学関係者だということである。昭和一八年三月以後、これらの作家の作品集を出すことが困難であったろうことは、すでに一六年一一月の時点で高見順の「故旧忘れ得べき」が収められなかったことを思い出

すだけで想像がつく。ここには明らかに直接的間接的な思想統制が働いている。それを疑うことはできない。しかしそれだけではない。第五巻、第十三巻、第十五巻など、その点ではほとんど問題にならないはずの作家も含まれているからである。現に第二〇回配本に予定されていた「瀧井孝作・堀辰雄集」が出せなかったのは、内容そのものに問題があったからだとは考えられない。出版社側がいうように、やはり「用紙その他資材難」が大きな原因であったろう。そしてその点では予約制という販売方式が禍し、出版社の首を絞めることになったと考えられる。一一万三〇〇〇部という部数を下げて発行を続けることは不可能だからである。改造社はさぞ無念だったにちがいない。

最後に、「昭和文化の精華として後世に伝へるにふさはしい清新溌剌たる中堅新鋭作家の代表的傑作を網羅」するという本全集当初の目的はどこまで達せられたであろうか。四〇年後の「後世」から見ると、戦時下の文学全集という制約は、そもそも当初の巻立て、作家の選定そのものから全体の内容を著しく偏らせていた感が強い。統制の強化と発行の中絶によって、偏向は一層際立った。刊行開始がかりに一年、あるいは半年でも早かったなら、全集の内容は実際とはかなり異なり、戦争の傷痕ははるかに浅くて済んだにちがいない。それは新潮社の『昭和名作選集』と比較対象してみればよくわかることである。しかしまたそれだけに、本全集は、時代と文学の関わりを考えるための一つの貴重な資料となり得ているのである。

文芸評論と大衆――昭和三〇年代の評論の役割

文学の大衆化

「大衆」とは何か。少なくとも文学とのかかわりにおいて「大衆」とは何か。それは資本主義体制下において必然的に進行する出版の商業主義化、文学作品や作家の商品化に伴ってもっぱら量的に想定される不特定多数の購買者や読者のことにほかならない。その意味で昭和三〇年代は、大正末年から昭和初年にかけて以来の高度な文学大衆化の時代であった。言い換えれば出版の資本主義化と文学の商品化が戦前をはるかに上回る規模で進行して、文学に対してさまざまな問題を投げかけた時代であった。そうした未曽有の文学大衆化の時代に、それ自身文学であり、商品である文芸評論にはいかなる役割が求められ、それがいかに果たされたか。その問題を考えることによって、「文芸評論と大衆」という、あたえられた課題に答えたいと思う。

昭和初年代に次ぐ第二の文学大衆化時代であった昭和三〇年代には、昭和初年代の蒸し返しのように「純文学」と「大衆文学」の区別や関係が盛んに論じられ、平野謙、伊藤整、大岡昇平、中村光夫らの間で「純文学論争」なるものが行われたことは周知の通りである。その直前にたとえば彼らより一世代若い評論家である奥野健男が「大衆という虚像」という時評を発表している（『文學界』昭和三六年八月→『文学的制覇』昭和三九年三月、春秋社）。「ひとつの作品が多くの人々に読まれたとき、その読者は大衆と呼ばれ、逆に多くの人々に読まれないときは、読まない人が大衆と呼ばれる。」「大衆というのは読者が多いか少ないかという単純な数量の問題でしかな」く、しかもそこには「大衆」は元来通俗的で、娯楽しか享受する能力がないのだという偏見が存在する、というのが奥野の意見なのだが、この論は単純なように見えて、案外、先に述べたような文学における「大衆」の本質を衝いている。

文学の大衆化（商品化）は、しかし「大衆文学」だけの問題ではない。大正末年から昭和初年にかけてもそうだったが、「純文学」を含んだ文学全体の大衆化、商品化がこれまでにない規模で進展したところに問題の大きさと複雑さがあった。昭和初年代が円本全集により明治・大正以降の文壇文学、その根幹に据えられようとしていた「純文学」を初めて商品として大量に売ることに成功したように、戦後は文庫、新書に次いで文学全集による明治・大正・昭和三代の「純文学」の大量の商品化と文化遺産化を果たした。その結果、昭和三〇年代から四〇年代にかけて、つまり一九六〇年代前後の高度成長期は、円本全集とは桁違いに多くの文学全集が、洗濯機や冷蔵庫やテレビなどとともに耐久消費財として家庭に入って、明治以降、空前絶後の「純文学」の黄金時代の到来となったのである。そのことを忘れて、中間雑誌、週刊誌、ラジオ、テレビ、映画、漫画、その他のメディアの隆盛によって、「純文学」が「中間小説」や「大衆文学」や映画や漫画などの「大衆文化」に浸蝕、汚染、排除されたという面だけを見たのでは、戦後の文学や文化全体は把握できない。

もちろん戦後の中間雑誌、週刊誌、婦人雑誌、新聞などのメディアに載ってベストセラーとなった現代小説、時代小説、推理小説、その他の大衆小説が伝統的な文壇小説を脅かし、純文学論争の結論として、「純文学」はその魂を推理小説や大衆小説に奪われ、あるいは売り渡して、いまや過去の幻影となり果てた、という見解が当時の有力な文芸評論家たちに共有されたこともたしかである。しかし「純文学」という用語自体、戦前の第一次文学大衆化の時代に、既成文壇文学が「大衆文学」の進出と攻勢からいかにして身を守り、生き延びるかという、被害者としての危機意識から生まれた言葉にほかならなかった。戦後になっても文学大衆化の問題はもっぱら被害者意識を持った「純文学」の側から論じられ、その後も同じ枠組のなかで考えられてきた。

しかし文芸評論家たちは、そのような「純文学」中心の発想から抜け出せないまま、実際には「純文学」と「大衆文学」を含めた文学というジャンル全体の繁栄のおかげで、それまではせいぜい小遣い稼ぎに過ぎなかった、文壇と大衆読者をつなぐための仕事を本業とすることで、金銭と同時に権力さえも手に入れることができるようになっていたのだ。その代表格といっていい平野謙は、さすがにその事実から目を逸らさず、自らを「ほまち仕事」がいつの間にか本業になり、ウラ芸がオモテ芸になってしまった「平批評家」と自嘲していた。のちに述べるように平野謙は、昭和三〇年九月から四三年一二月まで毎月『毎日新聞』に文芸時評を連載したが、その辞任の弁「文藝時評十三年」(『毎日新聞』昭和四三年一二月一九日夕刊)のなかで正直にこう語っている。

本紙の発行部数が何百万あって、そのなかで文藝時評を読む読者が何十万あるいは何万あるのか、ついにわからずじまいだったが、すくなくとも大新聞の文藝時評を十年以上担当して、私が多大の虚名を博したことは事実である。惜しくも今年わか死にした日沼倫太郎が、ぼくのおふくろでも平野さんの名前は知ってますからねえ、といったことがある。正宗白鳥が一編集者に平野謙という批評家はなかなかイバってるそうだね、ともらしたのを聞いたこともある。たしかに私は実力に数倍する虚名を博したにちがいない。そのことは、作家に対して生殺与奪の権をもっているかに自己錯覚することとほとんどイクォールである。私がそんな権利をにぎっている道理はないのだが、大新聞という舞台のために、しらずしらずにそういう自己錯覚に陥りやすいのである。

昭和三〇年代の文学大衆化の時代には、批評も文学の一ジャンルだという認識が一般化するだけでなく、批評でも食えるという夢さえ実現されかかった。批評あるいは文芸評論がカッコよく見える時代が来ていたのである。

昭和三〇年代は、伊藤整、平野謙、中村光夫、高見順、山本健吉、臼井吉見、大岡昇平、十返肇《とがえりはじめ》らをはじめとする既成評論家・作家に、吉本隆明、奥野健男、服部達、村松剛、江藤淳、大岡信、磯田光一、日沼倫太郎らの新進評論家が加わって、それぞれ優れた評論や評論集を出した。しかしここでは彼らとその作品について述べることは省略する。

まず文学大衆化の時代に彼らが「文壇」や「作家」でなく読者である「大衆」に対して果たした役割を具体的に明らかにし、最後に文芸評論がいかに人気を呼んだかを、昭和三三年に創設された『群像』新人文学賞を例に考えてみたい。

戦後の文芸評論家に求められた大きな役割は、読者である大衆に過去から現在に及ぶ作家や作品を案内し、解説するという仕事であった。大正末年から昭和初年の第一次文学大衆化時代にはなかった仕事である。というよりも、当時はそもそも文芸評論家というものが独立して存在せず、小林秀雄がようやくその第一号として生まれかかっていた頃だった。戦後、評論家にその役割が求められるようになったのは、文庫や全集による過去の文学作品の大量出版が盛んになり、読者大衆に作者や作品のガイドをする必要が生じたからであり、文芸雑誌を中心に毎月新しく発表される作品については、新聞の文芸時評にその役割が委ねられたからである。以下、文庫、全集、文芸時評の順に具体的にその流れをたどってみよう。

文庫の読者案内

文学作品の文庫版に解説、年譜、註釈、作家案内、著書目録といった付録がつくのが普通になったのは戦後である。戦前の岩波文庫、新潮文庫などの一部に例外はあるが、戦後は、文芸書文庫版の嚆矢となった光文社の「日本文学選」をはじめ、昭和二〇年代から三〇年代にかけて文庫出版をリードした新潮文庫、角川文庫、河出市民文庫などには最初からすべて巻末に解説が付され、戦前から続いていた岩波文庫も次第に解説を収めるものが多くなった。

新潮文庫と角川文庫について、『新潮社一〇〇年図書総目録』（平成八年一〇月、新潮社）、『角川書店図書目録』（平成七年一〇月、角川書店）ほかの文献や目録に拠りながら、少し詳しく見てみると、文芸書専門の新潮文庫が戦後新たにA６判の文庫を創刊したのは昭和二二年七月、第一回は川端康成『雪国』で、巻末六頁に伊藤整の書き下ろしの「解説」を収めた。以下、八月に横光利一『紋章』（解説・河上徹太郎）、岸田國士『暖流』（解説・宮崎嶺雄）、九月に林芙美子『放浪記』（解説・板垣直子）、一〇月に石坂洋次郎『若い人』上巻（下巻一一月、解説・和木清三郎）、尾崎士郎『人生劇場 青春篇・上』（下一一月、解説・坪田譲治）、一一月に谷崎潤一郎『刺青』（解説・本多顕彰《あきら》）、堀辰雄『燃ゆる頬』（解説・丸岡明）、一二月に太宰治『晩年』（解説・豊島与志雄）、武者小路実篤『友情』（解説・亀井勝一郎）と、毎月数点ずつを刊行、昭和二六年から三〇年代半ばまでは年間新刊点数を一〇〇点以上、多い年には二〇〇点以上に増やして行った。手もとにある昭和三〇年四月発行の『新潮文庫解説目録』によれば、当時の在庫点数は日本文学三三一点（小説二六四、詩歌・その他六七）、海外文学三四七点で、日本文学と外国文学の名作が点数においてほぼ拮抗する。日本文学では二葉亭四迷、樋口一葉から戦後の太宰治、坂口安吾、三島由紀夫、井上靖らまで入っている。

角川文庫は昭和二四年に、初めはB６判でスタートしたが売れず、翌二五年五月にA６判で再出発、第一回配本はオルコット・吉田勝江訳『若草物語』、辰野隆『忘れ得ぬ人々』の二点、翌六月の中河与一『天の夕顔』、倉田百三『愛と認識との出発』、七月の太宰治『斜陽』、一〇月の同『人間失格・桜桃』がよく売れ、昭和二六年から三〇年代半ばまで毎年新潮文庫をやや上回る新刊点数を記録した。ただ日本と海外の近代文学を中心にしていた新潮文庫と異なり、内外の古典や思想・教養書にも力を入れていたので、文学書に関しては昭和三〇年代まで両文庫はほぼ互角で勝負していたと見てよいだろう。昭和二〇年代後半には新潮、角川のほかに岩波文庫、創元文庫、河出市民文庫なども点数は少ないながら文学作品の文庫化に貢献した。

さて問題の昭和三〇年代を見ると、それまでに過去の名作の文庫化を一通り終っていたこと、昭和三〇年前後から新書ブームが起こっていたこと、のちに述べる文学全集ブームが始まっていたことなどの影響もあってか、文庫の新刊点数は新潮、角川ともに年々減って、昭和三九年にはそれぞれ四〇～五〇点に落ち込んでいる。しかし昭和三〇年から三九年までの一〇年間の新刊を合計すると、新潮文庫八八六点、角川文庫一二八六点となる。このなかには第一次戦後派の代表作はもちろん、島尾敏雄、三島由紀夫、福永武彦、中村真一郎ら、第三の新人の吉行淳之介、遠藤周作ら、昭和三〇年以後に登場した石原慎太郎、開高健、大江健三郎らから松本清張、水上勉らの社会派ミステリーまですでに取り込まれている。点数の多さで目立つのは井上靖、源氏鶏太、舟橋聖一、丹羽文雄らのいわゆる中間小説である。

これらのほとんどすべてに作者以外の評論家、作家、近代文学研究者、その他の第三者による「解説」が付いた。解説の依頼はまず作者や作品に詳しい文芸評論家のところに廻ってきた。文芸評論家の本領は文芸雑誌に自分の得意のテーマで評論を発表したり、書き下ろしたりして本を出すことである。文庫の解説など所詮「ほまち仕事」に過ぎない。しかし解説の執筆は文芸雑誌に書くのにくらべるとはるかに「おいしい仕事」であった。平野謙「批評家白書」(『新潮』昭和四二年一二月↓『はじめとおわり』昭和四六年二月、講談社)に次のような証言がある。

一口にいうと、解説の原稿料は文藝雑誌の原稿料より二倍ないし三倍は高いのである。《週刊現代》が創刊された当時、編集長の大久保房男がインターヴュにきたとき、原稿料で月五万円稼ぐのはたいへん困難だ、と私は発言したはずだが、昭和三十三年ころ五万円稼ぐには百枚は書かねばならぬけれど、批評文を毎月百枚製造することは、発表機関の点からいっても到底困難だ、というほどの意味をこめたつもりだった。つまり、おおざっぱにいって、昭和三十年ころ文藝雑誌の原稿料は一枚四・五百円だったが、文庫や全集の解説の稿料は一枚千円が相場だった、と覚えている。いまは文藝雑誌の原稿料も一枚千円くらいになったとはいうものの、解説稿料は近年の全集ブームのためか、一枚二千円よりむしろ三千円の方が多くなった、というのが現状である。新聞の稿料もほぼそれに近いけれど、後者の場合は一回四・五枚程度しか書かしてくれない。一冊についで二十枚から三十枚くらいは書かせる解説原稿が、文藝批評家にとって無視することのできぬマーケットたる所以である。

戦前・戦後の文学全集

次に文学全集について見てみよう。既成作家の名作、代表作を作家別に編集した大規模な文学全集の出版は、文学大衆化時代の最大のメルクマールといってよい。先に述べたように戦前の第一次文学大衆化時代の一翼を担ったのはいわゆる円本全集であり、その口火を切ったのは改造社版の『現代日本文学全集』全六二巻・別巻一（大正一五年一二月〜昭和六年一二月）であった。この全集についてはよく知られているから紹介は省くが、ここで注意したいのは作品以外の付録である。各巻とも菊判で巻頭の口絵には収録作家の写真、扉の裏には「序詞」として作家自身の筆跡、巻末には「年譜」（原則として自筆）を収めている。解説の類はない。

各巻に挟み込みの『改造社文学月報』は、主として次回配本を中心とした改造社の出版広告で、次の巻に収録予定の作家や作品についての紹介や同時代評は載っているが、その巻の案内、解説ではない。それでも本巻に写真、筆蹟、自筆年譜を入れたことは作者を読者に近づける役割を果たした。後発の春陽堂版『明治大正（昭和）文学全集』全六〇巻（昭和二年六月〜七年二月）は判型こそ小ぶりの四六判だが、付録についてはより読者に親切になっている。巻頭に著者近影が掲げられているのは同じだが、筆蹟と年譜がないかわりに、巻末に著者自身による「自叙小伝」と収録作品の自筆「解題」が付いている。また挟み込みの『春陽堂月報』が宣伝、広告を中心にしている点は改造社版と異ならないが、本巻関係の著者あるいは第三者による案内や批評も載せている。この二つの円本全集とその月報や、戦前の文学全集については青山毅編著『文学全集の研究』（平成二年五月、明治書院）を参照されたい。同書は全集の月報の目録を中心としていて、全集そのものについては不満の多い研究だが、全集について云々する場合、のちに触れる日外アソシエーツの全集案内シリーズとともに欠かせない文献である。

改造社はこのあと、昭和一五年から一八年にかけての戦時下に、昭和の「中堅新鋭作家の代表的傑作」を網羅した『現代日本文学全集』の「姉妹出版」として『新日本文学全集』全二七巻（うち八巻未刊）を刊行した。各巻巻末に著者自身（物故あるいは出征中の場合は適任者）執筆の解説と年譜を付している。戦前の全集で著者以外の第三者が解説や作家案内を担当しているものは、文庫の場合と同様、ほとんど見当らない。管見の範囲では、わずかに『代表的名作選集』の昭和版ともいうべき『昭和名作選集』全三〇冊（昭和一四年五月～一八年一月、新潮社）があるくらいのものだ。各巻とも三万部以上の売れ行きだったが、なかでも石川達三『蒼氓』（解説・窪川鶴次郎）、林芙美子『清貧の書』（解説・本多顕彰）、坪田譲治『風の中の子供』（解説・中島健蔵）、岡本かの子『鶴は病みき』（解説・亀井勝一郎）、火野葦平『河豚』（解説・中山省三郎）などは五万部を越えたという。

さて戦後、とくに昭和三〇年代から四〇年代の高度成長期は、さまざまな出版社からさまざまな文学全集が次々に発行され、かなり長期間にわたってよく売れた、空前絶後の文学全集ブームの時代であった。日外アソシエーツは昭和期に出た大規模な文学全集一〇四種について出版社、発行年月、各巻の収録作品、その他のデータをコンピュータに入力し、さまざまに検索をかけた現代日本文学全集綜覧シリーズを図書館用に出版している（改造社版『現代日本文学全集』の前に新潮社版『現代小説全集』全一五巻を採り、『現代日本文学全集』と春陽堂版『明治大正文学全集』の間に平凡社版『現代大衆文学全集』全六〇巻を入れているが、新潮社版『昭和名作選集』は採っていない）。一〇四種の年代別内訳は、大正・昭和戦前一九種、昭和二〇年代二一種、昭和三〇年代二四種、昭和四〇年代三三種、昭和五〇年代七種となっていて、これだけでも、日本経済の高度成長期と重なる昭和三〇年代から四〇年代にかけての時代が同時に文学全集の全盛時代であったことがよくわかる。

次に戦後の八五種の全集のなかから、規模が大きかったり、よく売れたり、独自の編集をしたりしている日本近代文学全集二七種を選んで、刊行順に並べてみる。

現代日本小説大系　河出書房　序巻1・本巻60・別巻3・補巻1　昭24〜27
昭和文学全集　角川書店　全58巻・別冊1巻　昭27〜33
現代日本文学全集　筑摩書房　全97巻・別巻2巻　昭28〜36
新選 現代日本文学全集　筑摩書房　全38巻　昭33〜35
日本文学全集　新潮社　全72巻　昭34〜40
日本文学全集　河出書房新社　全25巻　昭35〜37
日本現代文学全集　講談社　全108巻・別巻2巻　昭35〜54
サファイア版 昭和文学全集　角川書店　全20巻　昭36〜37

新日本文学全集　集英社　全38巻　昭37〜40
ルビー版 昭和文学全集　角川書店　全20巻　昭37〜39
現代の文学　河出書房新社　全43巻　昭38〜41
現代文学大系　筑摩書房　全69巻　昭38〜43
明治文学全集　筑摩書房　全99巻・別巻1巻　昭40〜平1
豪華版 日本文学全集　河出書房新社　全54巻　昭40〜44
日本の文学　中央公論社　全80巻　昭40〜45
われらの文学　講談社　全22巻　昭40〜42
現代日本文学館　文藝春秋　全43巻　昭41〜44
日本文学全集　集英社　全88巻　昭41〜44
カラー版 日本文学全集　河出書房新社　全55巻・別巻2巻　昭42〜48
グリーン版 日本文学全集　河出書房新社　全50巻・別巻2巻　昭42〜49
全集・現代文学の発見　學藝書林　全16巻・別巻1巻　昭42〜44
現代日本文学大系　筑摩書房　全97巻　昭43〜48
新潮日本文学　新潮社　全64巻　昭43〜48

現代日本の文学　学習研究社　全60巻　昭44～51
日本近代文学大系　角川書店　全60巻・別巻1巻　昭44～49
筑摩現代文学大系　筑摩書房　全97巻　昭50～54
新潮現代文学　新潮社　全80巻　昭53～56

これによって、大規模な文学全集の刊行が、とくに昭和三〇年代半ばから四〇年代半ば、つまり一九六〇年代に集中していることがさらにはっきりするだろう。

中間小説、時代小説、推理小説などの「大衆文学」の攻勢によって、「純文学」は衰亡し、過去の幻影となったと言われたこの時代に、一方でその過去の遺物を集大成した日本近代文学全集がこのように相次いで出版されたということは、それらの読者とまでは言わないまでも、購買者が大量にいたということであり、その購買者もまた、一部「大衆文学」の読者と重なりながら、文学にとっての「大衆」を形成していたということになるはずである。そしてそのほとんどは、これまでの文壇や文学の読者とはまったく異なった、文学に対して素人の大衆だったに違いない。そうした文学の潜在的読者である文学購買者を文学の読者にするためには、彼らに作家や作品を案内し、わかりやすく解説する必要があった。これらの文学全集が付録や月報としてそういう案内的要素を重視し、そのために文芸評論家や、学問としてはスタートしたばかりの近代文学の研究者を動員しなければならなかったのは必然の成り行きだった。いくつかの全集についてその案内的要素を見ておこう。

河出書房版『現代日本小説大系』は青野季吉、片岡良一《よしかず》、川端康成、中野重治、中島健蔵、伊藤整、中村光夫、荒正人の八名で構成される日本近代文学研究会の編集で、作家でなく流派や時代によって明治から戦後までの文学を横割りにしてそれぞれを代表する小説を収めるという、どちらかというとかなりレベルの高い小説全集である。全巻を編集委員が分担で担当し、作品の選定、解説を行っている。それに対して角川書店版『昭和文学全集』は作家別の巻立て、本文は現代仮名遣い、狙いを低く定めてさまざまな読者サービスを行い、売り上げを伸ばした。巻頭写真、筆蹟、評論家による解説、年譜のほか、月報には著者についての書き下ろしのエッセイを数本ずつ収め、「主要研究書目・参考文献」のリストまで付している。しかし戦後の近代文学全集のモデルとなったのは、次の筑摩書房版『現代日本文学全集』とその続篇『新選 現代日本文学全集』であろう。編集の中心になったのは筑摩書房と縁の深い評論家の臼井吉見だったようで、第一回配本は『島崎藤村集』。巻頭写真、解説、年譜のほかに、既発表の作家論を収めているところが新しい。月報には同じく著者に関する書き下ろしのエッセイ数本。別巻1に『現代日本文学史』(明治・中村光夫、大正・臼井吉見、昭和・平野謙)を付し、のちにそれぞれ独立して『明治文学史』『大正文学史』『昭和文学史』として筑摩叢書に入った。続いて新潮社からは小型版の『日本文学全集』が出た。編集は川端康成、河盛好蔵、伊藤整、中村光夫、山本健吉、平野謙。各巻末に解説と年譜、本文は新かな、難読語にはルビを付し、吉田精一の責任担当による註解を添えた。作家別で、井上靖、芥川龍之介、川端康成、三島由紀夫の順に配本。最初は各巻とも三〇万部を越え、平均一七、八万部前後の発行部数に達したという。昭和三五年には講談社から規模においても内容においても筑摩書房を上回る『日本現代文学全集』がスタートした。第一回配本は『谷崎潤一郎集(一)』。巻頭写真は八頁にわたり、中扉裏には筆蹟、巻末には「作品解説」「作家入門」「年譜」「参考文献」を収め、行き届いた内容の月報を挟み込んだ。これらの付録には評論家に加えて研究者も動員された。この全集も、だいぶ遅れたが、別巻として猪野謙二(明治)・瀬沼茂樹(大正)・久保田正文(昭和)執筆の『日本現代文学史』全二巻を出して完結した。研究上も信頼できる全集として筑摩書房版『明治文学全集』が昭和四〇年に配本を開始し、平成元年に最後の『総索引』を出して全一〇〇巻を二四年かかって見事に完成させたことも言い添えておきたい。

新聞の文芸時評

文庫、文学全集とともに、大衆としての読者の案内役を果したのは、新聞の文芸時評である。もちろん文芸時評の始まりは明治に遡り、大正期には宇野浩二、広津和郎、佐藤春夫、生田長江、川端康成らが新聞各紙に毎月、何日にもわたって作品月評を載せた。そういう月評、わけてものちに『退屈読本』に収められた佐藤春夫の月評を若い頃から愛読していたという平野謙によれば、大正期の月評は「作家の片手間仕事か二流評論家の小遣い稼ぎが相場」だったようだが、大正末年から昭和初年にかけて作品月評が次第に文芸時論的なものになって、「文芸時評」として定着した。「文芸時評」といっても新聞と雑誌ではやや性格が異なり、雑誌の方が文芸時論的要素を強めた。小林秀雄が『文藝春秋』の「文芸時評」から出発して、批評家として自立したことはよく知られる通りである。しかし大正期の月評も昭和戦前期の新聞や雑誌に発表された「文芸時評」も、読者は文壇という専門的で狭いギルドを構成していた作家や編集者や文学青年たちに限られ、書く方もそのつもりで書いていた。

文芸時評は戦後の雑誌や新聞にも引き継がれた。しかし戦後も昭和三〇年前後になると、とくに新聞の文芸時評に対しては、戦前とは異なった期待が寄せられるようになる。戦後の混乱期が過ぎ、新聞各紙が夕刊を出し、部数を増やすとともに、毎月の文芸時評も一部の限られた読者だけでなく、文壇のことはよく知らない読者にも興味をもって読めるようなものにしてほしいという要求が強まったのである。それは来るべき文学大衆化時代に備え、それに呼応した動きでもあった。そしてそれに応え、その役割を見事に果たして昭和三〇年代を代表する「平批評家」になったのが、ほかならぬ平野謙だったのである。平野謙が『毎日新聞』の文芸時評を担当するようになったのが昭和三〇年だったこと、その頃から他の多くの新聞でも文芸時評は一定期間同じ評論家が書くという慣習が生まれたことに注目したい。話を具体的に、わかりやすくするために、『文藝年鑑』その他の資料によって、昭和三〇年代の大新聞の文芸時評とその担当者を次に一覧する（月は掲載月でなく雑誌の月号に合わせる）。

昭和30　毎日「小説案内」本多顕彰（1月〜8月）
　　　　　　平野謙（9月〜12月）
　　　朝日「文芸時評」臼井吉見（10月〜31年2月）
　　　讀賣「私の文芸時評」清水一（1月〜5月）

「文芸時評」山本健吉（6月～9月）
亀井勝一郎（10月～1月）

昭和31
東京「文芸時評」毎月交代
毎日「今月の小説ベスト3」平野謙
朝日「文芸時評」山本健吉（3月～12月）
東京「文芸時評」毎月交代
＊この年より『文藝年鑑』が新聞掲載の「文芸時評」を毎月一本再録。

昭和32
毎日「今月の小説ベスト3」平野謙
朝日「文芸時評」臼井吉見
讀賣「文芸時評」正宗白鳥（1月～6月）
中村光夫（7月～12月）
東京「文芸時評」毎月交代

昭和33
毎日「今月の小説ベスト3」平野謙
朝日「文芸時評」臼井吉見
讀賣「文芸時評」山本健吉

昭和34
東京「文芸時評」毎月交代
毎日「今月の小説ベスト3」平野謙
朝日「文芸時評」臼井吉見
讀賣「文芸時評」山本健吉
昭和35
東京「文芸時評」毎月交代
毎日「今月の小説 ベスト・スリー」平野謙
朝日「文芸時評」中村光夫
讀賣「文芸時評」山本健吉（〜3月）
河上徹太郎（4月〜）
東京「文芸時評」毎月交代
「推理小説時評」平野謙（4月〜11月）
昭和36
毎日「今月の小説」平野謙
「大衆小説メモ」「大衆小説ノート」小松伸六（5月〜12月）
朝日「文芸時評」江藤淳
讀賣「文芸時評」河上徹太郎

「大衆文学時評」吉田健一（4月〜12月）

東京「文芸時評」毎月交代

「推理小説時評」平野謙（1月〜10月）

昭和37

毎日「今月の小説」平野謙

「大衆文学ノート」小松伸六（3月〜4月）

「大衆小説ノート」小松伸六（5月〜12月）

朝日「文芸時評」江藤淳

讀賣「文芸時評」河上徹太郎

「大衆文学時評」吉田健一（3月〜12月）

東京「文芸時評」本多秋五（1月〜6月）

以下毎月交代。

「推理小説時評」平野謙（7、9、10、12月）

昭和38

毎日「今月の小説」平野謙

朝日「文芸時評」林房雄

讀賣「文芸時評」河上徹太郎

「大衆文学時評」吉田健一
東京「文芸時評」毎月交代（1月～6月）
山本健吉（7月～1月）
「中間小説時評」青山光二
「推理小説時評」平野謙（1、3、6月）
昭和39　毎日「今月の小説」平野謙
朝日「文芸時評」林房雄
讀賣「文芸時評」河上徹太郎
「大衆文学時評」吉田健一
東京「文芸時評」山本健吉（2月～6月）
瀬沼茂樹（7月～1月）
「中間小説時評」浅見淵

平野謙は昭和三〇年九月から始めた『毎日新聞』の文芸時評を昭和三〇年代全期間を越えて昭和四三年一二月まで一三年四か月にわたって続けた。一人が同じ新聞の文芸時評をこれほど長期間にわたって担当するというのは前例のないことだった。連載当初、昭和三〇年九月から一二月までは「小説案内」という題で「読者」と「批評家」の対話形式で書かれていた。それが翌三一年一月から「今月の小説ベスト3」という題名の評論体になったが、重要なのは最初から文壇相手ではなく、一般読者を相手に月々発表される小説を案内し、品評するというかたちで書かれたことである。読者の大部分は取り上げられる作品をまだ読んでいないから、まずそのあらすじを紹介し、必要に応じて作者についての知識もあたえた上で、小説の評価に入らなければならない。しかもそのすべてを当初は四、五枚にまとめて書かなければならない。片手間仕事どころではない。これには大変な労力と芸が要る。戦前はその小説の作者をはじめ文壇やその周辺にいる読者が読むものだったから、仲間内の書き方で通用したが、戦後の文学大衆化時代になると、文芸雑誌ならともかく、大新聞の文芸時評では、まったく違った一般読者向けの書き方が要求される。平野謙はその芸を磨き、評論家のオモテ芸にまでしてみせたのである。平野謙は『毎日新聞』の文芸時評を始めてから八年後、河出の名編集者、坂本一亀《かずき》にすすめられるままにそれらを集めて『文藝時評』（昭和三八年八月、河出書房新社）という分厚い本にして出した。文芸時評がまとめて一冊の単行本になったのは近代文学史上初めてのことだった。

平野謙に続いて新進気鋭の江藤淳が、昭和三六年から三七年までの二年間、うち一年間はアメリカに行っていたにもかかわらず、『朝日』の注文に応じて毎月書いた時評を『文芸時評』（昭和三八年一〇月、新潮社）として堂々と出版し、昭和四〇年、四一年の二年間、同じく『朝日』に連載した時評を『続文芸時評』（昭和四二年三月、同）として出した。江藤淳はまだ三田の学生だった昭和三二年に平野謙の序文付きで出した『夏目漱石』（昭和三二年一一月、東京ライフ社）で批評家としてデビュー、書評紙や地方紙の文芸時評を担当し、二、三冊の本を出したばかりで『朝日新聞』の文芸時評に起用され、アメリカから帰国後、それをすぐ本にしたのである。『朝日新聞』の文芸時評を始めて間もない昭和三六年七月号の『群像』に載った河上徹太郎、平野謙との座談会「文藝時評というもの」では、文芸時評を「対文壇的な配慮だけでなく、「対社会的な役割、作品と読者の橋渡しみたいな役割の面から考え直してみなければならぬ所に来ている」と述べている。文芸時評が最初から文芸評論家の「ほまち仕事」どころではなく、評論家としての本業であり、あるいはその地位を確立するための一つのステップと考えられていたことがわかる。江藤淳のあと『朝日新聞』の文芸時評を担当した大先輩、林房雄も『文藝時評』（昭和四〇年四月、桃源社）を本にまとめ、昭和三五年から三九年にかけて『讀賣新聞』の時評を続けた河上徹太郎も『文藝時評』（昭和四〇年九月、垂水書房）を相次いで刊行している。文芸時評の出版に先鞭をつけた平野謙は、昭和四三年いっぱいで『毎日』の時評を降りると、前著刊行以後の時評を増補した『文藝時評』上下（昭和四四年八、九月、河出書房新社、その後に河出文藝選書版あり、全集一〇、一一巻所収）を上梓した。平野謙にはほかに『文壇時評』上下（昭和四八年四、六月、河出書房新社）に収録された「文壇時評」「新聞小説時評」「推理小説時評」などもある。

このように、昭和三〇年代から四〇年代にかけては、文学全集の全盛時代であると同時に、新聞の文芸時評の全盛時代でもあって、どちらもより多くの一般大衆が文学の購買者あるいは読者になった文学大衆化時代に呼応した現象だったといえよう。奇妙なのは、一方で「純文学」の衰滅が叫ばれながら、新聞の文芸時評に取り上げられるのは「純文学」の牙城である『新潮』『文學界』『群像』などの月刊文芸誌に発表される小説だったことである。しかし「純文学」が「大衆文学」にますますその領分を奪われつつあったことも間違いなく、それは先にあげたリストにあるように、昭和三〇年代後半から『朝日新聞』を除く各紙が文芸時評とは別に「大衆文学時評」「推理小説時評」「中間小説時評」などを吉田健一、平野謙、小松伸六、青山光二、浅見淵らに担当させていることにもあらわれている。またこの時代は六〇年安保前後の政治の季節であった。しかしそれにもかかわらず、明治以来の近代文学の遺産を集大成した文学全集が氾濫し、大新聞の文芸時評による現代小説案内が一般読者にも読まれていたのは、文学を読めば人間や人生や社会のすべてがわかるという文学神話がまだ生き残り、高度成長下での豊かな文化生活へのあこがれと結びついたからだと考えられる。

文芸評論家への夢

こうした文学神話の再生と文学産業の繁栄は、文学青年や文学愛好者たちの間に、作家だけでなく、文芸評論家への夢を育んだ。吉本隆明、奥野健男、江藤淳ら若い批評家たちの活躍は彼らの夢をいっそう駆り立てた。その要望に応えたのが、昭和三三年に創設された『群像』新人文学賞にほかならない。三三年一月号に発表された応募規定によれば、銓衡《せんこう》委員は伊藤整、大岡昇平、中村光夫、平野謙。小説、評論の二部門からなり、小説は一〇〇枚以内で賞金一〇万円、評論は五〇枚以内で賞金五万円（第二回目から一〇万円）。知られるように『群像』新人文学賞は第一一回（昭和四三）に大庭みな子「三匹の蟹」、第一九回（昭和五一）に村上龍「限りなく透明に近いブルー」、第二二回（昭和五四）に村上春樹「風の歌を聴け」などの大型新人小説を送り出して脚光を浴び、五〇回を迎えた現在でも人気があって応募者は毎年二〇〇〇名を越えているが、創設当初注目されたのは他に例のない評論部門だった。第八回（昭和四〇）までの各回の当選作、主な予選通過者、応募総数などを左にリストアップしてみよう。

第一回（昭三三）足立康「宝石の文学」
野島秀勝、伴悦、森本和夫　一〇七
第二回（昭三四）佐野金之助「活力の造型」
宮井一郎、磯田光一（2）、杉野要吉、塚越和夫　一一二
第三回（昭三五）秋山駿「小林秀雄」
磯田光一、片岡啓治、森川達也、饗庭《あえば》孝男、柳父《やなぶ》章　一三二
第四回（昭三六）成相夏男（上田三四二）「斎藤茂吉論」
小笠原克《まさる》、松本徹　一一一
第五回（昭三七）大炊絶《おおいぜつ》（小笠原克）「私小説論の成立をめぐって」
駒尺喜美、松本徹、宮井一郎（4）、森常治　一二五
第六回（昭三八）月村敏行「中野重治論序説」

中井正義、松本徹　九八
第七回（昭三九）松原新一「亀井勝一郎論」
太田静一、大津山国夫、中井正義、松本徹　九二
第八回（昭四〇）渡邊廣士「三島由紀夫と大江健三郎」
亀井秀雄、中井正義、平野榮久　八三

当選者、予選通過者のなかには、その後、文芸評論家、近代文学研究者、その他の研究者として名をなした人が多い。近代文学の分野では評論だけでなく、すでに研究も盛んになっていて、評論と競い合っていたことがわかる（『文藝年鑑』でも昭和三一年度版から「文芸評論」の項が「文芸評論・研究」に拡げられた）。評論家として大をなした人としては秋山駿、磯田光一の二人がまず目に止まる。秋山駿は森本和夫、森常治らとともに同人雑誌『文学者』の仲間で、雑誌には石ころのことばかり書いていて作家論は初めてだったというが、評論家として文壇に登場するのはやや遅れた。それに対して磯田光一は当選は逸したが、第二回の候補二本は芥川龍之介論と小林秀雄論で、第三回に秋山駿に賞を奪われたときは三島由紀夫論を応募していた。最後まで残ったので編集者の推薦でこの年、昭和三五年一〇月号の『群像』に新人

と断って遅れて掲載され、好評だったので、翌三六年六月号の同誌には高見順論も発表された。同じ頃『日本読書新聞』の文芸時評を担当、第一六次『新思潮』の同人になり、間もなく他の文芸雑誌に進出、昭和三九年に新たに「殉教の美学」と題した三島由紀夫論を『文學界』に連載、『東京大学新聞』や『図書新聞』に文芸時評を連載した後、三九年一二月には第一評論集『殉教の美学』を冬樹社から刊行して新進評論家として注目を浴びた。かねてから平野謙に対しては批判的だったが、平野謙の『文藝時評』が最初に大冊としてまとめられたとき、こう書いた。

戦後十八年にわたるこの『文芸時評』一巻は、稀有の柔軟な感受性とヒューマニズムの倫理感覚をもった一知識人のささやかな歩みの記録であり、同時に一つの生きた戦後文学史としての幅も失ってはいない。温和にして謹厳さを失わず、『自己を失う』ことをモットーとしながらいつ知らず自己を語っているこの豊かな業績は、さまざまな背理を包蔵しながら、まさしくそれゆえにこそ、厳しい対決を、後代の者に向って要求しているのである。（『図書新聞』昭和三八年九月一四日）

新旧の評論家が、世代や文学観の相違を超えて、文学大衆化の時代をともに生きようとしていた姿勢がうかがえる。

第二章

『L'ESPRIT NOUVEAU』第七号の行方

第一書房版『ユリシイズ』の怪

ジェームズ・ジョイス著、伊藤整・永松定《さだむ》・辻野久憲共訳の第一書房版『ユリシイズ』は、前編が昭和六年一二月一五日に、後編が昭和九年五月二五日に出ている。文学史上における同書の大きな意義についてはいまさらいうまでもないが、出版史上も、とくに発禁になった後編は、謎の書、問題の書になっている。私もだいぶ前から何とかして同書出版をめぐる真相を知りたいものとそれなりに心がけてきたつもりだが、残念ながらまだ全貌をつかむまでにはいたっていない。これまでにわかったことだけをここで中間報告して、大方のご教示を得たいと思う。

後編のことを述べる前に、前編の発行部数について記しておきたい。このころの第一書房版の本にはたいてい奥付に発行部数が記されているが、前編についてはは次のようになっている。

昭和六年十二月十五日　　初版二千部

六年十二月二十五日　第二刷五百部
七年一月二十二日　第三刷五百部
七年三月十五日　第四刷五百部

現在までに確認し得ているのは以上の第四刷までだが、多分このあとも増刷されているにちがいない。翻訳権の問題で後編の発行が遅れたから、後編発行に合わせて前編の増刷が行なわれた可能性もある。しかしいずれにせよ、前編初版発行後三か月間に計四回、三五〇〇部が印刷されていることは、この類の書物としては驚くに足る数字というべきであろう。

ちなみに第一書房版『ユリシイズ』にやや遅れて岩波文庫でも『ユリシーズ』を出しはじめた。森田草平・名原広三郎・龍口《たつのくち》直太郎・小野健人・安藤一郎・村山英太郎共訳のその『ユリシーズ（一）』は、第一書房版前編初版発行の二か月後、第三刷と第四刷の間の昭和七年二月五日に出ている。こちらは昭和七年内に第四分冊まで出し、問題の箇所を含む第五分冊だけが三年遅れて一〇年一〇月一〇日に刊行、完結している。定価は（一）から（三）までが各四〇銭、（四）（五）は各六〇銭、五冊合わせると二円四〇銭。これに対して第一書房版は各編二円、計四円である。岩波文庫版の発行部数は不明だが、第一書房版は途中から岩波文庫版にかなり喰われたのではないかと思われる。そこへ持って来て、巻末のブルーム夫人の独白の部分は岩波に先んじて出したために発禁の厄をかぶった。幸先はよかったものの、どう見ても第一書房版は貧乏クジを引いたとしかいいようがない。

そこで発禁になった第一書房版後編だが、これについては例えば小田切秀雄・福岡井吉編『昭和書籍・新聞・雑誌発禁年表（中）』（昭和四一年五月、明治文献）には、昭和九年五月三〇日（奥付発行日の五日後）に「中年女淫慾想像描写」の故をもって風俗禁止処分になったとある（最近出た『国立国会図書館所蔵発禁図書目録』には入っていない）。当時、第一書房にあって、警視庁との折衝に当ったのは、訳者の一人、辻野久憲だった。愛人加藤よし子宛辻野久憲書簡によれば、昭和九年六月四日、警視庁の呼び出しを受け、半日がかりで調書を取られている。その後、第一書房版は問題のブルーム夫人の独白の箇所を削除した版を作ることにより、難を切り抜けようとしたらしい。例えば同社発行の雑誌『セルパン』昭和九年九月号の広告には次のようにある。

「下巻一度び出づるや突如発売禁止の厄に逢ひ、折衝の結果五一七頁より五九六頁までを削除して辛うじて発売を許された。一時全く出版を危ぶまれた本書が、曲りなりにも世に出た事は真に喜びに堪へない。」

広告によれば、この削除版は「分割還附版」として定価二円を一円五〇銭に値下げして発売された。ところが奇怪なことに、この削除版がなかなか見つからないのである。

おそらくいちばん出回っているのは伏字版であろう。伏字版というのは、ベタ組みの五一八頁以下五九五頁までのブルーム夫人の独白の部分のうち問題となりそうな数十箇所の活字を抜いて空白にしたもので、扉の裏に「校正注意」として「訳文中白欠の箇所は、既に公許されたる、乃至は公許さるべき範囲内に於て削除を行ひたるものにして、脱落に非ず」との断り書きを付している。最近出た筒井康隆の『虚人たち』、あれを思い出していただければよい。この伏字版の定価は二円である。

しかしさらに奇怪なのは、この伏字版のうち、伏字部分を赤インクその他の字でそっくり埋めた私製完全版とでもいうべき本が、相当数出回っていることである。いままでに私は一〇冊ぐらいの伏字版を目にしているが、その半数以上がこの私製完全版だった。しかも伏字の埋め方はどれも同じで、のちに述べる完全版とぴったり一致する。参考までに架蔵伏字版から一例をあげよう。傍線部が活字の空白を赤のペン字で埋めた部分である。

「種馬のやうにそれをあたし達に差込んでといふのは男があたし達に望むのはそれだけだわあの人が思ひ決めたやうな毒々しい眼付をするとあたしは半ば眼をつむらなければならなかつたわあの人にそれを抜き出させてそれがとても大きいのでもう一度あたしにかからせた時

はあの人はあまり沢山精をやらなかったわこの前それをあたしの中にやらせた時充分にそれが出切つてしまつてゐないやうな場合にはその方が一そう具合がいい男が充分満足するやうに女にとつてはなんて素晴しいことを考へついたのだらう」

よろこんでいる場合ではない。謎を解くことが先決なのだ。以上の事実から推定されるのは、削除版、伏字版のほかに、私製ではない、活字の埋まった完全版があったか、伏字部分の埋め方をこっそり教えたパンフレットのごときものが極秘裡に配られていたか、どちらかということだろう。そしてこの推定は誤まっていないのである。パンフレットの存否はいまもって不明だが、完全版は確かに存在するからである。

城市郎氏は『発禁本』（昭和四〇年二月、桃源社）その他において、自分は伏字版を所蔵しているが、削除（該当頁切りとり）版が流布し、このほかに社内用として少部数の完全版があったらしい、とほのめかした。さらに最近になって、私などにはヨダレの出そうな本や雑誌の表紙だけチラッと見せてくれることで、知る人ぞ知る佐々木桔梗氏が、一見再嘆三嘆の書、その名も雅なる『五行山荘限定版書目細見』（昭和五四年六月、プレス・ビブリオマーヌ）に、次のように書いた。

「今日初版で切り取りのない本は数少ないが、この発禁本に実は一字の伏字もない完全印刷本の存在することは殆んど知られていない。刊行者のペンで本扉前頁に〝非売珍本　２　この本は特に出版者のために作りたるもの也　長谷川巳之吉〟というナンバーリング様の活字で番号入本があることだ。／伊藤整、永松定、辻野久憲及び長谷川巳之吉自家保存用として4〜5部のものと思われる。面倒な作業だが印刷所で組付た際、伏字の為の活字引抜き前に数枚ずつを密かに刷らせたものだろう。この2番本は早くに亡くなった訳者辻野氏あたりの旧蔵本だったのかも知れない。前篇共にカバー付の揃いである。」

　完全版は間違いなくあったということになるが、佐々木桔梗氏の記述にはやや勇み足の気配がある。というのも、完全版は四、五部どころか、二〇部以上刷られたことがほぼ確実だからである。私も一部持っているが、私のものには見返しの遊びに、

刷り見本　第一書房

とペン書きされ、本扉の前にある二枚の遊び紙のうち後の方の下部にナンバーリングで「19」と押されている。私はこの本を七年前の五反田古書展で手に入れた。前後編初版二冊揃い（但しジャケット欠）の美本で、四〇〇〇円という安値だったから買ったのだが、それ以前に二度ばかり完全版を見ながらわずかばかりの金の工面がつかずに見送っていた。うち一部は知人が買っていまでも持っているが、それには同様に「21」の番号が入っている。この

ことから完全版が少くとも二一部は出ていることが確実ということになる。なお後編の発行部数は初版一五〇〇部とあり、初版以外の版は見ていない。

しかしそれにしても気になるのは広告に出ている削除版のことである。城市郎氏も佐々木桔梗氏も削除（該当頁切り取り）版が流布したと書いているが、どういうわけか私はいまだそれらしき版に出逢うチャンスに恵まれていない。眼にしてきたのは伏字版と完全版だけなのである。城氏や佐々木氏は切り取り削除版をお持ちなのだろうか。あるいは読者の中に心当たりの方がいたら、ぜひともお教えいただきたい。『ユリシイズ』の怪を何とかして解きたいと思うからである。

雑誌『L'ESPRIT NOUVEAU』第七号の行方（上）

昭和五年七月に紀伊國屋書店から創刊されたモダニズム文学誌『L'ESPRIT NOUVEAU』は、同年八月に二号、一〇月に三号、一二月に四号、翌昭和六年三月に第二年第一号、七月に第二号の全六号を出して終ったとされている。同名の雑誌に四年後の昭和九年一一月から翌一〇年一月まで三冊を出した後、『詩学』と改題したボン書店発行の詩誌があるが、ここで取り上げるのは紀伊國屋書店版の『L'ESPRIT NOUVEAU』である。

全六号で終刊という最も有力な証言は、編輯者の北園克衛自身が『株式会社紀伊國屋書店創業五十年記念誌』（昭和五二年五月、同書店刊）に寄せた「「L'Esprit Nouveau」と「机」」（執筆は昭和四二年）の次の一節であろう。

「L'Esprit Nouveau」は昭和五年八月五日に創刊されたが、この雑誌は何か変ったフレッシュな雑誌をだそうということではじめたもので、売ることなど考えなかったが、紀伊國屋の店ではずいぶん売れた。（中略）翌年の七月に発行した第二年第二号で休刊した。全部で六冊発行したことになる。たぶん「紀伊國屋月報」のことで忙しくなったせいかもしれない。

創刊号の発行日が昭和五年八月五日とされているが、これは第二号の発行日で、第一号の奥付には七月一日発行（表紙は「JURY」と誤記）と記されている。『紀伊國屋月報』は昭和六年二月に創刊され、のちに『レツェンゾ』と改題されて昭和一一年まで続いた紀伊國屋書店のPR誌で、そちらも当初は北園克衛が編輯を担当していた。なお、同誌については最近「紀伊國屋書店のPR誌」（『舢板《サンパン》』Ⅲ‐6）と題する一文を書いたので併せて参照されたい。北園克衛の旧蔵書を中心にした多摩美術大学の北園克衛文庫にも、同文庫のホームページによるかぎり『L'ESPRIT NOUVEAU』は第二年第二号までの六冊しかないようだ。日本近代文学館には瀬沼茂樹旧蔵の同誌が入っているが、これも同様に第二年第二号までの六冊しかない。そのために『現代詩誌総覧④　レスプリ・ヌーボーの展開』（一九九六年三月、日外アソシエーツ刊）でも全六冊として、通巻六号目の第二年第二号までの目次を載せている。同書で同誌を担当した内堀弘氏は、冒頭の「解題」の最後で終刊に触れ、

尚、通巻6号に終刊の記載はないが、「9月からは全く編集《ママ》を改めて〜」との記載を

見ることと、併せて日本近代文学館所蔵瀬沼茂樹旧蔵本6冊の他に多摩美術大学所蔵北園克衛旧蔵本が6冊合本で残されていたことからこの号で終刊と判断した。

と書いている（原文横書き）。

しかし七冊目がもう一冊出ているのではないかという噂はずいぶん前からあった。噂には根も葉もあった。その一つは『紀伊國屋月報』の昭和六年七月号（第一年第六号）の三〇頁に掲載されている同誌「夏の号」「街頭版」（八月一日発行）の一頁広告で、そこには田辺（茂一）と北園（克衛）の連名による予告文「オ・ララ」とともに執筆予定者の名前が並べられている。しかし予告や広告が出ながら未刊に終った雑誌や本は枚挙に遑《いとま》がない。現物を確認しないかぎり出版されたと断言することはできない。他方、現物が容易に見つからないからといって未刊だと速断することも禁物である。一般に何かがあることを証明することより、ないことを証明することの方がはるかに難しい。

ところが半世紀近く経った一九七九年、七冊目が発見されて表紙の写真入りで紹介されたのである。発見・紹介者は知る人ぞ知る斯道随一の蒐集家、佐々木桔梗氏である。

佐々木氏は一九七九年六月、氏自身の主宰するプレス・ビブリオマーヌから『五行山荘限定版書目細見』という驚くべき本を出版した。昭和一二年に五行山荘こと大竹健二が私刊した幻の限定版書目を追補するというかたちで、大正末年から昭和初年に出た、主としてモダニズム関係の稀覯の書物や雑誌の数々を、細見というより瞥見させて、読者に久しい感嘆と、激しい羨望、嫉妬を起こさせたのである。そしてそのなかで件の『L'ESPRIT NOUVEAU』についても「昭和5年7月創刊、6号の終刊が翌6年7月」と紹介、「6号LES欄に田辺・北園連名で遅刊を詫び〝9月からは全く編集を改めて《ママ》……〟という文字が見られる為に6号を終刊と判断したのである」と付記した（原文横書き）。前掲の『現代詩誌総覧』の内堀弘氏の解題は一部これを踏襲していたのである。

しかし佐々木氏の恐ろしいのはこのあとなのだ。氏は右の『細見』刊行直後、「誤字・誤記の訂正其他」と題する両面印刷アート紙一枚のチラシを作って配布した。表には「佐々木桔梗 1979年7月末作成」、裏には「1979年10月作成」とあるから、最初は表一面だけ、後で表裏両面のチラシが作られたのであろう。

恐縮ながらここでどうしても私事に立ち入らなければならない。私は『細見』が出た約一年後の一九八〇年五月に日暮里の、今はなき鶉屋《うずらや》書店で同書を買い求めたのだったが、そのときたまたま佐々木氏が鶉屋に見えていて、初めて言葉を交わす栄に浴したおかげで、数日後にそのチラシを送っていただけたのである。氏はお忘れであろうが、私は記憶とメモによりながら当時のことを思い出して書いている。

問題はそのチラシである。チラシの表には「紀伊國屋刊「レスプリ・ヌウボオ」の書影をという希望により全6冊を写真版（原本表紙各号も白黒）で紹介する」として、六冊を一部重ねて順に横に並べた写真が掲載されている。ところが、裏を見ると、「「レスプリ・ヌウボオ」7冊目を確認。A5判と小型化し1931年7月・夏の号の追加臨時号で7月25日発行、25篇の作品と翻訳、本文はザラ紙50頁、アート表紙に街頭版とあり頒価20銭〝崇高なる気紛れの所産〟と後記。堀口大學、坂口安吾ら多彩な陣容」とあって、七号の表紙の写真が載っているのだ（佐々木氏の最新著『日本の肉筆絵入本・北園克衛を中心に』〈二〇〇二年一一月、書肆ひやね刊〉も七号のカラー書影を載せている）。

こうなってはもはや第七号が出ていたことを疑うわけには行かない。ところが、多分、佐々木桔梗氏以外、誰一人として七号を見ぬままその後二十余年の歳月が静かに流れ去ったのである。

二〇〇三年九月末、幻の七号はふたたびその姿を現わした。新村堂書店古書目録第七一号に佐々木桔梗氏のチラシと同じ表紙の写真入りで次のように出たのである。

14番　『L'ESPRIT NOUVEAU』　紀伊国屋書店　一冊　七万

編集発行　田辺茂一・北園克衛　昭和六年八月（街頭版）
山中散生《ちるう》／坂口安吾／岩佐東一郎／永松定／堀口大学
目録が届いた日、あいにく私は夜遅く帰宅してこれを見、酔眼を瞬いた。七万は決して安いとはいえないが、以上の経緯を知っていた私には決して高いとも思えなかった。翌朝、すぐに新村堂書店に電話を入れた。ところがこの世界や恐るべし、昨日のうちに何人かから電話があったとのことで、とうに売れてしまっていた。二〇年ぶりに出現した幻の雑誌だけに、いま買いそびれたらもう二度と会えないだろうと思うと、口惜しさだけが何日も尾を引いた。
そのせいもあって、間もなく少しの暇が出来ると、松本八郎氏主宰の雑誌『舢板』のために、同じ紀伊國屋書店から北園克衛の編輯で出ていたPR誌『紀伊國屋月報』改題『レツエンゾ』について、調べがついた範囲で紹介の文章を書きはじめた。しかし昭和一一年まで続いたと思われる『レツェンゾ』についても終刊がはっきりせず、途中の二、三号は未見のままだった。初校が出るまでにもう少し調べられればと思って、一応二〇枚余りの原稿を書き上げて送ってからも、紀伊國屋書店や新宿歴史博物館をはじめ、全国の図書館や文学館や資料に詳しい知人に照会する一方、インターネットでも種々のキーワードやエンジンで検索を重ねた。だが、未見の号を見つけたり、未知の情報を得たりすることはできなかった。そのかわりネットを通じて思いがけない出会いとドラマを体験することになったのである。どこでどういう人がどういう本や雑誌を読んだり、探したり、情報を提供しているかわからない。ある系統の本が好きでインターネットの世界の面白さを知った人のなかには、ずいぶん専門的で凝ったホームページを開いている人がいる。

戦前、紀伊國屋書店から出ていた雑誌についての情報をネット上で探しているうちに、モダニズム系の古書に関する情熱と知識に溢れた、センスのいい、ウェブ・サイトに遭遇した。紀伊國屋書店発行の雑誌についてもかなり詳しく、日誌の頁では『L'ESPRIT NOUVEAU』や佐々木桔梗にも触れ、やはり七号はあったのですね、などとも書いている。同好の士を得たよろこびでメールを送ると、すぐ返信をくれたので、『レツェンゾ』や『L'ESPRIT NOUVEAU』についての情報を交換した。新村堂書店の目録も見ているようなので、心安立てに、幻の第七号はどこに行ってしまったのでしょうね、などとも書いた。すると、あれは第三号ではなかったでしょうか、と言ってきたので、いや違います、写真を見ても明らかに第七号です、と言ってやると、第三号と思ったのは第二年第三号だからでした、通巻ではやはり第七号ですね、でもここまで来たら白状します、新村堂書店の目録で『L'ESPRIT NOUVEAU』を購入したのはこの私です、と先方からカミングアウトしてきたのにはびっくり仰天、さらにこちらから催促したわけでもないのに、コピーを送りましょう、と言うので、そんな夢のようなことが起こっていいのだろうかと思い、その通りのことを返信に書いてしまった。こんな信じられないようなことがあるから本探しもネット遊びもやめられないのだ。

夢ではなかった。幻は現実になった。数日後にほんとにコピーが届いたのである。

こちらの敬意と熱意が通じたのかもしれない。それにしても七万円で買ったばかりの超稀覯の資料のコピーを、見ず知らずの相手に、こんなに気安く譲ってくれる人とは一体どんな人なのだろう。幻の『L'ESPRIT NOUVEAU』のコピーとともに、それを送ってくれるという奇特な人に限りない興味を抱いた。

私の悪い癖かもしれない。文学について考える場合も、本や作品だけでは面白くない。作者はもちろんだが、編集者や読者やそれにかかわりのある人、人間に、どうしても関心が向いてしまう。あなたは他人のことに興味を持ちすぎると、今は有名作家になった若い女子学生に言われたことがある。でも、こんな夢みたいなことが起こったら、誰だって相手がどんな人か知りたいと思うのが当然ではないだろうか。

けれどもインターネットの世界は、最近の若い人々の間と同じように、そういう下司な詮索は受けつけないようなのだ。少なくとも表に出さないのがネット上のマナーらしい。だから私もその人に向って直接に、あなたはどんな人なのですか、などとぶしつけなことは訊かなかった。しかし最初は男なのか女なのか、若いのか年とっているのかさえよくわからなかったその人のイメージが、興味深い情報満載のホームページのあちこちに目を通すうちに、おぼろげながら浮かんできた。

そのX氏が幻の『L'ESPRIT NOUVEAU』の購入者だったことがわかったときから、実をいえば私は『L'ESPRIT NOUVEAU』そのものより今自分の目の前で起こっている信じられないようなドラマに夢中になって、それについて書きたいと思った。そこで私は『舢板』編集部に送ったばかりの「紀伊國屋書店のPR誌」の原稿の末尾に、本文中でも言及した『L'ESPRIT NOUVEAU』第七号をめぐって起こったドラマについてちょっと追記したくなって、編集部にその旨を伝える一方、X氏にもその許可を求めた。するとX氏は「私の個人名や私個人を特定できそうな内容だけは避けていただければ」という条件付きで私に書くことを許してくれた。その約束を守ってここでもX氏と書いているわけだが、X氏については、音楽関係の仕事が本業で、モダニズム系古書への耽溺は本業とはまったく関係のない純粋な趣味らしいこと（そのことが私をいっそう驚かせるのだが）だけを記して、それ以外は伏せることにしたい。

雑誌『L'ESPRIT NOUVEAU』第七号の行方（下）

『L'ESPRIT NOUVEAU』第二年第三号、通巻第七号の内容を、X氏から譲っていただいた全頁コピーにもとづいて、早速、次に紹介しよう。

判型は四六倍判だった六号までの半分になって四六判、そのかわり本文は倍以上になって五〇頁。表紙は帽子を目深に被った横向きの外国婦人の写真。左下に判で押したように縦に小さく「街頭版」と記した以外はすべてフランス語である。写真の上の誌名『L'ESPRIT NOUVEAU』（佐々木桔梗氏近著の書影によると、ここだけが茶色の二色刷）に次いで、下の「KINOKUNIYA」の文字が大きい。それ以外は上から小さく、第二年第三号、1931年8月、編輯　北園・田辺、発行　紀伊國屋東京新宿角筈／国際アバンギャルド誌／日本国内定価1部20銭、海外5フラン。表紙の次に見開き二頁の「TABRE《ママ》 DU NUMERO」（目次）があり、本文が続く。最後の五〇頁目は全体が横組みで、一番下の奥付には「昭和6年7月25日印刷　昭和6年8月5日発行　定価1部20銭　東京市外新宿角筈　編輯兼発行責任者田辺茂一・編輯者　北園克衛・発行所　紀伊國屋書店　東京市京橋区銀座西3ノ1　印刷者斎藤幸次郎・印刷所　自由通信印刷部」とある（佐々木桔梗氏がチラシで「7月25日発行」としていたのは印刷日を発行日と読み違えていたのだ）。その上の「夏の挨拶」は田辺・北園連名の編輯後記。冒頭だけを引用する。

　1931年7月発行の「夏の号」の特別号としてこの街頭版をお贈りします。御覧の通り内容は全く別のものでこれをもつて僕たちの満1週年記念号を兼ねたものです。このプランは7月号が店頭に出てからも暫くの間考へて見なかつたのですが例の「天才的閃」つまり「崇高なる気紛」に従つて忽ち完成したのであります。これについては執筆家諸氏の御厚意を何と感謝すべきかよくわかりませんのではつたらかして置いたのもあるかも知れませんから改めて幾重にも御詫びします。そしてこの無躾もまた執筆家諸氏への僕達のアミチエにもつ信頼が致す処と何卒御赦し下さいますやう希望して居ります。

このあと、まだ三倍くらい続くが、最後は詩のようになっている。連名だが、北園が書いている証拠である。

次に本文の題名、執筆者、頁数を一覧する。本文は断りのないかぎりすべて縦一段組み。（　）内は注記。写真、埋草、広告等の記載は省略。

これらのうちで最も注目に値するのは新版全集にも未収録の坂口安吾「現代仏蘭西音楽の話」であろう。今日知られているかぎり、安吾の文学活動は昭和五年一〇月に葛巻義敏、江口清らと創刊した同人雑誌『言葉』に始まり、翌六年五月創刊の後継誌『青い馬』の一号から三号に「ふるさとに寄する讃歌」「風博士」「黒谷村」等の短篇を次々に発表して注目を浴びる。ちょうどその頃、どういうきっかけか『L'ESPRIT NOUVEAU』に近づき、昭和六年七月一日発行のこの前の号、第二年第二号（通巻六号）に、トリスタン・ツアラの詩「我等の鳥類」を訳載している。そして右の七号の執筆者のなかでは、安吾のほかに本多信と長岡輝子が『青い馬』の仲間である。

さて安吾のエッセイ「現代仏蘭西音楽の話」は、安吾と前衛芸術一般、あるいは前掲の初期短篇とのかかわりで重視されている、現代フランス音楽、とくにエリック・サティと「六人組」に関する重要文献である。サティ関係の著作としては、従来、『青い馬』創刊号に発表した長文の「エリック・サテイ（コクトオの訳及び補註）」が知られてきたが、四〇〇字詰原稿用紙一〇枚余りのこの「現代仏蘭西音楽の話」は、それを補いながら、現代フランス音楽の歴史的展望のなかでサティの音楽の大きな意義を自分の言葉で平易明快に説いた論として注目に値する。

安吾はまず、古典音楽はバッハとモーツァルト以外は抹殺して差支えないとするアインシュタインの意見に賛同しながら、リュリからラモオへと続くフランスの伝統音楽をそれに加えたいという。そして、一九世紀後半から一九二〇年代にかけてドイツ（ワグネル）、ロシア（ムソルグスキイ、リムスキイ・コルサコフ、ストラビンスキイ）、アメリカ（ジャズ）からの三つの侵略を受けたフランス音楽をリュリとラモオの伝統に戻そうとしたのはドビュッシイだったが、ワグネルの影響から逃れることを可能にしたのはロシアのムソルグスキイやストラビンスキイやヂアギレフ舞踊団だった、と述べてから、「失はれた伝統を本当に取り戻した人は、落伍者エリツク・サテイと呼ぶ天才であります」として、以下、サティについて語る。落伍者サティと成功者ドビュッシイは、互いに相手の才能を恐れ、敵視し合っていた不思議な親友だった。ドビュッシイは独特の印象派風の和声を完成し、サティは和声を眼中に置かなかった。その後、ジャズが入ってきて皆がその影響を受けたが、ジャズの影響からフランス音楽を取り戻したのもサティとストラビンスキイだった。一九二五年のサティの死後、「六人組」をはじめ、若いその弟子たちは、サティ、ドビュッシイ、フォーレ、ショパンを見直し、さらにリュリやラモオを見直して、フランスの伝統に戻ることを目指している、というのである。

以上の要約からもわかるように、安吾は、フランスの音楽が外国から次々に入ってきた新しい音楽に揺さぶりをかけられた時代に、フランス音楽の伝統を取り戻そうとした点にサティの現代的意義を見出そうとしている。これは「エリツク・サテイ（コクトオの訳及び補註）」

では表に出ていなかった見解である。ここから、安吾におけるサティと二〇世紀芸術との関係、サティと初期短篇群との関係、さらに現代文学と伝統との関係をどう考えて行ったらよいかという問題が今後の課題として残される。

ところでふたたびX氏のことだが、その後、私が日本近代文学館に関係していることを知ったX氏は、日本近代文学館では雑誌の原本でなくコピーを綴じたものを時々見かけるが、今度の『L'ESPRIT NOUVEAU』第七号もコピーでよかったらぜひ提供したい、と言ってきた。願ってもない話で、私はすぐ館の受入れ係にその話を伝えた。氏はメールに次のように書いてきたのだ。

私は自分ではコレクターと思ったことは全くありませんで、読みたいものが読めれば、それが元版ではなく復刻でも再版でも再録でも、たとえコピーでも全然構わないのです。が、読みたいものがどこの図書館にも所蔵されていないことが多く、とても悲しいことだと常々思っています。（中略）少なくとも私は自分の手元にあるものを必要とする人がいれば喜んで提供したいと思っています。

実に見上げた態度で、私はすっかり感服してしまった。そしてこのような心の広い方ばかりならわれわれ研究者も苦労しないで済むのだが、と思った。

こうした経緯で、『L'ESPRIT NOUVEAU』第七号は、間もなく日本近代文学館でその全頁コピーを見ることが出来るようになる。興味のある方は自分の目で確かめて、大いに活用していただきたい。そしてそのときすべてはX氏のおかげであることも、どうか思い出していただきたい。

〔付記〕前号をお読み下さった佐々木桔梗氏から『細見』刊行直後の片面印刷のチラシをいただくことができた。また、他の読者から、第七号が平成一三年の七夕市に他のモダニズム詩誌に混じって写真入りで出たことがあることを教えられた。記して心から謝意を表したい。

海彼から押し寄せたレスプリ・ヌーボー――『詩と詩論』と『トランジション』

世界的同時性と世界的自己同一性の幻想

すでに多くの人々によって繰り返し主張されてきたように、たしかに『詩と詩論』を中心とする昭和初年の新しい文学運動は、第一次大戦後、とくに一九二〇年代のヨーロッパやアメリカで盛んになった「新精神」L'ESPRIT NOUVEAU によるグローバルな言語革命・表現革命の一環として位置づけられなければならないだろう。しかしその「新精神」の内実とはいかなるものであり、それが目指した二〇世紀における言語と表現の革命とはいったいどういうものであったのか、肝心のその点はもちろんのこと、「世界的同時性」とか「世界的規模の文学運動の一環」とかいわれる場合も、たんに第一次世界大戦後のヨーロッパに起こった様々な前衛芸術の直接的影響とか、「革命の芸術」ではなくて「芸術の革命」を目指したのだ、とかいった概念的な言葉が符牒のように飛び交わされてきただけで、いわゆる「世界的同時性」というその事実あるいは幻想の内実すらも具体的に明らかにされてはいない。ここでは取り敢えずそれに関する現象の一部を紹介・整理して、今後の研究の出発点としたい。

『詩と詩論』の世界的同時性に関しては、春山行夫自身が「『詩と詩論』の仕事」（『日本現代詩大系月報』10、一九五一年一一月、河出書房）という短い文章のなかで次のように回想している。

『詩と詩論』が生れたのは、日本の詩壇とか文壇とかいつた領域の局部的な現象ではなく、それはヨオロッパ並びにアメリカのモダーニズム文学の直接の影響であつた。フランスにも、イギリスにも、アメリカにも、『詩と詩論』と同じような文学的な運動が起きていたので、その時代にはヴァレリイ、コクトオ、ジャコブ、モオラン、サルモン、サンドラルス、スウポオ、アラゴン、ブルトン、エリュアル、ラディゲ、エリオット、ジョイス、ローレ（ン）ス、スタイン、ハックスレイ、オールディントン、ウルフ、ルイス（W）、パウンド、カミングズなどが、全部一度に我々のところに流れこんで、まつたく息もつけないほどの驚異であり、刺戟であつた。

エスプリがあるとかないとかいうのでなく、だれもかれもが道ばたで金塊を拾うようにポケットにエスプリを一杯つめこんでいた。みんなエスプリがありすぎて、困つたような時代だった。時代そのものに、エスプリがあつたからである。

このような世界的同時性《シンクロニズム》と世界的自己同一性《アイデンティティー》の信念と幻想に支えられた強い自矜の念があったからこそ、「旧詩壇の無詩学的独裁を打破して、今日のポエジーを正当に示し得る機会を得」(『詩と詩論』第一冊「後記」)ることも可能だったのだ。「ポエジー」の何たるかについては、同じ月報文にこうある。

シャボンをつくつたのは化学者だが、シャボン屋さんはもはや化学者ではない。詩的表現ということには、形式の創造ということが含まれていなければならない。そして新しい芸術、新しい詩というものには、いままでにだれも考えなかつた乃至表現しなかつた「新しい」表現形式が創造されていなければならない。この意味の詩的思考乃至表現を私はポエジイと名づけた。

『詩と詩論』には、日本の詩の歴史の上でいずれの時代にも存在しなかった「詩的思考」が発展している。それは詩を単一のフォルムや制服に押しこめる詩人の観念や思想が、自由な詩人の詩的思考とは別物であり、オリヂナルな詩人にとつてはおよそ無関係だということを明らかにした。

戦争中は戦争中の、戦後には戦後の詩を書くというようなことは、シャボン屋さんの仕事であり、シャボンの流行である。『詩と詩論』にはポエジイ以外のものはなにも表現していないような詩を多くのせた。そういう詩を載せることが、詩人あるいは芸術家としての編輯者の仕事だと自分は信じているからである。[*1]

二〇世紀文学とリトル・マガジン

『詩と詩論』の世界的同時性を具体的に明らかにするためには、前の引用で春山行夫が名をあげていたような第一次大戦後のヨーロッパやアメリカの文学者たちが何を拠点にして前衛的な文学運動を始めていたかをまず考えてみなければならない。従来の一九世紀的な文学に対して叛旗を翻し、二〇世紀の新しい文学を創ろうとする気運は、一九二〇年代から三〇年代にかけて世界各地でにわかに高まったが、ちょうどその時期、出版界もようやく商業主義の支配するところとなったために、何か新しいことを試みようとする無名の新人たちは、それぞれグループを作り、伝統をも商業主義をも排した自分たちの雑誌を持たなければならなかった。[*2]

二〇世紀前半期を通じて、そのような前衛的な文学雑誌、いわゆる「リトル・マガジン」

little magazine が世界各地で次々に生まれ、そこが新しい文学的実験の場になり、有力な新人を世に送って、二〇世紀文学の発展に多大の貢献をしたことは周知の事実である。パウンドやエリオットが編輯にかかわり、ジョイスの初期作品の発表舞台となった『エゴイスト』（一九一四―一九）、『ユリシーズ』を連載した『リトル・レビュー』（一九一四―二九）、エリオットが創刊し、『荒地』を発表した『クライテリオン』（一九二二―三九）をはじめ、『マッシーズ』、『ダイアル』、『ハウンド・アンド・ホーン』、『トランジション』、『エクスペリメント』など英米系の雑誌に、リトル・マガジンとはいえないだろうが、フランスの『N・R・F』などを加えれば、これらの諸雑誌が二〇世紀文学の最初の拠点としていかに重要な役割を果たしたかが理解できよう。

『詩と詩論』がこれらのリトル・マガジンの一つだったというわけではない。『詩と詩論』とリトル・マガジンとの間には決定的な差異があった。リトル・マガジンの多くは英語で書かれ、発行地がどこであろうとも、少なくともヨーロッパとアメリカの国境を越えた寄稿者―読者層を持っていた。『詩と詩論』の寄稿者―読者層は日本語を理解する日本人と少数の外国人に限られていた。もっともこれは『詩と詩論』だけのことではない。明治以来、ヨーロッパの影響を受けて生まれ育ってきた日本の文学のほとんどすべてが同じ壁に閉ざされていた。春山行夫がいかに自負しようと、『詩と詩論』がこの壁そのものを破ったわけではないことを決して忘れるべきではない。しかし春山行夫をはじめ、執筆者の多くは英語その他の外国語を読むことができたので、リトル・マガジンを通じてその壁の外で何が起こっているか、およその見当はついた。それにくらべて壁のなかで行われていることがあまりにも遅れ劣っていることにうんざりし、腹を立てて、せめて自分たちだけでもヨーロッパやアメリカの新しい文学者と同じように二〇世紀文学の最前衛に立とうとしたのだ。世界的同時性と世界的自己同一性の美しい幻想を信じた彼らの、この大胆で無謀な試みに対する勇気と熱意はすばらしかった。『詩と詩論』とその周辺の成果を見れば、それがよくわかる。しかしそれはそれとして、彼らが現実の革命でなく言葉の革命を目指しながら、内と外とを分けている壁が文学の壁である前に文化の壁であり、何よりも言葉の壁であることを十分にわきまえていたとは思えない。その壁が文学以外の力によって外から壊れようとしている現在、彼らの蔑ろにしたこの問題を過去に溯って真剣に考えることがわれわれに求められている。

いずれにせよ、『詩と詩論』は残念ながらアメリカやヨーロッパのリトル・マガジンの一つではなかった。しかし春山行夫はもちろん、『詩と詩論』に寄稿したり、その熱心な読者だったりした少数の人々の間では、外国語の得意な人もそうでない人も、言葉の壁を越えた、文学における世界的同時性の実現を信じたり、夢見たりしたのだ。語学教育の発達と普及は、大正期から昭和期にかけて外国語が読める多数の文学青年たちを産み出していた。とくに昭和に入ってからは、世界の新しい文学の動向を知るために、欧米の雑誌や単行本を原語で直接読む人々も多くなっていた。

『詩と詩論』に最も大きな影響をあたえたリトル・マガジンは、『詩と詩論』と同じ時代に出ていた『トランジション』だった。伊藤整は「『トランジション』」（『文藝』昭和三七年一二月号）[*3]という短い文章にこう書いている。

> 「トランジション」といふ雑誌は、一九三〇年前後のヨーロッパの新文学の象徴のやうなものであつた。昭和三、四年頃第一次大戦後のヨーロッパ文学が日本に流入した当時のことである。色々ななつかしい思ひ出が、それに伴つて起る。「詩と詩論」はそれの日本版のやうなものであり、私の編輯した「新文学研究」もその雰囲気の中にあつた。「トランジション」（ちなみに、transition と小文字で印刷されてゐたことで目立つたこのタイトルは、トランジションと発音してもよく、トランシジョンと発音してもよい）といふ奇妙な、ゴチック文字の多い部厚い雑誌をはじめて私に見せてくれたのは春山行夫であつた。
>
> 昭和三年から四年にかけて、中野区高根町二十八に住んでゐた春山行夫、つまり「詩

と詩論」の編輯者のところへ行くと、新刊の英仏の雑誌や単行本が集めてあつた。彼はせつかちに一冊ずつ説明して私の膝の上に次々と積み上げ、それは私の胸のあたりに達し、私は本の置場のやうになつた。

彼自身が熱中してゐたのは、「トランジション」の毎号の執筆者ガートルード・スタインの散文の詩で、それは「馬は走つた、馬は走つた、馬は少し早く走つた、馬は少し早く走つた、馬はまだ走つてゐた、馬はまだ……」と無限に続くやうなものだつた。

そのうち、春山行夫と北川冬彦が喧嘩して、北川たちは「詩・現実」を出した。ところがその「詩・現実」の編輯所なる淀野隆三の家が二番地違ひの近所で、両方に書いてゐる私は気をつけて同時に両家を歴訪しないやうにした。（私は苦労性だつた）。

また「トランジション」の中心になる作品はジョイスの「ワーク・イン・プログレス」だつた。その一部分が掲載され、少し遅れてパンフレットとして出た。「アナ・リヴィア・プリュラベル」、「ハフス・チルダーズ・エヴリホエア」等。（以下略）

『詩と詩論』が『トランジション』の日本版だという意味のことは春山行夫自身どこかで言っていたような気がするし、千葉宣一などは辞典類にもそう記している。[*4] しかし実際に二つの雑誌を見較べて、その結果を報告した人はまだいないようだ。『トランジション』がいまではなかなかまとめて見られない雑誌になっているからだろう。ところが有難いことに、つい最近その復刻版が出た。[*5] 私は早速買い求めて、両者を一冊、一冊比較してみた。以下はその比較調査レポートである。

『トランジション』

『トランジション』というリトル・マガジンはどんな雑誌だったか、英米文学者でない人も多少は知っているだろうが、念のために研究社版「英米文学辞典」第三版（一九八五年二月刊）の西川正身執筆の項目を次に掲げておく（原文横組み）。

transition 第1次大戦後に数多く出た little magazine の中でもっとも興味多い国際文学雑誌。1927年4月、Eugene Jolas と Elliot Paul によってパリで創刊。第12号まで月刊、1928年夏以後季刊となり、1930年夏から1932年3月まで一時休刊、のち復活し、1938年春ハーグで廃刊。従来の言語観を排し、不条理の世界を表現するために、Dadaism や Surrealism に共感を示しながら、大胆な言語革命の必要を説き、Joyce の *Finnegans Wake* の一部を連載した。他の主な寄稿者に、Gertrude Stein 以下、

André Breton, M. Cowley, Hart Crane, Harry Crosby, M. Josephson, Franz Kafka, A. MacLeish, W. C. Williams がいた。

少し補足しておくと、パリで創刊されているが、本文は最初から英語。しかし寄稿者の国籍、使用言語は仏独伊露西その他ヨーロッパ全土にわたって実に多様で、編輯者のジョラスが中心になってそれらを英語に翻訳して掲載している。カフカが世界に広く知られるようになったのも、ここに掲載された短篇「判決」や「変身」の英訳を通じてだった。しかし日本および東洋の作品は載っていない。多少日本に関係のありそうなのは、いまやすでに古典となっているS.M.Eisenstein: *The cinematographic Principle and Japanese Culture*（No 19-20, June 1930）くらいのものだろう。[*6]

『トランジション』を支えたのは、創刊から終刊まで編輯者や翻訳者としてだけでなく、詩人・評論家としても活躍し、前衛文学の育成に情熱を注いだユージン・ジョラス（一八九四–一九五二）だった。フランス人を父、ドイツ人を母としてアメリカのニュー・ジャージーで生まれたジャーナリストという彼の経歴が、このような国際的、前衛的な文学雑誌の誕生、存続の背景にあった。パリで創刊したのは、いうまでもなく当時のパリが The Lost Generation と呼ばれたアメリカの若い詩人や作家たちをはじめ、世界中の前衛芸術家たちの集まる国際的な芸術の都になっていたからにほかならない。とくに『トランジション』の成功は、ジェイムズ・ジョイスの『ユリシーズ』を出版してジョイスの絶大な信用を得ていたアメリカ人、シルヴィア・ビーチの援助によるところが大きい。[*7]
『トランジション』は一九二七年四月、パリ、オデオン通りにあったシルヴィア・ビーチのシェイクスピア書店を発行所として創刊された。コマーシャリズムの支配の下で新しいすぐれた作品の発表舞台となりたいという趣旨の創刊の辞に続いて、巻頭にジョイスの *Opening Pages of a Work in Progress* を掲げ、伊藤整が述べていたような、同じ語句の反復的展開によるガートルード・スタインの散文詩 *An Elucidation* のほか、ハート・クレイン、アンドレ・ジード、フィリップ・スーポーらの詩、マックス・エルンストらの前衛絵画などもアート紙で収めた、A5判、一五八頁の堂々たる内容である。以後、翌一九二八年三月まで月刊で各々二〇〇頁前後、一二号を出し、同年夏の一三号から季刊、三〇〇頁前後になり、三〇年六月発行の一九−二〇合併号まで出したところでいったん休刊したが、二年後の一九三二年三月、発行所をハーグのサービス・プレスに移すとともに、ジョラスの単独編輯に切り換えて続刊、三八年四月発行の一〇周年記念二七号をもって終刊となった。主な寄稿者は先に引いた辞典にあった通りだが、季刊に移ってから体裁を改め、誌名の下に「創造的実験のための国際的季刊誌」と謳うとともに、一三号の「アメリカン・ナンバー」、一六－一七号以下の「言語の革命」特集をはじめ、数々の注目すべき特集を組んでいる。現代美術、音楽など他領域との交流も全号を通じて盛んである。

『詩と詩論』と『トランジション』

『トランジション』は、『詩と詩論』とまさに同時代の代表的な国際的リトル・マガジンだったことから、『詩と詩論』以後のわが国のクォータリーにとりわけ大きな刺激と影響をあたえることになった。『詩と詩論』の誌面にその痕跡をたどると、まず第四冊（一九二九年六月）の特輯「世界現代詩人レヴイユ」のアメリカの項で春山行夫は「アメリカ精神とシュウルレアリスト」以下、ほぼ全面的に前年夏に出た『トランジション』のアメリカン・ナンバー（一三号）に依拠し、ユージン・ジョラスについては別項を立てて、こう紹介している。

アメリカの新文学の雑誌で、しかもアメリカからは可成り迫害されてゐる「トランシション」の主筆として、彼はいま強大なエネルギイを大冊の「トランシション」に注いでゐる。Dirty job of being an editor と自嘲しながら、「リトル・レビュウ」の後を受けて、英文学界の二人の最も難解な作家、ジェムス・ジョイスとガァトルウド・スタインとを寄稿家として好遇してゐる彼は、他面、最も難解な作品を最も明快に理解する編輯者は自分であると自信し、自分の雑誌以外の雑誌で必ず拒絶されるであらう原稿を歓迎すると言明したりしてゐる。この態度は実に彼の面目を十二分に語るもので、アメリカ本国のジャアナリストとは、まるで性質が異つてゐるといへよう。エッセイを書き、詩を書き、飜訳をも働く彼、新アメリカ文壇の前衛として、最近ダダ、シュウルレアリズムから、能動的な生活の世界に踏み出した彼の作家的未来は、僕達に尠《すくな》からぬ興味を与へるものといはねばならない。

こう書きながら、春山行夫が自分をジョラスになぞらえていたことは明らかだろう。

次いで第七冊（一九三〇年三月）には、前年の「トランジション」の「言語の革命」特輯から、「言語の革命宣言」を阪本越郎訳で、ジョラスの「ロゴス」を半谷三郎訳でそれぞれ掲載している。

第八冊（一九三〇年六月）の「アメリカン・ナンバア」が『トランジション』の同特集に倣ったものであることは明らかで、短篇その他同誌から採ったものが多いし、鳥巣公（佐藤朔）の「今日のアメリカ文学」という長文の紹介も『トランジション』の動向に数頁を充てている。阿毘留信訳「小説は死んでゐる／小説萬歳」は『トランジション』一八号（一九二九年一一月）の NARRATIVES の部の巻頭にクロスビー、ギルバート、ジョラス、ラトラ、セージのスタッフの連名で掲げられたマニフェストの訳載である。

第九冊（一九三〇年九月）には春山行夫が「『トランシション』の休刊」という記事を書いている。全文を引く。

巴里刊行、アメリカの前衛文学・芸術雑誌〈transition〉は一九三〇年六月、Number 19-20 のダブル・ナムバーを最後に突然休刊した。それについて編輯者ユウジェン・ジョォラスは次の「通知」を発表した。

「この号で私は三年間に亘る〈トランシション〉の管理を中止する。私は雑誌を不定期に休刊する。私には、最早この雑誌を準備するに必要な時間と労力の消費を支持することができないからである。

文学の転換期は終末を描きつつあるやうに見える。しかし、われわれの経験的な（experimental《実験的な》の誤訳か誤植—曾根）行動は、やがて来るべき何日かをその上に建設する基礎と刺戟を組織するであらう。私はそれを確信する」と。

この雑誌を日本の詩壇文壇に紹介したのは僕であつた。僕はこの雑誌から多くのものを知つた。ジョイスとスタインを紹介すべく百パーセントの編輯者であつたジョォラス、若しジョォラスのヂレンマがこの雑誌を休刊のやむなきに至らしめたとしたら、僕は微笑する。即ち彼もまた芸術運動に必然な内部的清算期に到達したらしいからである。〈レヴォリュションㆍシュルレアリスト〉は小児病的マルキストを清算して再起したが、ジョォラスはその何れに向はうとするであらう。〈トランシション〉は再起するであらうか。

ジョォラスよ健在なれ。


『詩と詩論』の超現実主義的方向に対して批判的な北川冬彦らに去られた春山行夫が、その孤独をジョラスの孤独に重ね合わせて自らを励まそうとしているかのようだ。心情の表現を拒絶する春山行夫の心情がこんなところに思いがけなくあらわれている。

『トランジション』の休刊にショックを受けたのは春山行夫だけではなかった。同じ頃、春山は大野俊一とともにタブロイド版の雑誌『世界文学評論』を出し始めたが、その創刊号（一九三〇年九月）に鳥巣公は「transition の廃刊」という五枚ほどのエッセイを書いている。別冊『現代英文学評論』（一九三一年六月）は『トランジション』一九–二〇号の特集の一つ、CAMBRIDGE EXPERIMENT を抜粋、転載し、次のような「ノオト」を付している。

Cambridge Experiment は、「transition」誌の終刊号に、載せられたもので、「トラ

ンシション」の主筆のジョオラスが、筆を走らせて、ブロノウスキイに何か「エキスペリメント」運動の団体的マニフェストを出したらどうかといふ風な勧誘をした結果出来上つたものだといふ。尚、ブロノウスキイは現在「European Caravan」を編輯中で、それは、ヨーロッパに住んでゐるイギリス、アイルランド、並びにアメリカの作家のものをも集めるつもりらしい。尚「Experiment」運動は、イギリスのケムブリッヂ大学を中心とする新しい潮流として知られブロノウスキイとシイクスとが編輯する「Experiment」といふ雑誌を発行してゐる。

『詩と詩論』第一〇冊（一九三一年一月）には、同じく『トランジション』一九―二〇号に掲載された「言語の革命」第二特集のうちからアメリカの雑誌『モダン・クォータリー』掲載のV・F・カルヴァートンらの反論に対するジョラスとギルバートの再反論を「《言語の革命》に就いての論争」として乾直恵、渡邊修三訳で載せている。

この第一〇冊と同じ一九三一年一月に、『詩と詩論』『詩・現実』に続く伊藤整編輯の大判クォータリー、『新文学研究』が金星堂から出はじめた。先の引用にあったように、伊藤整は春山行夫に教えられて以来、春山行夫以上に熱心な『トランジション』の読者になり、『新文学研究』の編輯に大いに役立てた。しかしここではその詳細は省く。[*8]

このほか、第一一冊（一九三一年三月）のC・G・ユング「心理学と文学」（阪本越郎訳）は『トランジション』一九―二〇号の特集「夢と神話」に収められたジョラスの英訳からの重訳、ギルバート・阿比留信訳「ハリイ・クロスビイ」は同号のクロスビイ追悼特集の一篇、第一三冊（一九三二年九月）の前掲伊藤整訳ほか「ワーク・イン・プログレス」関係諸論文、ライディング・木下常太郎訳「スタインのバーバリズム」も同誌から採っているなど、『トランジション』からの転載は相変らず多い。そしてこの第一三冊の「雑6」に『トランジション』再刊の報が載ったのに続いて、改題『文学』第一冊（一九三二年三月）にQ「〈transition〉の再刊」なる記事が掲げられ、『新トランジション』の予告ブラケットの写真とともに、雑誌のモットオが従来の「創造的エクスペリメントの国際的クオタリイ」から「オルフィク（神託的・神秘的）創造の国際的作業場」に変ったことが伝えられている。『トランジション』の再刊号はこの『文学』第一冊と同月に出ている。『文学』終刊号に当る第六冊（一九三三年六月）の「展望」欄には阿比留信「最近の《トランシジヤン》」が載り、同号の阿久見謙「パリに於ける小文学雑誌運動」は大半を『トランジション』の紹介に充てている。

要するに『トランジション』の影響は、『詩と詩論』『文学』全冊を通じて顕著である。もちろん『トランジション』以外のリトル・マガジンその他の海外の雑誌や単行本からも作品や情報をいちはやく取り入れている。しかし一九二八年から三三年までの五年間を通じて、『トランジション』ほど重要な拠りどころとなった雑誌はない。その意味で『詩と詩論』は『トランジション』の日本版だったという伊藤整の言葉は決して誇張ではなかった。そして『詩と詩論』や『新文学研究』がいわゆる日本におけるモダニズム文学の最前衛だという認識が文学青年たちの間に広まると、彼らもまた海の彼方の『トランジション』に熱いまなざしを注ぐようになった。その証拠に、一九三一年（昭和六年）一〇月には、春山行夫や伊藤整らよりさらに新しい世代に属する青山鋭夫らが『トランシジョン』という誌名の同人雑誌を創刊し、春山行夫や伊藤整がそこに寄稿するという現象さえ起こっているのだ。管見の範囲で青山らの『トランシジョン』は少なくとも昭和七年一月まで三号は出ている。

このように『詩と詩論』はまさに一九二〇年代から三〇年代にかけての世界の新文学の雰囲気のなかにあり、その空気を呼吸していた。それは間違いない事実である。しかしだからといって「世界的同時性」だとか「二〇世紀における世界的な文学革新運動の一環」だとかいった言い方は軽々しくなされるべきではなかろう。なぜなら『トランジション』と『詩と詩論』との関係はもっぱら彼から我への一方的影響であり、一方交通であって、相互交流ではなかったからである。我は彼に何の影響も及ぼしていないどころか、おそらく彼にとっては我の存在さえ意識されていなかったにちがいない。それだけではない。ヨーロッパとアメリカという世界の一部ではあれ、彼はその範囲内で国境と言語の壁を越えたコミュニケーションを実現していた。そしてまさにそのことが二〇世紀文学の前衛としての最も重要な特徴をなしていたのである。我が『詩と詩論』にはそのような意識はまったくといってよいほどなかった。

以上、『トランジション』の受容を中心に『詩と詩論』をめぐる歴史的現象の一面を多少明らかにしたにすぎない。残された、より肝心な問題は、いうまでもなく、そのような現象として生み出された『詩と詩論』が、日本においてどのように新しい文学を創り得たか、である。本書に収められた他の諸論はそれを明らかにしているであろう。

＊1　一見、たいへん明快な言葉だが、私はこのくだりをいま写し取りながら、まだお元気だったころの春山行夫氏にお会いしたときの印象を思い浮かべずにはいられない。その一、二は前に書いたことがあるが、もう七〇歳をとうに越えられたころ、たしか伊藤整を偲ぶ会に行く途中だったと思う。駅を出たところでお姿をお見かけして、すぐ近くの会場までご一緒させていただいた。その途中で氏は急に立ち止まり、「ちょっと、ぼく」といって、今でいえば大きなコンビニのような荒物屋の

なかに入って行った。私もあとに従って店のなかに入った。氏はビニールやポリエチレンで出来ている雑多な小物が並んでいる前に立ち、しばらくあれこれ手に取って試すようにしてから、結局、何も買わないで出た。

「何か新しい便利なものが出ていないかと思ってね、よくこうして寄るんですよ。」

なるほど「ポエジイ」は氏の生活態度にもなっているのだな、と私は妙に感心してしまった。多分、氏自身はこういう感心のされ方を好まれなかったろう。良くも悪くも「ポエジイ」を人生や精神と切り離して形式化、方法化しようとしたところに詩人・編輯者として氏の本懐があったからである。しかしとにかく何事においても春山行夫氏は新しい「発明」が好きな人だった。

＊2

大正末年から昭和初年にかけて、日本にもやや遅ればせながら同じような状況が生まれていた。明治以来の投書雑誌に代って同人雑誌の全盛時代が訪れたのはその一つのあらわれだったといえる。その後の出版界は、同人雑誌出身の有力な作家をも商業主義の網のなかに絡め取ろうとする巧みな方法を次々に開発して今日に及んでいる。

＊3

一九六〇年代後半、編集者坂本一亀が戦後文学の最後の花を咲かせようとして雑誌『文藝』を再刊したとき設けられたコラム「雑誌と私」に寄せられた貴重な証言。同欄にはほかに吉田健一が『ロンドン・マーキュリー』を、阿部知二が『エゴイスト』を、富士川英郎が『コローナ』を、矢野峰《ほう》人《じん》が『クライティーリオン』を、白井浩司が『N・R・F』を、福原麟太郎が『TLS』を、といったように、それぞれ若い頃愛読していたリトル・マガジンや同時代の雑誌の思い出を語っている。

＊4　分銅惇作・田所周・三浦仁編『日本現代詩辞典』（一九八六年二月、桜楓社）の「詩と詩論」の項に千葉宣一は「一九二七年四月、E＝ジョラスとE＝ポールがパリで創刊した、創造的実験のための国際的季刊誌、transition がモデル誌」と明記している。

＊5　『TRANSITION　No.1～No.27』合本全一〇冊　付作者別索引・別冊解説（鈴木建三）、一九九五年九月、臨川書店刊。

＊6　エイゼンシュテインのこの大論文は、わずか半年後に出た伊藤整編輯の『新文学研究』第一輯（一九三一年一月）および第二輯（四月）に半谷三郎訳「モンタアジュと画面―映画の原則と日本文化―」として翻訳、掲載されている。

＊7　中山末喜訳『シェイクスピア・アンド・カンパニイ書店』（一九七四年一月、河出書房新社）のなかでシルヴィア・ビーチはこう語っている。

二〇年代、パリでの私たちの文学生活で重要な出来事は、〈トランジッション〉誌の出現でした。私たちの偉大な友人、ユジーヌ・ジョラス、現代の文学運動において盛んに活躍したフランス系のこのアメリカの若い作家は、雑誌を発行するため、パリの〈ヘラルド・トリビューン〉紙の支局員を止めると私に知らせに来ました――勿論英語で、パリで発行するのです。

これはとても良いニュースでした。様々な雑誌が現われては消えていました。そこで、新しい雑誌を始めるのには丁度よい時期でしたし、ジョラスのような有能な編集者を持つ雑誌の場合は特にそう言えました。私は彼に個人的な好感を抱いていたのみならず、彼の考え方そのものにも好感を抱いておりました。

ジョラスは私に、彼の雑誌の原稿として活用できる特別なものを何か知らないだろうか、と尋ねました。私は、ジョイスは『ワーク・イン・プログレス』の小片をあちこちの雑誌に寄稿する代わりに、もし編集者さえ承知すれば、〈トランジッション〉誌に毎月連載する形で発表すべきであることを思いつきました。ジョラスと、彼を助けることになっていたエリオット・ポールは、この私の考えを大変熱心に受け容れてくれました。直ぐさまジョラスは、ジョイスに対しこの作品全部を〈トランジッション〉誌に発表することを提案しました。ジョイスが電話で、この計画を私がどのように考えるかを尋ねた際、私は彼に躊躇することなく受け容れるよう忠告いたしました。私はジョラスが頼みがいのある友人になることを知っていました。そして、ジェイムズ・ジョイスという名前は、新しい雑誌を始めるのに大いに役立つだろうということも分っていました。

確かに、ジョイスの生涯において最良の出来事の一つは、マリア、ユジーヌ・ジョラスの友情と協力でした。彼らが、ジョイスの作品を発行しようと最初に試みた時からジョイスの死に至るまで、ジョラス夫妻はジョイスにあらゆる奉仕を行ない、どのような犠牲も大き過ぎるとは考えませんでした。

英語、フランス語、ドイツ語（彼はローレーヌの出身でした）という、三つの母国語を持つユジーヌ・ジョラスと、無数の言語を話すジェイムズ・ジョイスは英語という言語の改革に乗り出しました。彼らは思いの儘になる多くの言葉を持っており、彼らには、言葉から世のなかのあらゆる楽しみを引き出す妨げとなるものは何も見当りませんでした。ジョラスの応援はジョイスにとり思いがけない神の授かりものでした。〈トランジッション〉誌が出るまでは、ジョイスは彼自身のワンマン的な改革に寧ろ孤独感を抱いておりました。

私は、必ずしもこの考えには賛成でなかったのですが、ジョラスは文学的民主主義という考え方を抱いていました。彼は私に、無名の作家の原稿を決して拒否しないと話していました。これが彼の主義であって、私はこの主義にはそれなりの長所があることを知っておりました。少くとも、新人は冷たく締め出されてはいませんでした。もし、〈トランジッション〉誌のファイルをひとわたり見れば、その範囲が尋常でないことが分るでしょう。当時のアングロ・サクソンならびにヨーロッパの最良の作品すべてがこの雑誌に登場しており、しかも、その多くは最初にこの雑誌に登場しております。私が接触したすべての雑誌のなかで、〈トランジッション〉誌は最も活力に満ち、最も長く続きました。そして、新しい文学的関心に対し、最も知的に貢献した雑誌だったと思います。

＊8　スウェーデンのコックム・ケイコの近著『伊藤整―自己分析と日本近代小説』（Keiko Kochum : *Ito Sei : Self-Analysis and the Modern Japanese Novel*, Institute of Oriental Languages, Stockholm University, 1994）はこの時期の伊藤整への『トランジション』の影響を重視し、同誌からの伊藤整の翻訳五点のうち、ヘミングウェイの短篇「白い象のやうな丘」（『詩と詩論』第八冊、アメリカン・ナンバー）をはじめ三点が『詩と詩論』に発表され、『詩・現実』と『詩と詩論』にそれぞれジョラスの訳詩「急行列車」とエリオット・ポールの評論「ジョイス氏のプロットの扱方」が発表されていることを報告している。

「アパート」の「孤独」——新語から見た近代日本人の生活と観念

カタカナ新語と新漢語

新語や外来語を中心にしたハンディーな近代用語辞典の出版が盛んになるのは明治末年から大正初年以後、戦前では昭和初年に一つのピークに達し、戦後になっても今日にいたるまで衰えたことがない。それほど過去一〇〇年間のわれわれの生活は、絶えずヨーロッパやアメリカから入って来た新しい言葉に追いかけ廻されてきたということになる。

新語が次々に生み出されたのは、われわれの生活と文化がヨーロッパやアメリカからそれだけ多くのものを取り入れてきたからにほかならない。明治初年の文明開化以来、日本人の生活と文化はあらゆる面で急速に変りはじめた。しかしその変化が国民の生活のなかに広く浸透するのは、政治、経済、法律、教育、その他の諸制度の近代化（西洋化、資本主義化）が一段落した日露戦争以後のことだったといってよかろう。明治末年から大正初年にかけて一般向けの新語辞典、外来語辞典が出版されるようになった背景には、そのような社会全体の急テンポの段階的変化があった。

新語のなかでとくに目立つのは膨張する都市の新しい生活や風俗を反映する言葉で、外国語の読みをカタカナで表記するものが多かった。しかし、新しい生活や風俗とは直接関係のないように見える思想、芸術、学問などの分野でも、外来の、より抽象的な概念をあらわす大量の新しい日本語が必要になった。そしてその場合には、原語の読みをカタカナで表記するのではなく、新しい漢語を作り出したり、それまでにあった漢語に新しい意味をあたえて新語にするというケースが多かった。それらの新漢語はカタカナ表記の外来語にくらべて旧来の日本語になじみやすかったので、しばらくすると、もとは外来の新語でありながらいつの間にかその出自が忘れ去られ、あたかもそれがむかしからあった日本語で、その意味内容である思想や観念ももともと日本にあったかのような錯覚が生まれた。いまここで使っている「思想」とか「観念」とかいう言葉をはじめ、「文化」「芸術」「文学」「小説」「自然」「客観」「主観」「社会」「個人」「自我」「愛」等々、今日ではごくふつうに使われている無数の観念語が、明治以後にそのようにして生まれたり転用されたりした翻訳語だったのである。しかもそれぞれが原語とはだいぶ異なった意味内容や受けとめ方で近代日本語のなかに根づいて今日に及んでいる。明治以後の各時代に日本語に取り入れられた新語を、それらの時代に溯って調査、検討してみる興味と必要がここから生じる。

それだけではない。漢語に移し替えられた外来の観念語も、現実の日本の社会や文化や生活と離れて、独立に生まれ、育ってきたわけではない。曲がりなりにもそれらを受けいれる現実的基盤や環境が整えられつつあったからこそ、言い換えれば、現実の日本の社会や文化や生活がそれらの観念語を生んだ欧米のそれに近づきつつあったからこそ、初めて生まれ、育つことができたのである。ということは、カタカナで表記されることの多かった生活・文化・風俗上の新語と、漢語に翻訳されるケースの多かった知的・観念的新語との間には、何らかの対応関係が見出されるはずだということである。

ここでは、「アパート」という生活上の新語と、「孤独」という文学上の新語の成立事情を調べることによって、その関係の一端を探り当ててみたい。「アパート」と「孤独」という言葉の成立については、だいぶ前に調査して、別々の文章に書いたことがある。以下に書くことはそれらをまとめなおしたものであることを、あらかじめお断りしておきたい。

日本の「アパート」第一号

新しい生活用語のほとんどがそうであるように、「アパート」あるいは「アパートメント」という言葉も、それに相当するものが実際に現われてから生まれた。明治末年から大正初年にかけて出た早い時期の新語・外来語辞典には、「デパート（メント）」はあっても、「アパート（メント）」はまだない。もっとも五年間にわたるアメリカ・フランス滞在を終えて帰朝したばかりの永井荷風が明治四一年八月に出版した『あめりか物語』に収められた「旧恨」という作品のなかに「アッパートメント」という言葉が使われていて、これがわが国における最初の用例だということになっている。しかし『あめりか物語』の「アッパートメント」は主人公の日本人青年がニューヨークで知り合った女の住居であり、当時の日本にはそれに相当する集合住宅も、それをあらわす言葉もなかった。住宅史や事物起源の類によると、日本のアパート第一号は明治四三年に上野池の端に出来た「上野倶楽部」だとされている。けれども「上野倶楽部」がどんな住宅だったかは何を見てもはっきり書かれていないので、以前、少し調べてみたことがある。その結果、いくつかの資料が出て来た。まず明治四三年一二月二日付『都新聞』に次のような小さな記事が出ている。（句読点を補い、ルビを省く。）

●上野倶楽部の落成　池の端の同倶楽部は一昨日落成式を挙げた。四層の和洋折衷建四階を大広間の貸席とし、二階、三階は四畳、六畳いろいろに二十余室に区分され、階下は事務所や販売店に充て、総て奇麗事な一小天地を造つて居る。殊に自炊でも賄でも望み次第で、室の入口に小窓があつて、朝寝をしても御飯は丁《ちゃん》と配られる仕掛けや、郵便配達等が土足のまま各室へ配れるなど気が利きて、戸棚に水道も瓦斯もあると来ては、新世帯持ちの若い奥さんが井戸端で愧《はづ》かしがる事もなく、一食七銭で賄へると云ふ。既に申込者が三、四名もあつたとかで、田中筆子などと云ふ名前札が水色塗りのドアーの横に下がつて居た（一記者）。

次に、少し後になるが、大正八年一〇月発行の雑誌『住宅』の「共同住宅号」に掲載されている関口秀行「東京の共同小住宅」というレポートは、東京にはまだ「共同住宅《アパートメントハウス》」はないが「共同小住宅《テレメントハウス》」はあるとして、不忍池畔の「上野倶楽部」、池の端の「三笠ハウス」、牛込の「芸術倶楽部」の三つを紹介している。少し長いが、貴重な資料なので「上野倶楽部」の項の全文を次に掲げる。（やはり句読点その他、適宜補訂して引用する。）

動坂線電車の東照宮下と、停留所の右角に（下谷区上野花園町一番地）五階の大建物が、上野の森を背景として聳《そび》えてゐる。これが市内有数の共同小住宅上野倶楽部である。目下階下修繕中で板囲になつてゐて少しく殺風景な感じがしたが、そんなことはどうでもいい、四周の自然が取り返してくれる。

　これは、高木五郎氏の経営にかかるもので、凡てが保守的な組織になつてゐるのが面白い。落成と同時に開業した年月は明治四十三年十一月三十日である。それからもう十年も経過してゐる。今でこそ六階、七階の高層家屋が建設されるが、この倶楽部が建てられた当時は、其筋では三階より高い家屋は危険であるとの理由のもとに許可しなかつたさうだ。高木氏は種々な方法を講じて到頭許可を得て、現在の建物を建てた。当時の都下各新聞は上野の一大美観とまでに筆を揃へて書いた。だがこれは経営者にとつて大きに誇りとすることであらうと思ふ。総建坪は二百五十坪で、間数は八十間ばかりで、戸数にすると六十戸になつてゐる。部屋の広さは、大は八畳、小は四畳半から三畳位であつて、大部分は六畳と八畳である。中央に一間廊下をとつて、その左右に部屋がある。各階毎に前後二ケ所に梯子があつて、非常用には縄梯子の用意がある。経営者の発明にかかる「高木式非常梯子」なるものは、既に特許権を得てゐるとか。住居者に依て色々であるが、先づ夫婦に子供のある人は二間か三間、夫婦二人ならば二間か一間位、独身者は大抵一間で、たまには二間使用してゐる人もある。これ等は人々の職業や収入の関係もあることであらう。目下の人員は六十戸満員で二百人近い人員だ。そのうちの四分通りは独身者で、六分通りは有配偶。間代は部屋の位置や、住居者の新古なども関係するので一定されないが、平均畳一畳が一円五十銭から二円位になつてゐる。この建物は最初から貸間的に出来てゐるから中々都合がよく出来てゐる。各部屋の入口は三尺の洋式のドアーで内外から鍵をかけておくによく、各部屋には一間の押入れがついてゐる。内部を上下に仕切つてあるのは他と変りはないが、その上部に、衣類寝具を入れ、下部を縦に仕切つて、一方は流し場になつて、水道も瓦斯もあつて炊事が出来るやうになつてゐる。一方には食器道具を容れられるやうに程良く棚が吊られてある。襖をメておけば普通の座敷の押入れである。下から五階までの各室にかうした設備がしてあるのだから一寸驚かされる。共同で使用するものは、玄関（三ヶ所）と便所（各階二ヶ所づつ）洗面所（各階に二ヶ所づつ）浴室（二ヶ所）と電話である。各浴室には大きな浴槽がある。一回に一人について二銭づつの実費を徴収してゐる。で、玄関には男の事務員が三人ばかりゐて、来客や電話の取り次ぎをし、その取り次ぎもベルを使用するので、若し合図のベルを鳴らして応答がない時は不在といふことになつてゐるから時間もかからない。郵便物は各室の函へ入れておく。住居者各自の買物もそれぞれ御用聞が各室に来るので重宝である。特別入用のものがある時には伝票に書いて事務所へ出せば、すべて事務員が取寄せる。月々の支払ひは経営者対商人となつてゐるので、面倒な諸支払ひも一度に出来て仕まふ訳である。嘱託医もあつて、急病の場合には三十分以内に駈けつけてくれる。

居住してゐる人々の職業は千差万別、従つて収入も一定してゐないが、現在は官吏が大部分を占め、次いで専門学校や中等教員、他は銀行会社員、学生も少しばかり居る。各自一ヶ月の収入は八九十円から百七八十円位である。組織は、一言せば、公徳を重んずべし、と云へる。それから他の組織と一寸変つてゐるのは、内規の多いことである。共同物は長時間の使用を禁ずとか、廊下を挟んでの立話に注意せよとか、実に細かなことまでも箇條書きにされてゐる。門限さへも午后正十二時限りとされてある。最初借り受くる時に合意上の承諾であるさうだけれど、或る意味に於て生活上の苦痛を感ぜずにゐられまいと思はれる点もある。一体から云つて内部の秩序を保つ上からは如何んとも致し方も無いことであらう。兎に角、この上野倶楽部に居住してゐる人々は設備の安全といふことと経営者に自己の生命財産を委ねて生活し得ることと思ふ。

この倶楽部へ来て、一寸不快に感ずるのは各室への入口まで土足で上り込むことである。靴ならばまだしも、足駄、下駄等に至つては若干非衛生的だ。階段でも廊下でも泥でかたまつてゐるのは、現今の代表的アパートメントとしての体面を保つ上に一寸困りはしまいか。

たいへん長い引用になったが、これがわが国における最初のアパートの造りと仕組みだということになれば、なかなか興味深い記録ではなかろうか。これを読んでわかることは、いかにアパートが便利だといっても、やはり周囲の環境設備、居住者の生活スタイルや生活意識の変化がそれに伴わなければ、それだけですぐに流行するものではないということである。五階建（新築時は四階とあるから、その後、上に一階建て増したのであろう）といっても、もちろん木造である。建物は和洋折衷というが、当時、一般の人々はみな和風の住宅に住み、和服を着、和風の暮らしをしていた。上野倶楽部には新築当初から電気も瓦斯も入っていたが、個人の住宅ではようやくランプが電燈に変ろうとしていた頃である。上野倶楽部の前には市電が走っていたが、道路は広小路などの大通りでももちろんまだ舗装されていなかった。雨の日のことを考えれば、レポーターの関口秀行が建物のなかに土足で入ることが不快だと嘆いているのも当然なのである。電気、水道、瓦斯は各室に引かれていても、便所や風呂が共用なのは、下水設備が整っていなかった証拠である。

関口秀行自身、最後には上野倶楽部を代表的アパート扱いしているが、冒頭では東京にはまだアパートメントはないといっていた。そのことからもわかるように、新しい外国式の集合住宅の実態がこれでは、「アパート（メント）」という言葉がなかなか根づかなかったのも無理はない。上野倶楽部が出来た翌年の明治四四年に麹町三年町に日比谷ホテルの主人が建てた和洋折衷の二階建アパートは「蜂窩《はちのす》」と呼ばれたという。その後、似たようなものがぽつぽつ建てられるにつれて、「アパート」という言葉もモダンなイメージを伴って広まっていったようだ。

「アパート」の流行と実態

アパートが都市計画の一環として注目を浴びるのは、大正一二年の関東大震災以後、森本厚吉の文化普及会や、戦後の日本住宅公団の前身である同潤会によって、鉄筋コンクリート造りの、名実ともに本格的なアパートが建設されるようになってからである。有名な「江戸川アパート」をはじめ、同潤会系のアパートは、エレベーターはもちろん、セントラル・ヒーティングやダスト・シュートまで備えた本格的、近代的なアパートだった。しかし「江戸川アパート」が「百万円アパート」ともいわれたように、家賃が高く、一般庶民にはとても手の届かない高嶺の花だった。ところがそのおかげで「アパート」という言葉だけが、実態と離れてモダンな都会生活を象徴する流行語になり、いつの間にかごく普通の下宿や貸間まで「アパート」と呼ばれるようになった。われわれの暮らしや風俗に関する新語の成立と流行のモデル・ケースの一例がここにある。

戦後の高度成長期以後、「アパート」という言葉のイメージが古びて下落すると、今度は「ハイツ」「マンション」「レジデンス」「アビタシオン」等々の新語が次々に生まれ、それが「モダン」な、いや「ナウい」、いや「トレンディー」なイメージだということになった。現在のわれわれの生活もそういう流行語にまったく無関心ではいられないところで営まれているとするならば、少なくともわれわれの意識は過去一〇〇年の新語の歴史に無関心ではいられないはずなのである。

閑話休題、昭和初年の「アパート」の流行に話を戻せば、昭和三年に北海道から上京して都会のモダニズムの嵐のなかに巻き込まれた伊藤整は、麻布飯倉片町の素人下宿にしばらくいてから、和田堀町松ノ木（現・杉並区松ノ木）の、富士のよく見える田圃のなかに建った木造二階建の大きな下宿屋に移った。貧乏な文学青年だったから、家賃の安さに引かれて郊外の下宿に移ったのだろうと考えたいところだが、それだけではなかった。なにしろこれからは文学もモダニズムで行かなければならないと考えて、背水の陣を敷いていた伊藤整のことである。おそらくそこに移ろうとしたのは、田圃のなかの下宿屋であるにもかかわらず、「田園アパートメント」というモダンな名がついていたからであろう。おかげで伊藤整は間もなく友人たちと出しはじめた『文芸レビユー』という、これまたモダンな誌名の同人雑誌の奥付に「東京市外和田堀松ノ木 田園アパートメント」と堂々と記載することができたのである。

その少し前からモダニズムの新人として話題になっていた龍胆寺雄のアパート小説に出て来るアパートも、アパートとは名ばかりの住居だった。たとえば都会のモダンな生活が描かれていることで評判になった「アパアトの女たちと僕と」（昭和三年）は、女たちに囲まれて育った、子供っぽさの残る医学生の「僕（UR）」（URは龍胆寺雄《りゅうたんじゆう》の頭文字）が、アパートに住む女たちに可愛がられるという話で、彼らはアパートでタバコのエアシップを吸い、パンを食べ、ココアを飲むというモダンな生活をしているが、台所や便所は他の貧しい住人と共同なのだ。

　八畳と二畳と続きの古びた日本間で、その八畳の半分へ彼女たちは床敷《ゆかじき》を拡げて、——籐の低い卓子《テエブル》だの腕椅子などを据ゑて、部屋を二色に使ひ分けて居た。残らずで十ぐらゐしか部屋のない小さなこのアパアトメントは、つい露地のとツつきのF・と云ふ雑貨商が経営して居るので、Ｆ・荘と呼ばれて居たが、淀橋のアパアトで一般には通つて居た。……

各部屋々々は完全に厚い壁で仕切られて居て、窓の向きも大体考慮されて居た。たゞ、天井の高い狭い廊が建物の北側を貫いて、どの部屋もそこへ戸口を持つて居たので、そこを開け払つて置くと、建物全体に包蔵された共通な雰囲気、――もの音や、匂や、何かしら人の多く住むところにつきまとふ落ちつかないものの気配などが、侵入して来た。

ガスや水道の配置された共同の台所と――風呂と便所とが、その廊の中ほどからＴ字形に北へのびた別の廊に接してあるので、そこでだけはこの建物に住む全家族たちが、朝夕顔を合はせた。

ついでにいえば、「屋根裏の散歩者」（大正一四年）をはじめとする江戸川乱歩初期の探偵小説は大規模アパートという都会的な新しい生活空間のなかで初めて生まれ得たモダニズム文学だという、もっともらしい解説をよく見かけるが、住人の一人である主人公が天井裏に上がってさまざまな部屋を覗き見してまわるという「屋根裏の散歩者」の舞台は、明治一〇年代の『当世書生気質』の昔からあったような新築二階建の下宿屋である。鉄筋コンクリート造りのアパートだったら天井裏に上がるなどということは不可能だったろうし、木造でも古かったら天井裏は蜘蛛の巣や埃だらけで、とても「散歩」などを愉しむわけにはいかなかったろう。

当時、鉄筋コンクリートの、近代的な、文字通りのアパートメントに住んでいたのは、文学者のなかでは、徳田秋声から愛人を奪ったというので評判になった慶応出の美男マルクス・ボーイ、勝本清一郎くらいのものだったろう。勝本は昭和三年に住んだ深川大工町の鉄筋コンクリート四階建の同潤会アパートの印象を、「建物が一箇だけでなく、十六箇も函と函のやうに押し並んで」、「部屋の周囲は、東を見ても西を見ても鉄筋コンクリートづくめのアパート街」であり、「殊に東北に見える第七号館の背面などは、四角い立体が高く低く聚積《しゅうせき》して、恰度映画の『メトロポリス』に出てくる未来のビルディング街をやゝ小規模にしたぐらゐの趣きも示して」いたと書いている（「アパート雑記」、『近代生活』昭和四年七月号）。

このように「アパート」という言葉が流行語になった大正末年から昭和初年の時代でも、言葉の持つモダンなイメージと実際の対応物との間にはかなり大きなギャップがあった。最近の学問上の新語でいえば、そこには「記号表現」（シニフィアン）が「記号内容」（シニフィエ）から遊離して独り歩きするという「記号性」が顕著である。

「アパート」に限らず、それが新語の一つの大きな特徴といえるかもしれない。そうだとすれば、新語は、現実の急激な変化のなかで、新しく生まれた現実の一部を的確に表現するための言葉というだけではなくて、むしろそれ以上に、現実の変化のなかで消えて行くものより新しく生まれるものに価値を見出そうとするわれわれの志向と意識によって作り出される言葉、記号だということになる。「アパート」という生活上の新語から「孤独」という観念上の新語に目を移せば、その性格はいっそう明らかになるはずである。なぜなら、それは、記号内容が現実に存在することを要求されるような新語から、最初から記号内容が現実の客観的対応物を持たず、逆に記号表現が観念上の現実性を生み出して行くような、それ自体きわめて文学的な新語について考えてみることになるだろうからである。

「孤独」の意味

「孤独」が新語だといえば、首を傾げる人が多いだろう。しかし、今日、われわれがふつうに使っている意味での「孤独」は、明治二〇年代から三〇年代にかけて成立し、明治四〇年代から大正初年代に普及した紛れもない新語である。それ以前にもたしかに「孤独」という日本語はあった。しかしそれは現在の「孤独」とはまったく違った意味で使われていたのである。論より証拠、手もとの『広辞苑』にはこうある。

こーどく【孤独】①みなし子と老いて子なき者。太平記三三「窮民・――の飢ゑをたすくるにもあらず」
②仲間のないこと。ひとりぼっち。

現在出ている他の辞書にもほぼ同じようなことが書いてある。「孤独」という言葉の原義は「みなしご」(孤)とか「ひとりもの」(独)で、明治初期まではもっぱらその意味で使われていた。それが転じて、仲間や頼りになるものがなくてひとりぼっちである状態を意味する言葉になった。その転化がいつごろ、どうして起こったかが以下の問題ということになるが、その前に注意しておきたいのは、『広辞苑』の①の意味での「孤独」はすでに完全な廃語になっていること、さらに今日われわれが実際に使っている「孤独」は②の「ひとりぼっち」以上の含意を持っているということである。現代語の「孤独」は、「ひとりぼっち」の状態を指す言葉から、「ひとりぼっち」であることの意識や、その意識にともなうさびしさや不安や怖れなどの感情や心理まで含む言葉になっている。この語義を欠いている点で、現在流布しているほとんどの国語辞典はだいぶ時代に遅れているといわざるを得ない。

「みなしご」や「ひとりもの」から「ひとりぼっち」を経て「ひとりぼっち」の意識・感

情・心理へという意味の転化は、正確に、「孤独」の内面化、主観化の方向をたどっているといってよいだろう。「孤独」という言葉の持つこの内面性、主観性を抜きにして現代の「孤独」を語ることはできない。「孤独」が客観的にはわれわれにとって好ましくない状態や意識を指す言葉であるにもかかわらず、「愛と孤独のロマン」といったキャッチフレーズなどを見てもわかるように、一方でわれわれの心を甘くくすぐる言葉としても愛用され、俗化しつつある理由も、まさにここにある。もちろん社会心理学者や精神医学者は「孤独」が現代の人間の陥っている憂慮すべき客観的状態であることを指摘するだろう。しかしその事実に意味を見出し、その様態を客観的に認識しようという発想自体が、そもそも「孤独」の内面化、主観化の過程の内部ではじめて生まれたものであることを忘れてはならない。「孤独」はわれわれが考えているほど客観的な存在でも、自明の観念でもない。現代の「孤独」は「孤独」という新語が生み出した観念であり、言葉以前には存在しなかったのである。このことは西欧の場合を考えてみれば、なおいっそうはっきりするだろう。

日本語の「孤独」に相当するLoneliness, Solitude, Einsamkeitなどの西欧語は、「孤独」と同じように、いずれも「ひとつ」あるいは「ひとり」を意味する語から発生している。「孤独」と異なるのは、人間や人間の状態を指す場合もはじめから親や子の有無は問題にならず、配偶者を含めた仲間あるいは社会との関係だけが問題になっていることである。いま『O・E・D』（オックスフォード英語辞典）によって英語の Loneliness のもとになった形容詞 Lonely の場合を調べてみると、その語源は「ひとつ」あるいは「ひとり」を意味する Lone であり、主な語義として次の四つがあげられている。

1　Of persons, etc., their actions, condition, etc. : Having no companionship or society; unaccompanied, solitary, lone.
（人などの行動、状態などについて）交際や仲間がない。連れのない。ひとりの。

2　poet. Of things : Isolated, standing apart.
（詩語。物について）孤立した。他と離れている。

3　Of Localities : Unfrequented by men ; desolate.
（場所について）人跡まれな。荒涼とした。

4　Dejected because of want of company or society ; sad at the thought that one is alone ; having a feeling of solitariness.
仲間がいなくて心が沈んだ。ひとりであると思って哀しい。さびしいと感じる。

右のうち、1から3までは一七世紀前半に最初の用例がある。1は一六〇七年にシェイクスピア、2と3はそれぞれ一六三二年と一六二九年にミルトンによってはじめて使われている。ところが4の最初の用例は、それに遅れること約二〇〇年、一八一一年のバイロンまで待たなければならない。ちなみに名詞形の Loneliness の用例を見ると、右の4に対応する意味があらわれるのは、バイロンとほぼ同じ、一八一四年のワーズワースにおいてである。

以上の事実は、英語の場合にも、日本語と同じく「孤独」の語義の内面化の過程がはっきりうかがえること、しかもその内面化は近代文学の地平を切り拓いたいわゆるロマン派の詩人たちによって行われていることを示している。わかってしまえば、いかにもありそうなことで、ドイツやフランスにおいてもこれに近い事実が発見できるにちがいない。では日本の場合はどうだったのか。

『O・E・D』のようなすぐれた日本語辞典がわが国にないことは、このような場合、まことに不便である。ただ小学館版の『日本国語大辞典』は、豊富な用例や語源説を載せることによって、この欠をある程度補ってくれる。そこで、同辞典の「孤独」の項を左に写してみる。

こ-どく**【孤独】**［名］①みなしごと、年とって子どものないひとりもの。また、身寄りのない者。ひとりぼっち。（用例略）

②〔形動〕精神的なよりどころとなる人、心の通じあう人などがなく、さびしいこと。また、そのようなさま。＊三四郎〈夏目漱石〉二「けれども此孤独（コドク）の感じは今始めて起つた」＊或る女〈有島武郎〉前・一六「母が死んでからは、葉子は全く孤独である事を深く感じた」＊帰郷〈大佛次郎〉無名氏「『貴様、か？』と、妙に孤独な感じで、その人は呟いた」〔発音ほか略〕

ここでは『広辞苑』で二分されていた名詞としての語義を①に一括した上で、それとは別に②の項を立て、形容動詞としても用いられる現代語の語義を実情に則して記載している。「精神的なよりどころとなる人、心の通じあう人などがなく、さびしいこと」という説明は、現代の内面化された「孤独」の意味をほぼ正確に伝えているといってよかろう。それだけではない。このような意味での「孤独」の用例として、夏目漱石の『三四郎』以下三例があげられていることは、わが国において「孤独」という近代的観念が、いつ、どのようにして成立したかを考える上でたいへん参考になる。

『三四郎』は明治四一年（一九〇八年）九月から一二月にかけて『朝日新聞』に連載され、翌四二年五月に本になっている。右の用例は、開巻後間もなく、三四郎が後に三四郎池と呼ばれた大学構内の池の面をみつめてさびしさを感じるくだりに出てくる。そのすぐ前に「野々宮君の穴倉に這入つて、たつた一人で坐つて居るかと思はれる程な寂寞を覚えた」とあるのを言い換えて「此孤独の感じ」といっているのである。漱石の「孤独」の用例はたしかに『三四郎』のこの一例が最も早いようで、次に『それから』(明治四二年)、『門』(四三年)にそれぞれ一例を見た後、『行人』(大正元年〜二年)や『こゝろ』(三年)には頻出するようになる。とりわけ『行人』には、Keine Brücke führt von Mensche zu Mensche.(人から人へ掛け渡す橋はない)とか、Einsamkeit, du meine Heimat Einsamkeit!(孤独よ、わが故郷なる汝孤独よ!)とかいった、深い孤独感の表現が見られることは、よく知られている通りである。

古い「孤独」から新しい「孤独」へ

近代語としての「孤独」の最初の使用者が漱石だということになれば、いかにもありそうなことで、たいへんわかりやすいが、実はそうでない。『日本国語大辞典』が用例をあげているのは便利だが、その便利がかえって誤解を招きやすいこともあらためて指摘しておきたい。漱石でなければ、一体誰か。早速これから検討に入りたいところだが、その前に明治以後の代表的な辞書の記載を見ておきたい。まずJ・C・ヘボンの『和英語林集成』初版(慶

応三年、一八六七年）には、

† KODOKU, コドク, 孤独, n. An orphan.

Syn. MINASHIGO

とあるのみ。語義として「孤児」、同義語として「みなしご」をあげているだけなのである。しかも「†」のマークは、その言葉が書物中にのみ使われる語ないし廃語であることを示している。つまり明治以前に「孤独」は前記『広辞苑』の①の「みなしご」の意味でしか使われておらず、しかもその意味での「孤独」は慶応三年にはすでに廃語になりかけていたということである。もちろん例外はある。たとえば『西郷南洲遺訓』には「聖人の刑を設けられしも、忠孝仁愛の心より鰥寡《くわんか》孤独を愍《あはれ》み」云々とあるし、ずっと下って内田魯庵『社会百面相』（明治三五年）にも「お羽振《はぶり》の好《い》いハイカラ先生方の眼から見たら鰥寡《くわんか》孤独同様恤《あはれ》むべき者であらう」とある。「鰥寡孤独」とは「男やもめと、後家と、みなしごと、ひとり者」（大修館版『新漢和辞典』）の意である。この意味での「孤独」は今日でも「天涯孤独」等の熟語としてわずかに生き残っているが、例外であることは間違いない。

『和英語林集成』初版の記述は、明治一九年に出た第三版においてもまったく変っていない。ついでに第三版の英和の部でLONELYを引いてみると「さむしい、しんしんとした、ものさびしい、わびしい」とあり、SOLITARYは「さむしい、はなれる、ただ一つの、わびしい」、SOLITUDEは「さむしいところ、ひとりみでおること」となっている。また和英の部に「寂莫」の語があって、Lonely, solitary, retired, /Syn. SAMISHIKIとあり、「寂寥」もまったく同義の語として立項されているが、現代の意味における「孤独」はどこを探しても見つからない。

　このような経緯を考えれば、明治二〇年代前半に出た『言海』が「孤独」を見出語に収めなかった理由も納得できるのである。

　私の限られた調査によれば、現代語に近い「孤独」の用例は、『三四郎』よりも二〇年前、明治一一年にまで遡ることができる。ロード・リットン作、丹羽（織田）純一郎訳『花柳春話』第五章に「マルツラバース朝餐《あさめし》ヲ忘《ワス》レテ習字師ノ言ヲ聞キ以為《オモヘ》ラク吾レ今アリスノ孤独ヲ愍《アハレ》ミ家ニ留メテ」云々とあるのがそれである。しかしこれが現代とまったく同じ意味の「孤独」かどうかには多少疑問が残る。

　明治二〇年代に入っても、文学作品に「孤独」の用例を見出すのは予想以上に困難である。二葉亭四迷や北村透谷にも、古い意味での使用例は二、三あるが、近代的「孤独」の用例はない。島崎藤村にも明治二五年の紹介「詩人ミルトンの妻」に「寂寥孤独」の用例があるが、これも必ずしも新しい意味だとはいえないだろう。藤村が「孤独」という言葉を近代的な意味を持たせて自覚的に使うようになるのは、『若菜集』（明治三〇年）に収めた詩「草枕」で「ああ孤独《ひとりみ》の悲痛《かなしさ》を」とうたう過程を経て、最初の長篇『破戒』（明治三九年）や短篇「孤独」（四四年）あたりになってからである。しかし明治四〇年代になれば、近代的な「孤独」は、漱石、藤村のみならず、文学者一般の間ですでに流行語になっていたのである。

近代的「孤独」の成立

近代的な「孤独」の観念は、明治二〇年代から三〇年代にかけて、近代的な個の意識に目覚めた少数の文学者たちの間で成立したと考えられる。そしてその際に最も重要な役割を果たしたのは、二葉亭でも透谷でも藤村でも漱石でもなく、独歩国木田哲夫であった。独歩は、没後に刊行された日記『欺かざるの記』の明治二六年二月二三日の項で、勤務先の新聞社での自己の心境を語るために、はじめて「孤独」という言葉を使って次のように記している。

> 決して悲哀寂寞の思ひ有る可からず。吾卒然、寂寞の感に堪へぬ事あり、天地殆ど吾に取りて氷洲の如き感あり。

今日も亦た、独り自由社の一室に沈思に陥りて、屋外は所謂、銀座街頭、吾が居る処は新聞社なりしにもかかはらず、実に天地の寂寞、吾の孤独なる感に打たれたり。

これは「孤独」が内面化する過程を手に取るように写し出した画期的な表現だといわなければならない。

近代的な「孤独」が成立する以前に、それに近い観念として「寂寞」とか「寂寥」とかがあったことは、これまでに引いたいくつかの例が示す通りである。「孤独」がまだ言葉としての市民権を獲得していなかった時点では、「孤独」の語を単独に使うことにはためらいがあったのか、ほとんどの場合、「寂寞」や「寂寥」やそれに近い語と組み合わせて使われていた。透谷は「孤独幽棲」と連ね、魯庵は「孤独」の前に「寂寞」を置くことを忘れず、藤村は「寂寥孤独」と重ね、明治四〇年代の漱石でさえ「寂寞」と言ってから「孤独」と言い換えている。ここでの独歩もまったく同じように「寂寞」と「孤独」を並べて使っている。

しかし近代的な「孤独」は旧来の「寂寞」や「寂寥」の観念とは似て非なるものである。「孤独」が「寂寞」や「寂寥」を払い落とし、「孤独」として独り立ちするところに、はじめて近代的な「孤独」は成立する。右の独歩の一文が貴重であるのは、「孤独」が「孤独」として自立しようとするまさにそのプロセスをまざまざと描き出しているからにほかならない。

『日本国語大辞典』によれば、「寂寞」も「寂寥」も「ひっそりしてものさびしいさま」をあらわす漢語である。注意すべきは、それらが元来その言葉を発する個人の内面を表現する言葉ではなかったということである。「寂寞」であり「寂寥」であるのは、その人の心の状態である前に、周囲の有様である。「ものさびしい」のはまず外の様子であり、それを「ものさびしい」と感じる人は、自分を外に同一化させて、内も同じように「ものさびしい」ことを意識する。というのも、しかしおそらく正確な言い方ではないのであって、この場合、そもそも内と外との間にはっきりした一線は引かれていないというべきなのであろう。ところで「さびし」「さびしい」という日本古来の言葉は、何かの欠如をあらわす語であるという。「寂寞」「寂寥」の場合に欠如しているのは、いうまでもなく人あるいは人気であろう。自分以外に人の気配が感じられない荒涼たる自然のなかで、人はしばしば「寂寥」の感におそわれるのである。

前置きが長くなったが、以上の考察を踏まえた上で、『欺かざるの記』の一節をもう一度読み返してみよう。独歩はまず「悲哀寂寞の思ひ」を自らに禁じようとするが、自分にとって「氷洲」のごとく感じられる「天地」の間にあって、どうしても「寂寞」感から逃れることができない。ここまでは取り立てて問題にするほどのことはない。注目しなければならないのは、それに続く後半である。独歩は人気のない自然のなかでなく、反対に人でごったがえしている「銀座街頭」の、それも「新聞社」の一室にいて、「天地の寂寞、吾の孤独なる感」に打たれているのである。現代風に「群衆の中の孤独」といっていいかもしれないが、注意したいのは、「天地の寂寞」と書いてすぐ「吾の孤独」と続けていることである。これまでもっぱら「寂寞」という言葉で自己の心情を表現してきた独歩は、ここに来て、それだけではどうにも表現し切れないものを感じた。そこで「寂寞」という主客未分の感情状態から自己の内面をいわば引き剝し、それを「吾の孤独」として立てたのである。それによって自己は「天地」のなかにありながら「天地」から切り離された「孤独なる吾」として独立する。この際、「天地」とは、人気ない自然だけでなく、自分以外のすべての人間を含んだ外界全体を指していることはいうまでもない。

明治二〇年代半ばという早い時期に、まだ二二歳の無名の青年であった国木田独歩が、このように「孤独」という否定的な観念を通じて近代人としての内面を自立させようとしている事実を目のあたりにして、われわれは一種の感慨を禁じ得ない。なぜそれが独歩という一個人によって可能になったのか、その理由はよくわからない。ワーズワースやエマソンの影響もあっただろうし、キリスト教の感化も無視できないかもしれない。さらに日記という一人称形式がこのような表現を生み出す都合のよいフレームになったこともたしかだろう。

いずれにせよ、こうして「孤独」が自己の内に抱え込まれ、自己のよりどころとされることによって、自然は独歩の前に新しい姿を見せはじめる。「武蔵野」（明治三一年）はその輝かしい成果にほかならない。明治三〇年から発表されはじめる独歩の短篇の多くに「孤独」がしばしば顔を出すようになるのも当然なのである。その過程で「孤独」の観念はさらに深化され、明確化された。

そして、明治三五年一一月、「空知川の岸辺」において、近代の「孤独」の原型ともいうべき見事な表現が生み出されるのである。「空知川の岸辺」は、明治二八年、佐々城信子と恋愛中に信子とともに住むべき新天地を求めて北海道に渡ったときの体験をもとにして書かれた短篇である。信子との激しい恋愛と短い結婚生活の模様は『欺かざるの記』の後半につぶさに記録されていて、われわれを不思議な感動に誘うが、「空知川の岸辺」には信子との恋愛はいっさい省かれており、主人公の青年は北海道の原野とそこに住む人々のなかに置かれている。「孤独」は、荒涼とした石狩平野を突進する列車の車内を描いた次の一節にあらわれる。

蒼白なる顔を外套の襟に埋めて車窓の一隅に黙然と坐して居る一青年を同室の人々は

何と見たらう。人々の話柄《はなしがら》は作物である、山林である、土地である、此無限の富源より如何にして黄金を握《つか》み出すべきかである、彼等の或者は罎詰《びんづめ》の酒を傾けて高論し或者は煙草をくゆらして談笑して居る。そして彼等多くは車中で初めて遇つたのである。そして一青年は彼等の仲間に加はらずたゞ一人其孤独を守つて、独り其空想に沈んで居るのである。彼は如何にして社会に住むべきかといふことは全然其思考の問題としたことがない、彼はたゞ何時も何時も如何にして此天地間に此生を托すべきかといふことをのみ思ひ悩んで居た。であるから彼には同車の人々を見ること殆ど他界の者を見るが如く、彼と人々との間には越ゆ可からざる深谷の横はることを感ぜざるを得なかつたので、今しも汽車が同じ列車に人々及び彼を乗せて石狩の野を突過してゆくことは、恰度彼の一生のそれと同じやうに思はれたのである。あゝ孤独よ！　彼は自ら求めて社会の外を歩みながらも、中心《ちうしん》実に孤独の感に堪へなかつた。

この一節は「孤独」の近代的な性格を表現して余すところがない。「空知川の岸辺」は漱石の『三四郎』に先立つこと六年、前にあげた『欺かざるの記』の一節は『三四郎』より一五年も前に書かれている。

すでに述べたように、明治も四〇年代になると、「孤独」の観念は文学者や知識人の間に急速に広まり、漱石に限らず誰も彼もが「孤独」という言葉を好んで使うようになる。藤村に「孤独」という題名の小品があることは前に述べたが、明治三九年から四五年までの六年間に雑誌に発表された翻訳小説のうち、「孤独」という題名のものが四篇もあるという事実にも、「孤独」流行の一端はうかがえよう。このような「孤独」の一般化にいっそう拍車をかけたのは、三木露風の詩集『廃園』（明治四二年）だったと思われる。

接吻と涙との腕《かひな》のうち
我が知るぞ
堪へ難き、
孤独の寂寥《さびしみ》なる。

たとえばこのような四行から成る詩の題名は「『愛』と『孤独』と」である。この詩にもうかがえるように、三木露風において「孤独」はさらに一段と内面化されて自意識に近いものになると同時に、日本的な「寂寥」感や無常感と結びついて一種象徴詩風の雰囲気を生み出した。「孤独」はもともと「寂寞」や「寂寥」から自立することによって生まれた観念であるにもかかわらず、自立するが早いか、ふたたび日本の伝統的な「さびしさ」と結びつき、結びつくことによってかえってその普及を速めたかの感がある。小説の分野で『廃園』と同じ役割を果たしたのは、「蒲団」（明治四〇年）以下の田山花袋の作品であろう。

「アパート」の「孤独」

一方、独歩によって発見された「孤独」の観念は、その後、都会の群衆と雑踏のなかに身を投じたロマンティックな青年たちによって、単身者の夢想というかたちで受けつがれた。たとえば独歩よりちょうど二〇歳年下の宇野浩二は、独歩がそこから逃れようとした都会の真只中に、一人だけの「孤独」の空間を見つけ、そこを「夢見る部屋」にしようとした。

宇野浩二の小説の主人公たちの多くは東京に住みながら人に見られることをおそれ、密室に一人で住みたいと思っている。その夢を手軽に実現させてくれるのはさしあたり下宿屋である。下宿屋を転々としているうちに下宿人根性が骨がらみになり、結婚して世帯を持っても、かつて下宿屋で味わった自由と孤独が懐かしくなってくる。大正一一年に発表された「夢見る部屋」という中篇は、世帯持ちの小説家が、妻には内緒で近くのアパートに自分だけの密室を持つという話である。

三〇過ぎの小説家は、三年前に結婚した妻や自分の母親といっしょに上野公園の近くの借家に暮らし、自分の部屋も持っているのだが、どうにも落ち着かない。誰にも邪魔されない下宿屋のような部屋で寝ころんだり、空想にふけったりして、気ままに好きなことをしたいのだ。そんな「私」が、上野公園の周辺を散歩中、公園の反対側の不忍池の畔《ほと》りに「東台館」というセメント塗りの木造四階建のアパートを見つけ、いちばん上の四階の四畳半を借りる。二、三階は二間、四階はすべて四畳半一間で、子供のない夫婦とか独身の勤人や学生が入っていた。前から申し込んでおいた部屋が空いたという知らせを受けた「私」は、事務所の老人に案内されて、四階の部屋の入口まで土足で上がる。それぞれの部屋には、ドアーの脇に小窓がついていて、郵便受けにもなるし、御用聞きや弁当の配達の際にも利用できる。押入れを開けると水道とガスがあり、天井の真中には四角な天窓がついている。「私」は何もかもすっかり気に入ってしまい、自宅の自分の部屋にあった大事なものを家族に見つからないように少しずつ運んでくる。趣味の写真の現像装置や引伸機械まで運び込み、暗い部屋に暗幕を張って真暗にし、好きな山や女の写真を幻燈のように壁に拡大して映し出す。そんなふうに「真の闇の中の部屋で、固《もと》より私自身のほかに誰も見てゐるものはなく、また誰がそんな事をしてゐるかも知つてゐる者さへなく、誰も突然はひつてくる恐れもない部屋の中で、完全に私の所有になつてゐる楽しみを楽しむ」のである。

「夢見る部屋」の主人公にとって「部屋」は、彼の空想のなかで肥大化した彼自身の分身のような空間になっている。下宿屋での自由と孤独は、宇野浩二において、「部屋」全体が「孤独」な「私」のメタファーになるまでに内面化されているといってもよいだろう。「夢見る部屋」という、夢を見ているのが「私」なのか「部屋」なのかよくわからないような作品の題名は、はからずも「私」と「部屋」の癒着した関係の見事な表現になっている。

けれどもこれは決して宇野浩二の空想だけから生まれた作品ではない。すでにお気づきだろうが、ここに出て来る不忍池湖畔の「東台館」は、この文章の最初にくわしく紹介したあの「上野倶楽部」と瓜二つなのだ。四階建か五階建かの違いを除けば（別の作品では五階建と書いている）、場所、構造、その他、ほとんどすべての点で両者は一致する。宇野浩二が実際にそこに住んだという確実な証拠は現在のところ見つかっていないが、自分が住まないにしても友人が借りているかして、中をよく見て知っていたことだけは間違いない。つまり都会の下宿屋生活で育まれた宇野浩二のロマンティックな「孤独」への夢は、下宿屋に代って都会に生まれようとしていたアパートという新しい居住空間をいちはやく発見し、それに触発されてさらに膨らんだのだ。近代的な「孤独」の観念が「アパート」を欲し、「アパート」が「孤独」を培養したのである。

たしかに「上野倶楽部」は、少し早く出来過ぎたせいで、今日から見れば滑稽なほど不便な集合住宅だった。実質上のアパート第一号ではあったけれども、アパートとは呼べないほど珍奇な建物でもあった。「夢見る部屋」でも「東台館」をアパートだとは書いていない。しかしそれにもかかわらず、建築後一〇年経った大正八年の報告でも、大正一一年発表の「夢見る部屋」でも満室の盛況ぶりだったということは、当時の東京にはすでに、そういう新しい空間に住むことが便利であり、快適だと考える人々が、夢見がちな小説家のほかにも存在したということである。彼らは、「夢見る部屋」の主人公とともに、時代に先がけて「アパート」における「孤独」を求め、それを体験した近代人として、現代に続くわれわれの時代を確実に先取りしていたのである。

一二月八日——真珠湾——知識人と戦争

0

一二月八日とは、いうまでもなく昭和一六年（一九四一）一二月八日であり、帝国海軍のハワイ真珠湾ほかへの未明の奇襲攻撃が奇蹟的な大成果を収めた直後、日本が米英に宣戦を布告した日のことである。四日後の一二日の閣議で「支那事変」をも含めて今次の対米英戦を「大東亜戦争」と呼ぶことが決まり、「大東亜戦争」と称するのは大東亜新秩序建設を目的とする戦争という意味であって、戦争地域を大東亜のみに限定するという意味ではないとの発表が行われた。以後、戦争は三年九か月の長きにわたって続き、昭和二〇年八月一五日に大日本帝国の敗北というかたちで終結する。

一二月八日（月）当日のラジオ放送と同日午後になって発売された九日付夕刊各紙によって開戦の報に接した国民の反応は、活字に残された当時の記録によるかぎり、敗戦の日の「八月一五日」にくらべると、驚くほど一様で、変化に乏しい。それは宣戦布告と同時に言論・表現の自由が情報局の厳しい統制下に置かれたことと無関係ではないであろうが、それだけでもないようだ。開戦の翌日である九日に情報局は早くも雑誌社の代表を召集し、「一般輿論の指導方針」として「まことにやむを得ず起ち上つた戦争であることを強調すること」など、その具体的な指示を出した。さらに二四日には翼賛会会議室において「文学者愛国大会」が開かれ、三五〇名の文学者が集まった。朝日新聞（東京）の記事によれば、「大会は国民儀礼にはじまり敬礼、宮城遥拝、国歌斉唱、戦没将兵への感謝、皇軍武運長久祈願の黙禱、高浜虚子氏宣戦の大詔を奉読、安藤翼賛会副総裁、谷情報局総裁の挨拶があり、次いで菊池寛氏を座長に推して参加者の発言に移ったが……その熱情は質朴な雄弁となつてしばく場内を発作的な激情につきあげ尾崎喜八氏の如きは自作の詩を朗読しつつ感情発して流涕《りゅうてい》するなど素肌の感激に会は終始した」。

この大会の決議により菊池寛を筆頭に二六名の委員が中心になって「文学者の職能を以つて総力を挙げ文芸報国に邁進する」ための組織を設立する準備が始まり、半年後に「日本文学報国会」の発足を見ること、周知の通りである。

1

開戦直後の知識人・文学者の発言の多くは、戦後、長い間、封印されてきたが、当事者のほとんどが世を去ってしまった現在、故人の意志にかかわりなく人々の眼に曝されている。そのなかで、最近明るみに出て話題になったのは、開戦直後の小林秀雄の「三つの放送」という短い感想である。以下、その小林秀雄の文章を例にして、「一二月八日」直後の文学者や知識人の反応について考えてみたい。

小林秀雄の感想というのは、文藝春秋社が支那事変以後『文藝春秋』の臨時増刊号のかたちで出していた事変報告を月刊時局雑誌として独立させた『現地報告』の五二号（第一〇巻第一号、昭和一七年一月五日印刷、一月七日発行）に載ったわずか三枚足らずの文章である。小林秀雄にそういう文章があることを私が知ったのは、二年半ほど前の二〇〇三年一一月一五日に東京学芸大学で開かれた昭和文学会秋季大会のシンポジウム「いま、〈小林秀雄〉とは？」における細谷博氏の発表によってであった。実は小林秀雄のその感想はさらにその二年前に出ていた新版『小林秀雄全集』第七巻に初めて収められていたのだが、私は不勉強で知らなかったので、細谷氏の発表資料で初めて読んで少なからず驚いたのである。

ところがあとで調べてみると、二〇〇一年一〇月に新版全集第七巻が出る前からその文献に注意していた人が、少なくとも二人はいたことがわかった。一人はYARIMIZU HOME PAGEというインターネットのホームページを開いている「やりみず」氏で、氏は二〇〇〇年二月一〇日に「小林秀雄と戦争（1）」と題して「小林秀雄「三つの放送」について」というページを立ち上げ、「はじめに」でこう記していた（原文横書き）。

小林秀雄が、太平洋戦争開戦後もっとも早く発表した「三つの放送」（1942・1『現地報告』）は、四次にわたる「小林秀雄全集」を含めて今まで一度も単行本に収録されたことがありません。また、私のホームページの「小林秀雄著作目録」をのぞいては、各種の年譜・書誌においてそのタイトルを正確に記しているものを見たことがありません。（『新訂　小林秀雄全集』別巻Ⅱの年譜においては「三つの報告」と誤記されています。）さらには、この文章を一部でも引用して論評を加えた研究論文や批評を私は今まで目にする機会がありませんでした。（もしどなたかが触れていらしたら是非ご教示下さい。）

私がこの「三つの放送」を国会図書館でコピーしたのは、もう七、八年も前のことです。もっとも、その時は入手しにくい戦前の小林秀雄の初出作品をしらみつぶしに複写しようという作業の過程で手に入れたものにすぎませんでした。コピーした資料をファイルして、整理し、目録を作るというような作業をゆっくりやっている間にも、この資料の特異な面は気になっていましたが、それを論じるには荷が重いというのが当時の実感でした。

小林秀雄が日中戦争やそれに引き続く太平洋戦争について、その当時どのような発言をしており、それらの発言をどう考えるべきかについては今まで多くの論が出ています。それらの主要な論点については私もひととおり目を通しているつもりですし、このホームページでもいずれまとめておきたいと思っています。しかし、この「三つの放送」について誰も触れていないのを見ながら、私はひどく不安になりました。太平洋戦争勃発後の小林秀雄を考える論者の多くが、「三つの放送」よりふた月遅れて発表された「戦争と平和」（1942・3月号『文學界』、これは全集にも収録されています。）ばかりを取り上げています。この「戦争と平和」と「三つの放送」の間には、やはり二カ月の時間に相応する差異があります。それについては後に私もゆっくり論じるつもりです。

これに続いて「やりみず」氏は『現地報告』の目次と掲載頁の写真を載せ、本文の全文を翻刻、公開していた。新版の『小林秀雄全集』が当初の内容見本では収録作品のなかに含めていなかった「三つの放送」を第七巻に収録、発行したのは、「やりみず」氏がホームページで公開した一年八か月後の二〇〇一年一〇月であるが、全集には急遽収録に至った経緯はどこにも記されていない。また第七巻の本文末尾と別巻Ⅱの「作品解題」（吉田凞生編、新潮社補綴）には掲載誌を「文藝春秋　現地報告」と記し、この著作が第四次全集には未収録であったことを示す＊印を付しているが、正しい誌名は『現地報告』であって、『文藝春秋　現地報告』ではない。

新版全集と前後して「三つの放送」を取り上げていたもう一人の人は、『小林秀雄の論理――美と戦争』（二〇〇二年七月一〇日、人文書院刊）を書き下ろしで出版した森本淳生氏である。小林秀雄の政治的テクストと文学的テクストの双方を貫く「論理」、「美」と「戦争」が混淆するその「論理」を、初出のテクストに遡って読み解こうとする氏にとって、昭和一七年元旦の朝日新聞朝刊トップのほぼ全面に大きく掲載された真珠湾撃滅の航空写真を眺めながら、爆撃機上の勇士たちの眼にも真珠湾の海と空はこのように静かで美しく映っていたにちがいないと書いた小林秀雄の「戦争と平和」を論じる前提として、「三つの放送」は欠かせないテクストだとして検討の対象にされたのである。ただわかりにくいのは同書刊行前に新版全集第七巻は出ていたはずなのに、内容見本の予告を信じて「このテクストは新しい全集にも収録されない予定である」と注記していることである。

2

以上、私自身はあとで調べて知ったのだが、細谷博氏が学会で「三つの放送」を紹介する以前に、実はこのような経緯があったのだ。しかしそういう事実を知らなかったのはもっぱら私自身の不勉強のせいであるから、そのことで細谷氏自身を責めるつもりはまったくない。私が驚いたのは「三つの放送」についての細谷氏の感想や会場にいた人々の反応だった。細谷氏ほかの感想と私の驚きを理解してもらうためには、やはりここで「三つの放送」がどんな文章かを知っていただく必要がある。三枚にも満たない短い文章だから、次に漢字だけを新字にあらためて、初出のまま全文を引く。

「来るべきものが遂に来た、」といふ文句が新聞や雑誌で実に沢山使はれてゐるが、やはりどうも確かに来てみないと来るべきものだつたといふ事が、しつかり合点出来ないらしい。

「帝国陸海軍は、今八日未明西太平洋に於いてアメリカ、イギリス軍と戦闘状態に入れり」

いかにも、成程なあ、といふ強い感じの放送であつた。一種の名文である。日米会談といふ便秘患者が、下剤をかけられた様なあんばいなのだと思つた。僕等凡夫は、常に様々な空想で、徒らに疲れてゐるものだ。日米会談といふものは、一体本当のところどんな掛け引きをやつてゐるものなのか、僕等にはよく解らない。よく解らぬのが当り前なら、いつそさつぱりして、よく解つてゐるめいめいの仕事に専念してゐれば、よいわけなのだが、それがなかなかうまくいかない。あれやこれやと曖昧模糊とした空想で頭を一杯にしてゐる。その為に僕等の空費した時間は莫大なものであらうと思はれる。それが、「戦闘状態に入れり」のたつた一言で、雲散霧消したのである。それみた事か、とわれとわが心に言ひきかす様な想ひであつた。

何時にない清々しい気持で上京、文藝春秋社で、宣戦の御詔勅捧読の放送を拝聴した。僕等は皆頭を垂れ、直立してゐた。眼頭は熱し、心は静かであつた。畏多い事ながら、僕は拝聴してゐて、比類のない美しさを感じた。やはり僕等には、日本国民であるといふ自信が一番大きく強いのだ。それは、日常得たり失つたりする様々な種類の自信とは全く性質の異つたものである。得たり失つたりするにはあまり大きく当り前な自信であり、又その為に平常特に気に掛けぬ様な自信である。僕は、爽やかな気持で、そんな事を考へ乍ら街を歩いた。

やがて、真珠湾爆撃に始まる帝国海軍の戦果発表が、僕を驚かした。僕は、こんな事を考へた。僕等は皆驚いてゐるのだ。まるで馬鹿の様に、子供の様に驚いてゐるのだ。だが、誰が本当に驚く事が出来るだらうか。何故なら、僕等の経験や知識にとつては、あまり高級な理解の及ばぬ仕事がなし遂げられたといふ事は動かせぬではないか。名人の至芸と少しも異るところはあるまい。名人の至芸に驚嘆出来るのは、名人の苦心について多かれ少なかれ通じてゐればこそだ。処が今は、名人の至芸が突如として何の用意もない僕等の眼前に現はれた様なものである。偉大なる専門家とみぢめな素人、僕は、さういふ印象を得た。

たつたこれだけの文章を細谷博氏はまるで宝物でも見つけたかのように紹介し、ここには自意識を放棄した美しさがあり、魅力がある、問題は思想ではなくて美なのだ、と絶讃し、一二月八日をいちはやく描いた太宰治の小説「新郎」と「十二月八日」にも同じような落ち着いた決意が見られると語った。その後、氏はいくつかの文章でほぼ同じ意味のことを繰返している。いちばん最近の著書『小林秀雄　人と文学　日本の作家100人』（二〇〇五年三月、勉誠出版刊）では、太宰治のそれらの短篇はどちらも日米開戦の日の家庭を舞台として、それぞれ夫と妻が「私」として語るのだが、開戦の報を聞いて「身の引き締まる思い」を抱いていると述べ、読者を引きつけるのは、ここに「あらわれた覚悟の声のすがすがしさやみずみずしさ」であり、「生の限りを知った人間のもつ、緊張と落ち着きとの共存」だと言ったあと、

「小林秀雄の「三つの放送」も、そうした素朴で率直な覚悟の声を響かせている。つよい情動の中で思いが定まる。それはあたかも、何ものかに「もう終わりですよ」といわれて、はっと身の引き締まるように、われわれにも伝わってくるのだ。」

と記している。

昭和文学会の会場に集まった人々は細谷氏の紹介した「三つの放送」に興味を寄せ、それに対する氏の評価に共感しているように見えた。発表後、会場から、いい文章を教えてくれ

たという発言は出たが、質問や意見はほとんど出なかった。私が驚いたのはそのことだった。私にしても小林秀雄が開戦直後にそういう文章を書いていることを初めて知ってびっくりしたが、一読して、当時、文学者や知識人がこぞって発表した千篇一律の文章の一つに過ぎず、「小林秀雄、お前もか」という思いを禁じ得なかったからである。ここに見られる緊張した覚悟や決意が見事で美しいというのなら、雑誌や新聞から求められて開戦の感慨を述べたほとんどすべての知識人・文学者の文章も同様に見事で美しいと言わなければならない。氏は小林秀雄や太宰治以外の文学者たちがどんな感慨や覚悟を語っているのか知らないのであろうか。かりに昭和二四年生まれの氏は知らないにせよ、会場には私と同じ戦前・戦中生まれの人々もたくさんいるのだ。なぜ彼らは黙ったままなのか。たまたま学会の役をつとめている手前、発言は控えるべきだと思ったが、最後に我慢できずに手を挙げた。口下手な上に興奮していたので、私の疑問と批判は細谷氏と出席者たちに果たしてどこまで通じたかわからない。

ところが、その後、さらに驚くべきことが起こった。細谷博氏が、私の批判など無視して、同じ話をあちこちに書き続けたことではない。当日、会場にいて氏にエールを送った松本徹氏（昭和八年生まれ）が、『文學界』二〇〇四年一月号の同人雑誌評のマクラのマクラとして、昭和文学会で細谷氏が読み上げた「三つの放送」から、「皆頭を垂れ、直立してゐた。眼頭は熱し、心は静かであつた。畏れ多い事ながら、僕は拝聴してゐて、比類ない美しさを感じた……」（松本氏引用のまま）という一節を引用した後、こう書いたのである。

……こういった文章は、会場から指摘があったように高村光太郎、坂口安吾、太宰治、伊藤整、高見順らが書いてもいることで、大きな歴史的節目に立ち会った際、優れた知性、感性を持った人々の反応には、共通するものがあるようだ。これに対して、これまでどおりの手厳しい批判があったし、小林という独自な批評家の資質が露わになったと捉え、その文学活動の在り方を考える上での重要なポイントとすべきだとする意見もあったり、賑やかであった。

しかし、ここで最も大事なのは、厳しい時代の渦中、誠実に生きようとした人間の姿を見ることであろう。そして、そのことが、アメリカ占領軍によって与えられた考え方に添うかたちで進んで来た戦後を、真に相対化することになるはずである。

私は開いた口がふさがらなかった。学会の会場で私は、自分がいちばんよく知っている伊藤整の一二月八日直後の率直で誠実な心情吐露を例にあげて、誠実だとか美しいとかだけでは済ますことの出来ない傷ましい問題がそこにはあることを指摘した。小林秀雄まで似たような発言をしていることがわかった以上、なぜ知識人や文学者の大半が申し合わせたようにほとんど同質の誠実で美しい戦争讃美の言葉を発してしまったのか、しかも、戦後はそんな戦時中の発言を自ら忘却、隠蔽することによって物を書き続けようとしたのか、そのことをよく考えてみなければならない、と述べた。

松本徹氏がいうように、「大きな歴史的節目に立ち会った際、優れた知性、感性を持った人々の反応には、共通するものがあるようだ」などといったことでは断じてあり得ない。もしそうだというなら、小林秀雄や伊藤整や高村光太郎や佐藤春夫や保田與重郎や亀井勝一郎や太宰治らばかりでなく、彼らと同じ感想を公けにした当時の文学者や知識人は一人残らず「優れた知性、感性」の持主だったということになってしまう。単にイデオロギー的に彼らを断罪することはたしかに古いし、そこから新しいものは何も出て来ないだろう。しかしだからといって彼ら一人一人の誠意や決意、それらが個人の生死を越えることによって生み出される美だけを見て彼らを救おうとするのはあまりにも一面的にすぎる。

その意味では、「表現」を「宿命」とした小林秀雄が、歴史を含み込んだ現実世界においてどう生きたかを、「美」と「戦争」の狭間で、批判的な観点を失うことなく、テクストを通じて内在的に跡づけようとした森本淳生氏の姿勢を私は重んじたいと思う。しかし森本氏が「あとがき」で、同書を執筆中の二〇〇一年にニューヨークで起こった九・一一テロのシーンをテレビで見て、それに大きな衝撃を受けながら、同時にその映像を美しいと感じたことも否定できないといい、そのとき、爆撃機上の勇士たちの眼に映った真珠湾はカメラの眼で鳥瞰したように静かで美しかったにちがいないと書いた小林秀雄の「戦争と平和」の一節をごく自然に思い出していた、と書いているのには、思わず慄然とせざるを得なかったことも併せて記しておきたい。

3

それでも……私の言葉を信じてくれない人々のために、最後に、小林秀雄の「三つの放送」という新資料が、当時の文学者の多くが残した、変り映えのしない文章の一つに過ぎないことを、主として戦時下の戦争協力的な文章によって批評家としての価値を貶められてきた小林秀雄の僚友、河上徹太郎の悪名高い時評によって確認しておきたいと思う。開戦二日後に書いて当時編集を担当していた『文學界』昭和一七年一月号の巻頭に掲げた「光栄ある日――文芸時評――」の冒頭である。ちなみに当時の『文學界』は『現地報告』と同じく菊池寛の文藝春秋社の発行だった。昭和一四年六月に文藝春秋社は『文藝春秋』とは別に海軍省の慫慂《しょうよう》によって総合雑誌『大洋』を創刊するが、小林秀雄、河上徹太郎はじめ『文學界』の同人たちはその『大洋』でも座談会などを通じて海軍の将校たちと意気投合していた。冒頭に述べた開戦直後の文学者の結集に果たした菊池寛の大きな役割とともに、『文學界』同人たちが菊池寛と文藝春秋社の傘下にあった事実もしっかりと記憶に止めておきたい。「光栄ある日」は次のように書き出されている。

遂に光栄ある秋が来た。

しかも開戦に至るまでの、わが帝国の堂々たる態度、今になつて何かと首肯出来る、これまでの政府の抜かりない方策と手順、殊に開戦劈頭《へきとう》聞かされる輝かしき戦果。すべて国民一同にとつて胸のすくのを思はしめるもの許りである。今や一億国民の生れ更る日である。（中略）

私は、徒に昂奮して、こんなことをいつてゐるのではない。私は今本当に心からカラツとした気持でゐられるのが嬉しくて仕様がないのだ。太平洋の暗雲といふ言葉自身、思へば長い、立腐れの状態にあつた言葉である。今開戦になつてそれが霽《は》れたといつては少し当らないかも知れないが、本当の気持は、私にとつて霽れたといつてゐゝ程ののである。混沌暗澹たる平和は、戦争の純一さに比べて、何と濁つた、不快なものであるか！

今や国民は、ものを見る眼の純一さを獲得したといつていい。気兼ねもいらぬ。仮想された観念に仕へることもいらぬ。栄ある今日の日に生きる覚悟の真剣さだけに頼つて生きればいいのだ。生きること、見ること、働くこと、すべてが一人の人間の中で一つとなり、更にこの一つが一億の国民を通じて一つであるといふ状態。こんな望ましい日が、こんなに率直にやつて来ようとは、ついぞ想像して見なかつた。

小林秀雄は、「日米会談といふ便秘患者が、下剤をかけられた様なあんばい」というずいぶん汚い喩えを使っていたが、開戦の報に接して暗雲が晴れてカラッとしたような気持がしたというのは、当時の文学者の発言のほとんどすべてに共通して見られる感慨である。「生きること、見ること、働くこと、すべてが一人の人間の中で一つとなり、更にこの一つが一億の国民を通じて一つであるといふ状態」、いわゆる一億一心の心情もまた開戦を機に多くの国民に共有されたものだったようだ。

実際、文学者や知識人が一斉にそうした同じような反応を示したことは、河上徹太郎自身にとっても意外に思われるほどだったらしい。『文學界』翌月号巻頭の「新しき歴史の心—文芸時評—」にその驚きと戸惑いが率直に語られている。

新年号の綜合雑誌や文芸雑誌は、一様に開戦の昂奮と緒戦の勝利の感激とに満たされているが、「かういふ崇高な感動といふものは、国民である限り誰でも一つなのであるから、誰のを読んでも同じといへばいへるのであつて、そこが一億一心の現れだといふことになると、結局余り沢山の顔触を列べても無駄だといふことになつて来る。「文藝」の集中物「戦ひの意志」を通読しても、各人各説でしかもすべて私の同感措く能はざるものではあるが、結局之等の言葉が一億国民のしかも同音《ユニソン》の大合唱であつて見れば、その中で一と声際立つた独唱《ソロ》の歌声なんて聴える筈のものではないのである」というのだ。

河上徹太郎自身の感想や小林秀雄の「三つの放送」も含めて、開戦直後の雑誌や新聞に発表された文学者や知識人の文章を見るかぎり、河上徹太郎のこの言葉はやはり正しいと認めざるを得ないが、最後に、思いつくままに、なぜそうなったのかを考えるためのいくつかの糸口だけでも記しておきたいと思う。

一つは以前から敷かれていた言論統制が開戦後一段と厳しさを加えた結果、国民が同じ言葉を口にすることになったのではないかということだ。しかしすべてを言論統制のせいにすることには無理がある。「優れた知性、感性」を持っていたかどうかにはかかわりなく、開戦直後に国民の多くが本心から同じような心情を抱いた事実には否定し切れない面があるように思われるからである。もしそうだったら、なぜ国民の多くが開戦と同時にいわば自然にそういう心境に達したのか、国民一人一人の意識や心理に対して、いつから、どのようにしてそのような方向づけが行われていたかを、過去に遡って、広く、詳らかに調べてみなければなるまい。

さらに当時の雑誌や新聞に文章を発表できたのは国民のごく一部に限られていたという事実も忘れてはならないだろう。ジャーナリズムから開戦の感慨を作品や感想やアンケートのかたちで求められた文学者は、何らかの理由で銃後にいた、ある程度以上の文壇歴を持つ三〇代から四〇代の作家や評論家たちだった。徳田秋声、島崎藤村、正宗白鳥、永井荷風といった明治以来の大家たちは、戦争についてほとんど発言を求められないか、求められても意外に冷静だった。彼らより少し若い高村光太郎、佐藤春夫、谷崎潤一郎、志賀直哉、武者小路実篤、室生犀星らのなかには熱狂的な戦争詩や感想を書いたりした人もいたが、圧倒的に多かったのは大正末年から昭和初年に文壇に出た中堅の文学者たちであり、それらのほぼ同じ世代の発言が似たり寄ったりだったということである。

もちろんすべてを世代や年齢のせいにするわけには行かないが、国民の、あるいは文学者のなかのどの部分が戦時中のメディアに起用されたかを検討してみることは欠かせないだろう。

これに関連して思い出されるのは、戦後、竹内好の著名な論文「近代の超克」（『近代日本思想史講座Ⅶ』昭和三四年一一月、筑摩書房刊）に対してやや下の世代から異議申し立てを行った荒正人の評論「十二月八日」（『近代文学』昭和三五年二月号）である。竹内好が先の河上徹太郎の開戦二日後の時評「光栄ある日」を引いて、それが多数の感想であったとしていることに対して荒正人は猛然と反駁し、少なくとも自分と自分の周りにいた者たちは「十二月八日」を「来るべきものが来た」ではなく、「来るべからざるものが来た」という衝撃をもって受け止め、戦うべき敵は、アメリカやイギリスではなくて、日本そのものを含めた世界的なファシズムにほかならなかった、そのことを忘れてもらっては困る、と述べた。ナショナリズムの圏外にいたきわめて限られた少数派だったにせよ、荒正人たちのような人々も存在したことを忘れてはならない。

付言すれば、伊藤整との「対談 文芸時評」（『文藝』昭和一七年三月号）において、開戦の日が当初から「十二月八日」と表記され、「一二・二六」とか「五・一五」のように「一二・八」と呼ばれないのはなぜか、と問うことによって、開戦後、眼の前にいる伊藤整その人を含めて、文学者たちがみな判で押したように同じような感慨を洩らしていることに対して、間接的にささやかな抵抗を試みたように見える平野謙も、当時、伊藤整や小林秀雄より荒正人に近い立場にいたと考えることができよう。

第三章

犬も歩けば

近代文学資料探索

百田楓花『愛の鳥』

ひややかにみづをたたへて
かくあればひとはしらじな
ひをふきしやまのあととも

生田長江作。改造社版『現代日本文学全集28　抱月・長江・臨川・伸・孤雁集』（昭和五年一一月）所収。ハンセン病による晩年の不遇を考えれば、美文から出発した長江の思いがこめられた絶唱というべきだろう。太宰治が随想「もの思ふ葦」に引き、それを読んだ平野謙が太宰治追悼文の冒頭に掲げ、色紙にも書いたものを、本多秋五が見て感銘を受けたという。だがこの詩は、雑誌『椎の木』創刊（大正一五年）後の百田宗治にこそ、もっともふさわしいのではないかと、ひそかに思ってきた。民衆詩から枯淡な俳諧趣味に移った後、一転してモダニズム詩を経て児童詩、綴方運動を先導するという、変転の多い生涯をたどった百田宗治のイメージは、眼鏡をかけた俯き加減の、静かで控え目な中年以後の写真の印象と重なる。

ところが知る人ぞ知る、百田宗治は早熟の抒情的、官能的な少年歌人として出発していた。百田楓花『愛の鳥』は、小ぶりながら、その最初の歌集である。明治四四年一月一日、大阪市南区道頓堀筋辨天座西の田中書店発行。四六半截判（一一三×六〇ミリ）、目次一頁、本文一五〇頁、跋文三頁、カバー付き、定価三五銭。「矢澤夫人に献ぐ」の献辞があり、架蔵本には誤植を詫びた小さな青い薄紙が挟み込まれている。「愛の鳥」「去りゆく少年を思ふ歌」「海峡より」「春」「短歌調」「濁れる花」の六部に分けて、計四二三首の短歌を収める。

眠よりなかばはさめし瞳もて空をおもへるわが愛の鳥（巻頭歌）

月にそむき別れの接吻《キス》を交すときまたなく君の艶なりしかな

旅やかたその夜の君のみだれ髪なまめきしをば今もぞ思ふ

くちびるのたゞれ果つまでくちづけてあらむはるかの海に日は落つ

背を向けて髪をつくらふうしろかげその朝明の艶なりし君

本文に続く無題の跋文にいわく、「この一巻と共にわが少年を送る／いまにして省みると、私は多く短歌によつて、自己の芸術欲を充してきた。文章によらず、詩によらず、この古典的な、特有の形式の芸術に、さしたる反抗をも起さず、不自由をも極端に感ずることなく多分の努力と工夫をそゝいできたのも、或ひは少年の思想の比較的単純であつたためであらうと思ふ／しかし、いま少年とわかるゝことを以て、自分は永久にこの小さい真珠のやうな芸術を忘れてゆかうとは思はない、自分がその全人格を傾けんとする何らかの事業の余技として、とこしへにわが生存の一部の陰影としての生命を失はしめざらむことをのぞむ次第である、（中略）／明治四十三年十一月／十八歳の秋　著者」。

献辞の宛名「矢澤夫人」とは、大阪歌壇女流の第一人者で「西の晶子」といわれた矢澤孝子。知り合って間もない一六歳年上の人妻、孝子は、前年の明治四三年一〇月、第一歌集『雞冠木』（かへて）を大阪の田中書店から発行したが、風俗壊乱の廉《かど》で発禁になった。女流の歌集としては初めてという。

な疎みそな恋ひそ吾は人の妻さびしがらせぬほどに訪ひませ
女神より獣となりてこのごろは忘れられたるたゞびとのわれ
白波は我黒髪の上をゆけ君と巻かれて底に至らむ

百田楓花の『愛の鳥』は三か月後に百田の知人の営む同じ田中書店から出た。その後も二人は詩歌合集『月光と臥床』を三冊出している。一集（明治四四年九月、田中書店刊）には孝子の歌と楓花の詩、二集（四四年一一月、同）には楓花の詩と対話、孝子と森園天涙の歌、三集（四五年一月、白藻社刊）には孝子の歌、楓花の歌と小品のほか、附録として東京の國枝史郎の詩と川路柳虹の小曲を掲載。間もなく友人と始めた雑誌『短檠』と短檠社を舞台に詩歌から小説、戯曲にも手を伸ばし、大正二年春には新たな年上の恋人中村栞とともに上京、四年六月、短檠社から百田宗治の名で最初の詩集『最初の一人』を出す。百田は未だ弱冠二三、詩人としての道はここから始まるのである。

雑誌『不確定性ぺーパ』

詩の雑誌には変った名のものが多い。一九二〇年代のダダ系の詩誌に、橋本健吉（北園克衛）や野川孟・隆らの『ゲエ・ギムギガム・プルルル・ギムゲム』とか、青柳優《ゆたか》らの『散文精神の内的壊体である』とかいった、わけのわからぬものがある。どちらも稀覯誌で、後者の現物は一冊も見たことがない。「壊体」なのか「解体」なのかさえわからない。

三〇年代になるとさすがに変な名前のモダニズム詩誌は少なくなるが、日中戦争開戦後に『不確定性ぺーパ』なる『歴程』系の詩作品研究誌が出ている。『歴程』そのものが「不定同人」（宮澤賢治）の集まりで、「不確定な雰囲気」（伊藤信吉）を持っていたといわれることの反映かと思うと、そうではないらしい。昭和九年から一〇年にかけて中河与一が言い出して石原純や三木清や萩原朔太郎や横光利一らが乗った、偶然文学論の有力な根拠にされた量子力学のハイゼンベルグ「不確定性原理」から来ているようだ。

昭和一三年四月の第一輯から一五年三月の第四輯までのほかに、別輯一冊を確認している。いずれも菊判二〇頁前後の薄い雑誌だが、別輯以外は、同時代の一、二の作品を選んで、数名で論じ合っている点に特徴がある。

編輯兼発行人は『歴程』第六号（昭和一四年四月）以後の編集責任者三ツ村滋恭（繁蔵、繁）。発行所は三ツ村の住所と同じ東京市渋谷区千駄ケ谷四－八一一の新典社、第四輯は同住所の歴程社。以下、各輯の発行年月、特集名（作品名）、執筆者名を記しておく。

第一輯　昭和一三年四月　高村光太郎作品研究　「老耼《ろうたん》道を行く」「秋風辞」　長田恒雄、高橋玄一郎、安藤一郎、山本和夫、佐伯郁郎、日野領一、草野心平、藤原定《さだむ》、三ツ村滋恭。

第二輯　昭和一三年九月　百田宗治作品研究　「神の顔」　伊藤整、高橋玄一郎、山本和夫、藤田三郎、三ツ村滋恭。

第三輯　昭和一三年一二月　「天の夕顔」中河与一作品研究　与謝野晶子、久松潜一、三浦常夫、田中克己、山本和夫（詩）、三ツ村滋恭（同）、眞田喜七。

第四輯　昭和一五年三月〈九江難民区〉佐藤惣之助作品研究　平田内蔵吉《くらきち》、潮田武雄、高橋玄一郎、山本和夫、小野十三郎。

第一輯の三ツ村滋恭「不確定性雑記」によれば、「詩が文学の最高のもので、詩的精神が凡ゆるものの最高位であるといふ事のためには、こういふ方法によつて検討されなければならない。またこういふ方法によつて礼遇されるのが当然なのである。／草野心平氏は、「これによつて批評の基準が高められた」と云つた」という。発行の時期がちょうど日中戦争開戦と重なったため、詩も詩の批評もこぞって戦争協力の中になだれ込んで行く有様をあらわに示すことになったのは皮肉である。とくに第一輯で高村光太郎を取り上げ、その戦争詩の第一作となった「秋風辞」（『都新聞』昭和一二年一〇月三日）に感動した山本和夫がこれを選んだ（「老耼道を行く」を選んだのは草野心平）ことは記憶に値する。

秋風起つて白雲は飛ぶが、／今年南に急ぐのはわが同胞の隊伍である。／南に待つのは砲火である。／街上百般の生活は凡て一つにあざなはれ、／涙はむしろ胸を洗ひ／昨日思索の亡羊を嘆いた者、／日日欠食の悩みに蒼ざめた者、／巷に浮浪の夢を余儀なくした者、／今はただ澎湃《ほうはい》たる熱気の列と化した。（以下略）

別輯は山本和夫作品集『戦争』で、和紙袋綴じ、ノンブルなし、一五篇の詩を収め、三ツ村繁蔵の無題後記を付す。奥付は昭和十三年十月廿日発行、発行兼編輯人　三ツ村繁蔵、発行所　歴程社内　不確定性ぺーパ刊行会となっており、これに従う記録がほとんどだが、山本和夫が出征して中支を転戦したのは昭和一三年一〇月から翌一四年一〇月までで、巻頭には「エピローグ」を除いて戦場で手帳の端に走り書きしたものとあり、三ツ村は後記で、山本が戦争から突然帰ってきた、と書いている。また同書は昭和一五年四月発表の「文芸汎論詩集賞」を受賞している。保坂登志子『青の村　山本和夫文学ガイド』（一九八九年一〇月、かど創房）は奥付の誤記を指摘、実際に出たのは二年後の昭和一五年だとしているが、昭和一四年一〇月から一五年四月までの間と推定しておきたい。

川端康成『純粋の声』

川端康成初の随想小品集。昭和一一年九月一日発行。発行者　石塚友二。発行所　東京市渋谷区神宮通二ノ一五　沙羅書店。枡型一五七×一一七ミリ。本文三五四頁。定価一円四〇銭。丸背布表紙。天、小口アンカット。函入。本文は四部からなり、Ⅰには「文学的自叙伝」

ほか自伝エッセイ二篇、Ⅱには「愛犬安産」ほか最新、初収の「掌の小説」一二篇、Ⅲには「化かしと技術に就て」ほか時評・感想類一〇篇、Ⅳには「「いのちの初夜」に就て」ほか紹介・随筆・時評類一一篇を、内容も配列も雑然と収める。誤植が目立つが、収録作のうち、現行版川端康成全集で初出、初収の誤記が見られるものもある。たとえば最後から二つ目の「文学界雑記」の初出は昭和五年六月『讀賣新聞』連載の時評「文壇散景」の一部だが、全集第三〇巻はその全文を収めながら、解題では一部が本書に初収の記載を洩らしている。

さして珍しい本ではないが、ここでは堀辰雄装幀の沙羅書店本であることに目を留めたい。川端全集第三五巻の「著書目録」には「小四六判　本文三百《マ》五十三《マ》頁函入　定価一円四十銭／装釘　堀辰雄」とある。目次の冒頭には「装幀　堀辰雄」と明記されている。

堀辰雄装幀の川端康成本には、ほかに短篇集『高原』（昭和一七年七月二〇日、甲鳥書林）もあって、それについては甲鳥書林編集者だった矢倉年が最初の七巻本『堀辰雄全集』月報第四号に川端が堀に依頼したと書いている（「堀さんの本づくり」）。堀辰雄自身も甲鳥書林から縦筒函入横長本で奥付の検印紙に中国の古印を使った『晩夏』（昭和一六年九月二〇日）を出している。石塚友二も後に甲鳥書林東京事務所で働いている。

水原秋櫻子に俳句を、横光利一に小説を学んだ石塚友二の沙羅書店は、昭和一〇年から一四年までの足かけ五年間に三、四〇冊の本を出していて、内容も造本も見るべきものが多い。沙羅書店刊行書目のようなものが作成されていてよいと思うが、未見である。

新潟の小学校高等科を出た石塚は、震災の翌年上京、東京堂で働いていた時代に横光利一を訪ね、俳句に親しみ、出版部にいた岩本和三郎を知り、昭和七年に岩本の世話で岩本、斎藤昌三らの書物展望社に出入りするようになる。造本に関心を深めたのはそのためだろう。石塚が横光から出版の許諾を得た長篇『雅歌』を、岩本は菊判継表紙函入白樺版一〇〇〇部番号入の豪華本で出した。昭和七年一二月二五日刊、奥付には「校正　石塚友二」とある。

昭和一〇年四月に師横光利一の命名、支援で開業した沙羅書店は、横光『日輪』限定版、同『覚書』から刊行開始、同年中に山川彌千枝《やちえ》『薔薇は生きてる』、水原秋櫻子『花の句作法』、石橋辰之助『山行』などの馬酔木《あしび》叢書二冊、阪田英一『レヴューをりをり』、『石田波郷句集』、中野重治『子供と花』などを出版。

『薔薇は生きてる』は、近くに住む丸岡明のサロンに横光利一とともに出入りするようになった石塚が、一六歳で亡くなった丸岡夫人の早熟の妹の短歌と手記を本にしたもので、最初、雑誌『火の鳥』昭和八年六月号に発表された「山川彌千枝遺稿集」を川端康成が時評で賞讃すると同時に小説「禽獣」の結びにも使ったりして評判になり、沙羅書店本としては唯一版を重ねた。その後、甲鳥書林版がベストセラーになり、最近まで各社から新版が出ている。横光利一の口利きで出すことになった『純粋の声』の切り抜き原稿を鎌倉の川端家に取りに行ったのは、二・二六事件の起こった雪の日の午後だったという。

堀辰雄装幀の沙羅書店本には、ほかに丸岡明『生きものの記録』（昭和一一年九月五日）、山下三郎『室内』（昭和一三年四月五日）がある。丸岡明と山下三郎は三田派の文学青年で、どちらも昭和五年に、川端康成に認められ、軽井沢で堀辰雄に会っていた。『室内』については前に書いたことがある（EDI叢書『少々自慢　この一冊』『山下三郎四篇』、二〇〇二）。表紙に一冊一冊異なるネクタイ地を使ったのは銀座のネクタイ屋の息子、日下部雄一の世話だろうと、八木憲爾氏によって書いたが、清田昌弘『石塚友二伝―俳人・作家・出版人の生涯』（沖積舎、平成一三年一二月）によれば、石橋辰之助の紹介で日暮里のネクタイ工場に通って裂れ地を選んだという。どうやら清田氏の方に分がありそうだ。

小林多喜二「スキー」

三年ほど前、たまたま調べていた震災前の『小説倶楽部』という投書雑誌に、小樽高商に入学して間もない満一八歳の小林多喜二の短篇「老いた体操教師」が選外佳作で掲載されているのを発見した。商業雑誌に載った多喜二の最初の小説で、全集未収録。なるべく自分とは離れた他人の立場から物を見ようとしている。やはり多喜二は詩でなく、小説を書くために生まれてきた人間だと思わせる作品だ。全文を紹介したところ、ちょっとした話題になって、講談社文芸文庫から出た初期作品集の巻頭に収められた。

多喜二の母校小樽商業学校の傷痍軍人上がりの体操教師をモデルにした小説で、日露戦争で受けた腰の傷のために歩くのも不自由な自分が、体操教師をつとめていられるのは校長のおかげだと思っている。軍人精神骨がらみで、体操教師としては失格の「T先生」は、生徒たちに半ばからかわれながら、意外に人気もある。ところが恩人である校長が転任して、新しい校長が赴任するという噂が流れると、「T先生」は途端に不安になり、授業もきびしくなる。それが生徒の不興を買って学校を追い出されるという話を、「T先生」に同情的な立場から書いている。

「老いた体操教師」は大正一〇（一九二二）年一〇月一日発行の『小説倶楽部』一〇月号に掲載された小説だから、実に八六年ぶりに陽の目を見たことになる。それまでは小説のことはもちろん、「T先生」のモデルである富岳《とみおか》丹次先生のことも、富岳先生が詰腹を切らされた小樽商業の学校騒動のことも忘れられたままだった。

「老いた体操教師」発見から間もなく、富岳先生をモデルにした、もう一つの短い小説が追いかけるように発見された。発見者は岡山大学大学院で政治思想史を専攻している木戸健太郎君という院生である。木戸君はジャーナリストの馬場恒吾の研究のために、当時馬場が勤めていた『国民新聞』を繰っているうちに大正一〇年一〇月二〇日付同紙の「当選短篇小説」に「スキー　小樽　小林多喜二」とあるのを発見した。市立小樽文学館の学芸員玉川薫氏が同君から知らせを受けて、私にも連絡してくれた。

大正一〇年頃の『国民新聞』の短篇小説の募集についてはまだよく調べていないが、多喜二の「スキー」は発行日の順でいえば「老いた体操教師」（二〇枚）の約一か月後に発表された、その副産物のような六枚あまりの短い小説である。同じ「T先生」が生徒にスキーを教わるのだが、腰がいうことをきかないので転んでばかりいて、生徒の笑いものになるという話を、こちらは「T先生」に対して、どちらかというと冷たい目で描いている。質量ともに「老いた体操教師」には劣るが、たとえ懸賞金目当てだったとしても、「T先生」ものを二つも書いて投稿していることは注目に値しよう。全文は「市立小樽文学館報」の最新号に翻刻、掲載されている。

ついでに小林多喜二より一つ年下の武田麟太郎の初期の小説が最近やはり若い大学院生によって発見されているので紹介しておこう。これまで活字になった武麟の最初の小説は受験雑誌『考へ方』に応募、当選し、大正一二年一月号の同誌に発表された「鈴木君のこと」とされてきたが、掲載誌未確認のため、初出事項はのちに同作を収めた藤森成吉編『受験小説選集』(昭和四年一二月、考へ方研究社)に依拠していた。日本大学大学院生の井戸川直弘君は藤森良蔵主幹の大正・昭和のユニークな受験雑誌『考へ方』の全冊に目を通し、「鈴木君のこと」の初出を確認するだけでなく、旧制高校受験を目指して同誌を愛読していた井上靖、宮崎市定、鈴木忠直(瀬沼茂樹)、一戸務、小島信夫らの同誌における活躍ぶりを紹介している。さらに、武麟については、それ以前、大正一〇年五月号の『中央文学』に散文「老人」が掲載されていることを発見している。いずれも日本大学国文学会『語文』第一三六輯参照。

英美子『浪』

英美子は、「英」が姓、「美子」が名で、「はなぶさ　よしこ」と読む。深尾須磨子、米澤順子《のぶこ》らに次ぐ女性詩人の草分けである。昭和五八（一九八三）年三月一五日、東京目白の自宅で満九〇歳の生涯を閉じたとき、翌日の夕刊各紙には、多くが写真入りで、次のような訃報が載った。

最長老の女流現役詩人。明治二五（一八九二）年生まれ。本名中林文。静岡市出身。喪主は長男でギタリストの中林淳眞《あつまさ》氏。大正一〇年、西條八十の『白孔雀』の同人として出発。詩集として『アンドロメダの牧場』（一九七〇）、『授乳考』（七四）など。

各紙ともおそらく中林家提供の略歴に基いて、ほぼ正確な事実を伝えているが、その後に出た事典類には誤りが多い。

『浪』は、『白橋の上に』（一九二五）、『春の顔』（二七）、『美子恋愛詩集』（三二）、『東洋の春』（同）、の四詩集によってすでに昭和初年に詩人としての地位を確立し、長谷川時雨主宰の雑誌『女人芸術』『輝ク』などにも名を連ねていた美子が、戦争初期の昭和一四年に偶然起こった一身上の出来事をきっかけに、そこに至るまでの半生を、詩でなく、散文で書き下ろした自伝小説である。昭和一六年四月三日、興亜日本社刊。序　横光利一。四六判三五三頁。定価一円八〇銭。装幀　富本憲吉（「吉憲」と誤植）。一人を除いて人名は実名、他の話も事実や記憶に忠実に書かれているようだ。

「私」は明治二五年、静岡市の旧家中林家の長女に生まれ、県立静岡高女卒業を目前にして高級軍人池田正に嫁ぐ。間もなく、長女政子出生。学者肌で善良、高邁な夫に非の打ちどころはなかったが、病気がちな自分と夫との間に愛情がないことに悩む。大正五年、長男勇出生後、二人の子供を連れて夫のいる中国に渡るが、子供の病気のため興津に帰る。大正一〇年頃から西條八十の門に入って始めた詩作に生きる道を求め、翌年出た『白孔雀』の同人になった。途中から本名のかわりに西條八十命名の英美子を名乗る。二人の子供を婚家に残して自分だけ家を出るかたちで「理由のない離婚」を敢行、静岡の実父の世話になる。間もなく上京、女工、その他で自活。大正一四年、最初の詩集『白橋の上に』刊。翌一五年、父が亡くなる前後、同郷のプロ派の作家「K・I」と知り合って心を惹かれ、懐妊するが、彼は「私」と子を棄てて上海に渡った。「私」は生まれてきた淳眞とともに新生しようと覚悟、父の遺産で詩集を出し、やがて池袋の奥にアパートを建てる。しかしアパート経営は破綻、昭和一四年四月、淳眞を連れて高円寺のアパートの住人になった。

「青天霹靂」の事件が起こったのはちょうどその頃である。池田家に残して一八年間生き別れになっていた長男勇が、海軍兵学校を出て大分航空隊の演習中に二四歳で殉職したという知らせが入ったのだ。勇の育ての母の来訪を受け、英霊となった瞼の子に会ってほしいと依頼される。ためらいはあったが、実母としての責任は果たし、時代の「浪」に乗らないわけには行かなかった。昭和一四年七月八日、女詩人会の仲間たちは「英美子を慰める集り」を赤坂の文芸会館で開き、長谷川時雨や西條八十が挨拶した。翌日の東京朝日にはその記事が「瞼の子を抱く／聖戦に散つた荒鷲と女流詩人／十八年目・英霊と対面」の見出しで掲載された。九月には雑司ヶ谷墓地の池田家墓所に海軍中尉池田勇の墓碑が建った。「雄魂」の題額は海軍大臣米内光政。日中戦争開戦二年後、詩人や文学者の戦争協力が漸く盛んになろうとしていたとき、英美子は一夜にして軍国の母となったのだ。

「自敍長篇」と角書きされた『浪』は、以上の経緯を淡々と記録した後、最後に来て筆が高鳴り、天皇陛下万歳を叫ぶ。『浪』刊行後間もなく、昭和一六年四月二五日付朝日新聞には「瞼の子に詩捧ぐ母」の見出しで、出版したばかりの『浪』を勇の墓碑に捧げる著者の写真が勇の遺影とともに載り、翌五月三一日同紙家庭欄「読書のすゝめ」では林芙美子が絶讃した。翌六月、美子は晴れて中南支慰問団の一員に選ばれて神戸港を発つ。その記録が次著『弾の跡へ』（昭和一八年一〇月、文林堂双魚房）である。同書は復刻版が出ているが、（「〈戦時下〉の女性文学」16、二〇〇二、ゆまに書房）、なぜ『浪』でなく『弾の跡へ』が選ばれたかは不詳。

井東憲『人間の巣』

前回の英美子の自叙長篇『浪』で、「K・I」と書かれていた同郷のプロ派作家は井東憲（一八九五―一九四五）。本姓伊藤。英より三つ年下で、静岡の生家も旧知の間柄だった。大正一五年、三〇歳を過ぎてから文学を通じて東京で再会、恋愛。翌年、英は一子を宿すが、妻もいた井東は「生活と恋愛の清算のため」（「今迄の道」、『新興文学全集』6、一九三〇、平凡社、以下の引用も同じ）、上海に渡る。帰国後も、終戦直前に静岡で亡くなるまで、子淳眞に会うことはなかった。

早熟で、少年時代から静岡で遊蕩、浅草を漂浪、大杉栄に会い、中村古峡主幹の雑誌『変態心理』に執筆、『熱風』『種蒔く人』『新興文学』など初期プロレタリア文学雑誌に寄稿し、震災後は梅原北明の雑誌『文芸市場』や文芸資料研究会のメンバーとして活躍していた。上海渡航後では、自ら「探偵小説的通俗的プロレタリア小説」と称した『上海夜話』(二九、平凡社)、『赤い魔窟と血の旗』(三〇、世界の動き社)、『ハロウ世界の恋人』(同、漫談社)などの上海ものが、近年、脚光を浴びている。以後、東京と静岡を往復しながら「金になるものなら何でも書き」、数多くの中国研究書や財界人の評伝など、計三〇冊以上の著訳書を残したが、代表作を選ぶとなると難しい。

しかし小説に限れば、やはり最後の長篇『地獄の出来事』(一九二三、総文館)をあげるべきだろう。もっとも井東憲の本領は詩や評論や雑文にあって、短篇はともかく、長篇はあまり得意ではないようだ。人物の出し入れ、視点の転換など、長篇の基本的構成力に欠ける憾《うら》みがある。『地獄の出来事』は、静岡遊廓での放蕩時代の体験をもとに、娼婦たちの立場に立って、その過酷な現実を訴えようとした小説だが、三人の娼婦それぞれの物語を同じテーマの三部仕立てにすることで何とか長篇の体裁を整えている。第一部と第二部は早く前掲『新興文学全集』6に収められ、最近では第二部「地獄の叛逆者」が『編年体　大正文学全集』12(二〇〇二、ゆまに書房)に採られた。

ここではそれほど知られていない二作目の長篇『人間の巣』を取り上げたい。大正一三年四月一五日、弘文社書店発行。四六判三七〇頁。全八章。丸背布表紙。背に「長篇／創作」と角書き。函入り。定価二円二〇銭。発禁本で、架蔵書は伏字本。三〇箇所以上に一行ないし十数行の伏字がある。発禁理由は風俗壊乱だが、後半には社会主義や徴兵忌避にかかわる伏字も多い。長篇としての結構はこれまた不備だらけだが、風俗壊乱と安寧秩序紊乱という二個の爆弾を抱え込んで発禁になったことがむしろ勲章になっている。

震災前の浅草S町（千束町か）の「人間の巣」のような私娼窟街で、官憲の目を恐れながら客を引き、客を取って生活せざるを得ない若い遊女たちの悲惨な境遇を、彼女たちの立場から共感的、同情的に描いている点に、『地獄の出来事』を受け継ぐ風俗壊乱的先駆性があるだけではない。他方で、魔窟の住民たちを守ろうとする右翼団体「大和魂会」の発会に反対する社会主義者を登場させ、主人公格の漂浪青年志村明が、右翼から社会主義に移り、徴兵忌避の思想に目覚めて行く点に、安寧秩序紊乱の危険性を孕んでいるのだ。「眼玉の怪しく光る」主義者和田輝のモデルは大杉栄にちがいないが、肝心の彼の言葉はほとんど伏字で、判読できない。

ところが不思議なことに、戦後（著者没後）、『小説　暗黒街』と改題、出版された再版（昭和二二年二月一〇日、柳澤書店）では、明らかに初版の紙型をそのまま使って、伏字のすべてが起こされている。たとえば和田は「凡ゆる権力を否定しなければ不可ない」、徴兵忌避は卑怯であり、「堂々と軍隊に潜入して行つて、其組織に反抗するのが正当だと思はれる」といっていたのだ。『暗黒街』によって伏字を起こしながら読めば、『人間の巣』の過激性は一層よく理解できるだろう。

叛逆のエネルギーに燃えるだけで、自分の向うべき方向がつかめず、とにかく「人間的」に生きたいと思う志村明にくらべて、著者井東憲ははるかに魅力的な人間だったにちがいない。「K・I」は「不思議な青空」「素足の猟人」だった、と英美子は書いている。

英美子『春鮒日記』

五月、六月と英美子、井東憲の本を続けて紹介したが、一九二七（昭和二）年に二人の間に生まれた中林淳眞は戦後、ギタリストとして活躍、一九六四年には日本人最初のギタリストとしてカーネギーホールにデビュー、以後半世紀間、国際的な演奏、作曲活動を続け、今でも現役だ。

去る五月一三日、巣鴨駅に近い現代女性文化研究所で「中林淳眞ギターの夕べ」が開かれ、八〇歳を過ぎてますます深まるその音楽と絶妙な語りが聴衆を魅了した。現代女性文化研究所は社会運動家望月百合子の遺志で生まれたNPO法人（代表理事・岡田孝子）。『女人芸術』以来の望月百合子と英美子の親交が今度のミニ・コンサートを実現させた。

母性の詩人といわれる英美子は、詩のほかに、父親の異なる二人のわが子との間の物語を二つの長篇に書いた。すでに紹介した『浪』は戦争初期に「海の荒鷲」として散った「瞼の子」との物語。もう一つが井東憲を「瞼の父」とした淳眞との間の、戦中から戦後にかけての物語、『春鮒日記』である。昭和二七年の『婦人画報』に二回掲載されたものをもとに、翌二八年八月三一日、白燈社から本になって出た。カバーの背に「お母さんの童話」、本扉に「母と子の生活の記録」の副題がある。全六章のうち、「半ベラ論主意」ほか二章の大部分は「淳眞の日記から」となっている。四六判、二九一頁、二三〇円。一九九四年四月、「つり人ノベルズ」の一冊として、つり人社から再刊。

昭和二〇年春、東京で罹災した英美子・淳眞母子は、淳眞が以前釣りによく来たというだけの縁から茨城県牛久沼の近くの水郷に疎開。年ごとに子の背丈が伸び、記憶のない井東憲に似てくるのを眺めながら、母は長身で面長だった井東のことを思い出す。

戦争が終ると、母は少しでも原稿を書いて売れる東京に帰りたいと思うが、釣りの好きな息子は水郷を離れることを嫌い、竿一本の鮒釣りで母子の生活を支えて行こうとする。子が上級学校に行こうとしないで一介の漁夫になり、自分は東京に戻れずに詩が書けなくなってしまうことを怖れた美子は、淳眞としばしば激しく言い争う。しかし母はいつも息子に負けてしまう。やがて鮒以上に川えびが売れて収入が増えたりしたことで、淳眞は舟を作らせ、自転車を買う。美子は、東京でなければ詩が書けないと思い込んできた自分のことを反省し、子といっしょに水郷生活に溶け込んで詩や童謡を書き、それが雑誌に載ったり、ラジオで放送されたりするようになる。

淳眞は、いつの間にかギターを覚え、作曲にも興味を持って、東京の音楽学校に通いはじめるが、それ以前にまずヘラブナの専門家として知られる。牛久沼周辺に戦後間もなくヘラブナとマブナの交配種と見られる変質ヘラが発生していることを発見、それを「半べラ」と称して、就餌の様態もヘラブナと異なることを、釣り新聞に発表し、論争を巻き起こすことになるのだ。最後は専門の水産学者によって淳眞説の正しさが立証されるのだが、そのしばらく後、思いがけない悲劇が母子を襲う。

水害で決壊した堤防の工事に駆り出されて無理をした淳眞が喀血し、肺結核の診断を下されたのである。幸い東京国立第二病院に入院、半年余り後、手術適応症とされ、二度にわたる胸郭成形手術を受けて無事退院。入院中、ギターを家から持ってきてほしいと母に頼むが、断られると、病院で手に入る材料を寄せ集め、自分で小型ギターを作ってこっそり弾いていたというからスゴイ。

『春鮒日記』は、英美子母子の水郷での終戦直後の生活記録であると同時に、二〇歳そこそこでヘラブナ釣りの名人になり、ヘラブナの専門家になった子淳眞が、胸郭成形手術を受けながら、一転してギタリストとしての道を歩みはじめるまでの物語でもあるのだ。

付言すれば、学生時代の私（曽根）が中林淳眞先生の門を叩いてギターを学びはじめたのは、この七年後の一九六〇年、日活映画「太陽の季節」の音楽（佐藤勝）をギター一本で演奏しているのが先生であることを知ったのがきっかけだった。母堂には間もなく教室でお目にかかったが、英美子についても、井東憲についても、まだ何も知らなかった。

両親の血を受けて文章の名人でもある先生には、『ジプシーを愛した』（昭和四〇年六月、学習研究社）から『心の旅　セレナーデはギターで』（一九九四年九月、自分流文庫）まで、数冊の著書がある。

伊藤整『石を投げる女』

『生物祭』（昭和七年一〇月、金星堂）から『少年』（昭和三一年一二月、筑摩書房）まで計一六冊を数える伊藤整の短篇集の初版本は、今日、いずれも入手し難くなっているが、わけても見かけることが少ないのが第五短篇集『石を投げる女』である。

昭和一三年一二月二〇日、東京市四谷区北伊賀町一二　竹村書房発行。四六判フランス装（折込表紙）二九四頁。定価一円四〇銭。茶色の表紙に白抜きで「石を投げる女」、扉に大きく「伊藤整小説集」、中扉に「小説集　石を投げる女」とあるだけの簡素な装本である。

目次を見ると収録順に「石を投げる女」「蹉跌」「崖の道」「街上で」「転身」「宇津の手記」「斑点」「葡萄園」「石狩」「弓子」と一〇の短篇が並んでいる。第四短篇集の表題作の再録である「石狩」を除けば、伊藤整の愛読者にもおそらく忘れられた作品ばかりであろう。しかし伊藤整についての批評や研究に目を通している人なら、二番目の「蹉跌」についてのエピソードは記憶のどこかに残っているにちがいない。

伊藤整と同時代の批評家で、戦前・戦後を通じて伊藤整の作品に注目し、最も熱心に論じ続けたのは平野謙だが、伊藤整に対する平野謙の関心は、伊藤整がマルクス主義文学運動とのたえざる緊張関係、対抗関係のもとに自らの理論と実作を展開して行ったという点にあった。「蹉跌」は平野謙の中にその関心を初めて植えつけた短篇だった。

新潮社版『日本文学全集48　伊藤整集』(昭和三四年一一月)の「解説」ほかによれば、当時、四谷のアパートの地下室に住んでいた平野謙は、昭和一二年の夏に雑誌『人民文庫』に発表した高見順論がきっかけになって、近くにあった竹村書房の校正を手伝い、出版物の広告文案を書いて毎月二〇円をもらうようになった。そこで『石を投げる女』の校正を担当し、「蹉跌」一篇に出会った。

「蹉跌」は一年半ほど前の『中央公論』昭和一二年七月号に「破綻」という題名で発表された小説だった。マルクス主義の理論的正しさは認めながら、実践運動にかかわることだけは慎重に避け、ひそかに立身出世を目指している利己主義者の商大生が、酒場の女と知り合って同棲するが、その女が現在入獄中の左翼作家のもと愛人だったことがわかる。自分が女を通して思想の実践者を敵にまわすことになってしまったのは、運動からは無関係でいたいという自己の生活信条のみじめな破綻にほかならない。そう考えて彼は行き場を失い、絶望的になる、というのが一篇のあらましである。

　もっともこれは初出の「破綻」のあらすじで、伊藤整は『石を投げる女』に収める際に作品全体にわたって大幅に手を入れ、左翼運動を民族運動に変えたり、ぼかしたりし、題名まで改めてしまっていた。校正を担当してその一部始終を知った平野謙は、このような内容の小説がマルクス主義とは縁がないと思っていた伊藤整というモダニズム作家によって書かれたことに大きな衝撃を受けると同時に、日中戦争開戦直後の時勢の変化に対する著者の敏感な反応にも驚いたという。「蹉跌」によって平野謙はたんに伊藤整という作家を知る以上に、現代小説の基本的な性格についての重要な啓示を得たようだ。ちょうど浅見淵から『早稲田文学』翌一四年二月号に掲載する評論を依頼されていた時だったので、予定のテーマを急遽変更、「蹉跌」を取り上げて「伊藤整論はしがき」とし、その冒頭で、新感覚派以後の現代小説の性格を総括的に眺めて、こう述べた。

「自然主義的人間観とマルクス主義的世界観との間に挿まれ、それを腹背の敵として動乱しながら、せまいひとすぢの曲線を縫ひつけるべく強ひられたところに、現代小説の負はねばならぬ基本的な性格が隠されてあつたのだ。」

　そのような状況の中で「蹉跌」は「まぎれもない現代小説の刻印を担つて」おり、それによって「伊藤整の保持してゐる現代文学性」は誰の眼にも明らかなはずだ、というのである。平野謙最初の伊藤整論は、戦後、広く知られることになる平野謙のいわゆる三派鼎立図式、すなわち昭和文学は私小説とマルクス主義文学とモダニズムの三派鼎立からなるという平野文学史観の素描でもあったのである。

『丹羽文雄選集　第三巻　薔薇』

『丹羽文雄選集』といっても、戦後の改造社版ではなく、戦前の竹村書房版である。古谷綱武編、全七巻。四六判函入り。各巻三〇〇頁前後。定価一円八〇銭。

第一巻　似た女　昭和14・5・20　自伝的作品九篇
第二巻　妻の作品　昭和14・4・20　さまざまな女性を描いた作品八篇
第三巻　薔薇　昭和14・6・20　都会の男女の交流を描いた作品九篇
第四巻　煩悩具足　昭和14・7・20　社会小説五篇
第五巻　海面　昭和14・8・20　マダムもの七篇

第六巻　藍染めて　昭和14・9・20　連載小説二篇　表題作のほか「若い季節」

第七巻　私の記録　昭和14・10・20　随筆感想集

丹羽文雄は前年の昭和一三年には漢口作戦に従事して「還らぬ中隊」（『中央公論』昭和一三年一二月）を発表していたが、それまでに愛欲を主なテーマとして一九冊に及ぶ単行本を出していた。戦時統制のためにそうした愛欲ものさえ出版しにくくなる直前にその種の作品を中心とした自作をまとめて「丹羽の青春の記念碑的作品集」（小泉譲『評伝丹羽文雄』一九七七年一二月、講談社）となっているところに、丹羽のスタートを飾る本選集の意義がある。しかしそれだけではない。

竹村書房は、昭和一〇年前後から戦中にかけて、昭和一〇年代作家の小説を中心に二一〇〇点近い文芸書を発行している。昭和九、一〇年の川端康成『抒情歌』、井伏鱒二『頓生菩提』、尾崎士郎『人生劇場』、武田麟太郎『市井事』、村山知義『白夜・劇場』、室生犀星『女ノ図』、坂口安吾『黒谷村』あたりから、少し下って高見順『女体』『虚実』『私の小説勉強』、坪田譲治『お化けの世界』『風の中の子供』、小田嶽夫『城外』、中野重治『小説の書けぬ小説家』、太宰治『愛と美について』『皮膚と心』など、後世に残る良書が少なくない。伊藤整も小説集『石を投げる女』の前に評論集『小説の運命』を出している。丹羽文雄は『閨秀作家』をはじめ数冊の小説や小説集をすでに竹村書房から刊行していた。しかし竹村の本は単行本がほとんどで、このような選集は丹羽文雄以外には出ていない。丹羽が昭和一〇年代初めの第一の流行作家だったからであろうが、雑誌『鷭《ばん》』で知り合っていた古谷綱武が丹羽と書房主竹村坦にすべてを任されて編集を買って出たからでもあろう。

昭和一四年一月末、古谷は丹羽文雄の一九冊の著書と原稿用紙を抱えて湯河原の高杉旅館分店の一室に仕事場を構え、一月足らずで編集の大筋を決めた。それに従って選集は前掲のように同年四月から一〇月まで毎月二〇日に巻数順にきちんと出て完結した。当初は別巻として古谷の丹羽文雄論が刊行される予定だったが取り止めになった。また各巻には二頁の月報が挟み込まれていた（一部未確認）。

全巻を通じて巻末には当該巻作品年譜、古谷綱武の解説のほか、資料的に貴重な年譜や目録が付されている。とくに注目されるのは第三巻の「執筆総年譜」と第四巻の「加盟同人雑誌一覧」で、後者には尾崎一雄、山崎剛平、逸見廣《へんみひろし》の援助があったという。

ここでは、著者自身の詳細な控えの提供を受けて作成されたという「執筆総年譜」を取り上げよう。この年譜は大正一五年から昭和一三年までに発表された、単行本未収録の作品や片々たる随筆・感想類を含む、著者のすべての著作を網羅するよう完全を期したという。もちろん完璧とはいえない。洩れや詳細未詳のものもあるだろう。だが、目を留めたいのは、執筆点数の多い後半の昭和一〇年九月から一三年一一月までの分については、著者の控えに従って、すべての著作が発表順でなく、執筆順に配列されていることである。

著作年譜における著作の配列は、その著作が掲載された刊行物の奥付等に記された発行日ではなく、当該刊行物の実際の発売日の順に従うのが最も合理的、理想的だが、過去のすべての刊行物について発売日を確認するのは至難のことなので、発行日を基準に配列しているケースがほとんどである。限られた時期についてではあれ、執筆順の著作年譜はその慣例の不合理を反省させ、執筆順という配列の意味を再確認させてくれるだろう。その一点だけに限っても、この選集は記憶に値するのである。

島木健作『再建』

昭和一〇年代初頭に丹羽文雄と並んで注目されていた新進作家は、島木健作で、「島木・丹羽時代」という人までいたようだ。いわゆる純文学の分野で、誠実な転向作家と手だれの情痴作家が、およそ異なった内容と作風で競い合っていたのだ。時代の転換期だったからという説明だけでは十分ではない。当時の文壇や読者や出版界が純文学小説に何を求めていたのかという問題も考えてみなければならない。

丸谷才一の近著『文学のレッスン』（新潮社）によれば、漱石などの例外を除いて長篇小説の伝統がなかった日本の近代文学に、長篇が求められるようになったのは昭和一〇年代で、河出書房の「書きおろし長篇小説叢書」がそのために大きな役割を果たした。それが戦後に受け継がれて大岡昇平、野間宏、三島由紀夫の長篇になったという。

丸谷の考えているのは、昭和二三年から始まった椎名麟三『永遠なる序章』、中村真一郎『シオンの娘等』、三島由紀夫『仮面の告白』、野間宏『青年の環』などの河出版第二次「書き下ろし長篇小説叢書」のことらしい。このシリーズが中断して、昭和四〇年代になって同じ河出から三度目の書き下ろし長篇小説叢書が出る。その一冊、丸谷自身の『笹まくら』の挿し込みに、堀田善衛が戦前の「書きおろし長篇小説叢書」のベストセラーで中野重治の酷評を浴びた島木健作の『人間の探求』を取り上げて、書き下ろしのプラスとマイナスについて書いている。丸谷の頭の中には、日本の長篇↓河出の戦前・戦後の書き下ろし長篇小説叢書↓自作『笹まくら』という回路が出来ているのか、長篇を書き下ろし長篇に代表させて、河出書房の功績をやや過大に評価している傾向がある。

「文学復興」が叫ばれた昭和八年頃から、文壇では大衆文学に対抗して「純文学長篇」への要望が高まっていたことは、横光利一「純粋小説論」を引き合いに出して説くまでもないだろう。その際に、わが国の小説発表メディアのほとんどが月刊総合誌や純文芸誌であるため、作品の大半が身辺雑記的な読切短篇になりやすいこと、その壁を突破するためには雑誌の連載小説を増やしたり、雑誌への長篇一挙掲載を試みたり、作家と出版社が協力して書き下ろし長篇を刊行したりする必要があることなどが盛んに論議された。

当時、長篇の刊行に最も積極的だったのが徳永直、武田麟太郎、立野信之ら旧プロレタリア作家だったことも今では忘れられている。昭和一〇年から一二年にかけて彼らを中心にして「長篇小説刊行会」が生まれ、雑誌『長篇小説』が創刊された。そうした機運が純文芸誌への長篇一挙掲載や書き下ろし長篇小説叢書の刊行を促したのである。

月刊文芸誌への長篇一挙掲載は『文藝』昭和一一年八月号の石坂洋次郎「麦死なず」四八〇枚を嚆矢とする。『新潮』『文學界』もこれにならい、一二年二月号に福田清人「国木田独歩」、三月号に岡本かの子「母子叙情」をそれぞれ掲載、以後慣例化する。

文芸雑誌を持たなかった河出書房がここに果敢に喰い込んで行ったのが、昭和一二年一〇月からスタートした「書きおろし長篇小説叢書」によってだった。当初の予定では全一〇巻。年内に丹羽文雄『豹の女』、島木健作『生活の探求』、村山知義『新選組』、阿部知二『幸福』、立野信之『恋愛綱領』の五冊が相次いで出た。その中で続巻と併せて圧倒的に売れたのが『生活の探求』であり、そのために同叢書は良くも悪くも『生活の探求』と結びつけて語られることになった。

しかし厳密にいえば『生活の探求』は島木の書き下ろし長篇の二作目であり、一作目は「わが純文学作家の間に具体化しつつある書き下ろし長編小説運動」に賛同し、「私の過去のほとんどすべてが打ち込まれてゐる」と「あとがき」にいう『再建』にほかならない。『再建』は雑誌『社会評論』に連載されていたが、昭和一一年八月、雑誌の廃刊と同時に中絶、その後は書き下ろされて、昭和一二年六月一日、中央公論社から出版された。四六判、本文六四二頁、機械函入り、定価一円六〇銭。装幀・ブブノワ。不幸にも旬日後に発禁になったので、本としては、わずか四か月後に面目を一新して書き下ろされてベストセラーになった『生活の探求』の蔭に隠れてしまったが、小説としてどちらを採るべきかは、中野重治の評価にもかかわらずなかなか難しい。

雑誌『新若人』

『新若人』は、たとえば太宰治がアッツ島で玉砕した年少の友人のことを書いた短篇「散華」の掲載誌として、近代文学関係でも一部では知られている。しかし戦時下の雑誌でもとりわけ散逸がはげしく、なかなか揃いが見られない。もう三〇年以上も前に、日本浪漫派や三島由紀夫関係が専門の神田の山口書店の奥の棚の上に何十冊かが紐で束ねられているのを見たことがあるが、売値は怖くてきけなかった。

最近、『新若人』の名は、近代文学の枠を越えて一挙に広まった。佐藤卓己『言論統制――情報官・鈴木庫三と教育の国防国家』（中公新書、二〇〇四）が、戦時下の言論統制に絶大な権力を揮った陸軍少佐・鈴木庫三の日記を発見、関連資料を博捜し、『新若人』が鈴木庫三が欧文社（昭和一七年より旺文社）の赤尾好夫に働きかけて創刊させた、青年学生向けの重要な発言メディアだったことを明らかにしたからだ。巻末の年譜を見ると、座談会を含めた情報官時代の鈴木の著作の多くは『受験旬報』『新若人』『新武道』など欧文社の雑誌に発表されている（ただし年譜の一部のミスは重版でも訂正されていない）。

ついでに記しておくと、欧文社が最初に出した雑誌『受験旬報』（昭和一六年より『蛍雪時代』と改題して現在も刊行中）の「受験短篇小説」の当時の常連入選者に山田風太郎がおり、戦後の昭和二四年に復活した第一回「学生小説」二等入賞者に都立十高一年の長部舜次郎（黒井千次）がいる。

しかし『新若人』は受験雑誌ではない。昭和一五年九月創刊、月刊、菊判二六一頁、五〇銭。誌名の上に「全日本学徒知的綜合誌」とある。発行所は欧文社だが、欧米と戦争中なのにまずいということで、昭和一七年八月から旺文社と変更。誌名と角書きは一七年六月から左横書き。角書きの字句も少しずつ変って、しばらく「全日本青年学徒革新的綜合誌」に落ち着くが、昭和一八年頃から誌名は縦書き、角書きも単に「青年雑誌」になり、頁数も減る。昭和二〇年五月号（六巻五号）まで五七冊を確認。

赤尾好夫と鈴木庫三の間で雑誌を出すことが決まったのは半年以上前のことで、創刊号のグラビアには昭和一五年六月五日に上野精養軒で開かれた「新若人」披露宴の写真が出ている。国防や青年教育についてドイツを理想としていた鈴木は赤尾を説いて、創刊号にヒットラーユーゲントの駐日代表、ラインホルト・シュルツェを招き、教育官僚や青年教育の専門家との座談会を開いた。冒頭、司会の赤尾はこの雑誌が中学校、高校、専門学校、大学の学生に積極的な社会意識を持たせ、国家本来の方向に進ませる目的で生まれたものであると力説。以後、一年余り、鈴木庫三はほぼ毎号学徒や教育関係者やジャーナリストたちとの座談会（会場は上野精養軒、帝国ホテル、赤坂幸楽など一流、写真入り）で過激な国家主義的思想を滔々と語り、単独の論文も寄稿している。昭和一五年一二月号の「新体制下学徒の声を訊く（座談会）」では出席の帝大、商大、早慶、一高らのエリート学徒らに対して、赤尾好夫は「鈴木少佐は勿論軍人さんですけれども、一寸変つて居まして、情報部に於て、新聞とか雑誌といった方面の指導をやられ……現在の日本の新聞雑誌の非常に多くのものが、鈴木少佐の御指導の下に行はれて居る」と紹介。学生の中にはのちにすぐれた近代文学研究者になった文理科大の関良一なども いて、鈴木とやりあっている。

昭和一八年以後、日本の敗色が濃くなると、雑誌は急激に勢いを失い、誌面は悲愴になってくる。そして最後の二〇年五月号には「神風特攻後続隊隊員ヲ募ル」広告まで掲載される。

そのようなエリート青年学生たちの戦意高揚を第一の目的にした雑誌だったから、小説や文学者の寄稿は添え物にすぎなかった。しかしまたそれだけに全集や目録に洩れている作品も多い。その中から紙数が許すかぎりでいくつかの短篇を掲載年月順にあげておこう。

武田麟太郎「若い友情」（昭和一五年九月）、阿部知二「少年二景」（一二）、丹羽文雄「柳屋敷」（昭和一六年四月）、中河与一「ゴム園誕生」（五）、円地文子「若い力」（同）、伊藤整「砂谷村風土記」（六）、寒川光太郎「サガレン風土記」、尾崎一雄「海を越えて」（一一）、福田清人「若い城」（一二）、火野葦平「一週間」（昭和一七年一月）、福田清人「篝火と歌」（三）、深田久弥「記念祭前日」（昭和一八年二月）、福田清人「浦敬一」（三）、上林暁「機部屋三昧」（五）、同「龍舌蘭の友」（一一）、太宰治「散華」（昭和一九年三月）、石川淳「義経」（七）、井伏鱒二「山上陣地」（九）。

青柳優『批評の精神』

谷崎精二が中心役をつとめた第三次『早稲田文学』（昭和九年六月〜一四年三月）は、昭和一〇年代に早稲田派とその周辺の文学者たちが戦時下で執筆を続けるための拠点になった。井伏鱒二、尾崎一雄、丹羽文雄、浅見淵、逸見廣、稲垣達郎らの先輩たちが後進を育て、砂子屋書房、竹村書房、赤塚書房、大観堂などといった良心的な小出版社が脇からそれを支えた。

その中から青柳優、寺岡峰夫、市川為雄らの批評家が出た。最年長の青柳優は、昭和一〇年から一九年まで足かけ一〇年にわたってほとんど毎号のように評論や時評や書評を書き、時勢に阿《おもね》ることなく文学と批評の本質を追求しようとして、一時編集同人にもなったが、終戦間際に病を得て昭和一九年七月に四〇歳で亡くなった。後に次の三冊の評論集が残された。

『現実批評論』昭和14・1・20、赤塚書房刊、四六判フランス装一四〇頁、八〇銭。

『文学の真実』昭和16・4・10、赤塚書房刊、四六判三一九頁、函入、二円。

『批評の精神』昭和18・8・25、南方書院刊、B六判三一四頁、二円七銭。

寺岡峰夫も岩野泡鳴、徳田秋声、瀧井孝作らの作家論を軸にした評論集『文学求真』（昭和一五年七月一〇日、砂子屋書房）を出したが、青柳優にわずかに先立って病没。市川為雄は評論集『現代文学の理想』（昭和一六年九月二〇日、赤塚書房）をまとめている。これらのうち『文学求真』と『文学の真実』には浅見淵が、『現代文学の理想』には谷崎精二が「跋」を寄せている。

青柳優の評論は読んだことがないが、名前だけは聞いたことがあるという人もいるだろう。大正一五年夏に渡米した若き日の石垣綾子（当時は旧姓田中）に棄てられた恋人として。『早稲田文学』昭和一九年八月号の「青柳優君追悼録」にも寄稿している川副国基が、戦後の早稲田の教壇で、二人の実らなかったロマンスの語り部になったようだ。石垣自身、帰国後、かつての恋人の死を知り、彼との情熱的な恋愛について何度も詳しく語ることになるのだ。

信州安曇野代々の医家で観光地上高地の開発者でもある青柳家の三男として生まれた青柳優は、松本中学で唐木順三と同級、病気で落第して臼井吉見、松本克平、古田晁《あきら》らと同期になったという。間もなく日本女子大を出て東京にいた姉寿々子を頼って上京、早稲田第二高等学院に入学、寿々子の友人の妹の綾子と知り合う。当時は過激なダダイスト兼アナキストで、『散文精神の内的壊体である』という奇妙な名の雑誌を出したのもこの頃らしい。雑誌『稲人』『世紀文学』を経て、昭和四年から一〇年前後にかけてアナキズム運動に没頭。丹沢明の名で『黒色戦線』『アナーキズム文学』『文学通信』などに発表した詩や評論は、秋山清、大澤正道らによって再評価を求められている（『日本アナキズム運動人名事典』ぱる出版、二〇〇四）。丹沢明時代を含めた「青柳優著作目録」も最近ようやくまとめられた（水野岳編、『語文』一三六、二〇一〇）。

『早稲田文学』に青柳優の本名で登場するのはその後ということになるが、アナキズム運動壊滅後の転向というより、ジャンルと舞台を移動させることによって時代に対抗する自己の文学の理念を貫こうとしたかのようにも見える。『早稲田文学』の評論家になってからの批評の主な対象はいうまでもなく同時代の小説だが、三冊の本に収められた評論には戦争や非常時の題材を描いた具体的な作品や作家はあまり出て来ない。それよりもこの時代に誠実な生活者であるためには文学はどうあらねばならぬか、とくに批評はいかにあるべきかという、人間と文学にとって根本的、原理的な問題が客観的、論理的に追求されているのだ。浅見淵が前掲の「跋」で「本格的な文芸評論家」といいながら、同時に著者個人の「感情」の「流露」をも求めずにはいられなかった所以であろう。

最後の評論集『批評の精神』には丹羽文雄や高見順の戦記ものや伊藤整の得能ものに対する彼自身の感想が述べられているが、あくまでそれは作品の主人公を通じての文学的感想であり、戦争と作家の現実に対する距離は依然として保たれている。臼井吉見は『安曇野』第五部（筑摩書房、一九七四）で、青柳優の評論で「時代に迎合し、妥協したものは、ただの一行もない」と記し、この種のものはマルキシズム陣営では『楽しき雑談』の中野重治と、アナキズム陣営では『批評の精神』の青柳優のほかに知らない、とまで言い切っている。

回覧雑誌『榎』

戦争中、郷里の松本女子師範の教員を辞めて上京、旧制松本高校以来の莫逆の友、古田晁が創立した筑摩書房のブレーンになった臼井吉見は、古田と知り合う前の松本中学時代から時流に機敏な文学少年だった。長塚節『土』の影響もあって、中学五年のとき校友会雑誌『校友』（大正一二年一月）に「ある山小屋での出来事」という姦通小説を発表して学校中の話題になったことはすでに伝説に属する。『土』と同じ「勘次」という主人公名の三〇枚ほどのその短篇は晩年の『安曇野』第一部（一九六五年、筑摩書房）に巧みに取り込まれたあと、『ほたるぶくろ』（一九七七年、同）に「むかしのアルバム」として他の初期作品とともに再録された。ところがそのあとの大正一四年一月の松本高校校友会雑誌には、隠喩に富んだ「た」止めの短文を連射した約五〇枚の新感覚派的文体の小説「薔薇凍えず」を発表、赤い屋根のアトリエに住む都会の少年に憧れた村の娘の哀れな生涯を描いた。かと思えば、同年暮から翌一五年には「十一月の憂鬱」「白き手」といった萩原朔太郎風の詩を作っている。その掲載誌『雲』

の名が『文芸市場』大正一五年四月倍大号「全国同人雑誌関係者一覧表」に登載されているのを戦後になって目敏く見つけた高見順は、松本高校文芸部発行とあるから臼井は当時松本高校生だったものと思われると『昭和文学盛衰史』で推定。長塚節から横光利一への突然の変化については、『ほたるぶくろ』の「あとがき」に著者自身の解説、というより弁解がある。「横光利一ないし新感覚派なるものの魅力と影響が、いかに強力かつ浅薄であったか、そのへんの奇妙な消息は、いまとなっては、若い読者にわかってもらえそうなすべとてない。その意味では、文学史上の一資料として、意外なお役に立つかもしれない」。

しかし高校時代の同人雑誌は『雲』だけではなかった。松本高校に進学した大正一二年の九月に関東大震災が起こった。その瓦礫の跡に新しい演劇や文学の運動が花開くのは翌一三年になってからで（六月築地小劇場開場、九月『文芸時代』創刊）、松本高校の文学青年たちも強い衝撃を受けるわけだが、その前に仲間たちと別の回覧雑誌を作っていた。

『榎』という菊判袋綴じ一六〇頁ほどのその雑誌の第一号がたまたま手もとにある。巻頭の辞の日付は大正一三年一月三〇日。数名が各自ペン書きの原稿を綴じ合わせて薄い表紙を被せたもの。執筆者は臼井吉見、草間修二、筒井直久、上原義人、北村直英、日比耐二、春宮千鉄の七名で、井上薫が表紙（水彩画）と扉を描いている。中心は随筆「栗の落ちる音と炬燵と」と創作「兄と弟」を寄せている臼井吉見と、老いた小学校の代用教員を同情的に眺めた創作「山浦先生」の作者草間修二で、それ以外の詩歌や論文や随筆には見るべきものがない。無署名の巻頭の辞を書いているのも筆跡から見て明らかに臼井吉見である。だがもちろんここには第一次大戦後あるいは震災後の前衛芸術運動の胎動は聴き取れない。「栗の落ちる音と炬燵と」は、町中の真夜中の下宿で村の家の裏の栗林に落ちる栗の音を聞き、郷里の短い晩秋を思い出すという十数枚の、なかなか味わい深い随筆だ。「兄と弟」は失恋による神経衰弱で実家に帰省中の高校生の妄想を戯曲のト書き風に書いた一〇枚余りの創作で、いかにも大正演劇的。関東大震災の余波は及んでおり、「余震挿話」と改題されているが、小説にも戯曲にもまとめかねて途中で放り出した印象が強い。

この一年近くあとの大正一三年一二月、高校二年の臼井吉見は同じクラスの井上薫の案内で初めて震災後の東京を訪れ、築地小劇場でゲオルグ・カイザーの「朝から夜中まで」を観て村山知義の構成派的な舞台装置に圧倒される一方、横光利一らの新感覚派的文体に惹かれて行く。万葉集や茂吉や赤彦の短歌に沈潜するのは、さらにそのあと一転してからだが、この回覧雑誌にはそうした嵐の前の安曇野の人、臼井吉見の生地がうかがえるようだ。

誌名の「榎」は旧制松本高校の校庭にあって「筑摩の森」と呼ばれた一〇本ほどの大榎か

ら採ったものか（和田芳恵『筑摩書房の三十年』参照）。窓からその榎を眺めたと思えないでもない表紙と扉絵を担当した井上薫は、千葉県布佐の生まれ、東京開成中学を経て松本高校に入学、絵が得意で臼井と親しかった（「私の履歴書」）。松本高校卒業後、東大経済学部を出て、第一銀行に入行、戦後、勧銀との大合併を実現して第一勧銀（みずほ銀行）の会長になった。

金井融遺稿集『永遠なる郷土』

大正末年に旧制松本高校生だった唐木順三、一級下の中島健蔵、二級下の臼井吉見らに大きな文学的影響をあたえたのは、彼らより数年年長で、大正一一年、中島健蔵らとともに入学し文芸部の委員長になった金井融であった。金井は上田中学校時代から代用教員のかたわら詩と評論を書き、エマスンやホイットマンにならって郷土の自然を通して永遠なるイデーを求めるといった、いかにも旧制高校生的な観念性と浪漫性をそなえた詩人・批評家だった。

臼井吉見らが回覧雑誌『榎』を出した直後の大正一三年二月に『信濃毎日新聞』に連載した代表的評論「ネオ・ロマンテシズム」では、イプセン、ツルゲーネフ、ニイチェ、ロマン・

ロランらの例をあげ、ロシアや西欧の世紀末の絶望、悲哀、虚無の先に強靭な意志とヒューマニズムに支えられた新しいロマンティシズムを望見した。第一次大戦と関東大震災直後という大転換期にしては、いささか古いといわざるを得ないが、文芸部委員長としての金井のリーダーシップと、高原をうたった詩や美文調の評論は年少の生徒たちの心を捉えて離さなかったようだ。

文芸部の委員に加わった臼井吉見が、一年後に校友会雑誌に発表した横光利一ばりの小説「薔薇凍えず」の末尾に添えた金井融への献辞には、金井に対する畏敬とともにひそかな批判もこめられていたかもしれない。翌大正一四年、北海道への旅に出た頃が自然詩人としての金井融の絶頂期だったろうと、後年の臼井はいっている。

金井融は『安曇野』第四部のはじめに大学生として実名で登場する。旧制高校時代から詩作を試み、鬱屈した心情を託そうとして失敗した後、マルキシズムの嵐に襲われて本来の浪漫的世界観と唯物史観との間で苦悶。心身ともに疲れ果てて卒業すると、伊那中学の教師になるが、再上京。その金井が郷里に近い佐久の小学校で、アナキスト石川三四郎の話を聞いて感動するのだ。もちろん二人の出会いは臼井のフィクションである。

実際の金井融は、大正一四年、松本高校を卒業して東大文学部美術史学科に入学、学資を得るために郷里との間を往復しながら中学校の教員をつとめ、信濃の旧友たちと雑誌『高原』『高原パンフレット』などを通じて文学活動を続ける一方、大学では帝大新聞社に入り、文芸欄を担当、自らも同紙に多くの評論を発表した。昭和三年、大学卒業と同時に、伊那中学校に赴任するが、二年後に上京、国民教育新聞の編集部員になった。その一年余り後の昭和八年一月、本郷の下宿で急死。

京大哲学科を卒業して当時東京にいた唐木順三は四日前に金井の下宿を訪ねていた。彼は風邪だといって寝ていた。訃報は東大国文学科を出て福島県の中学校の教員になっていた臼井吉見のもとにも直ちに届いた。金井がマルクス主義と悪戦苦闘していたことをよく知っていた臼井は、やったナと思ったという。死因が脳出血だと知らされてからも、精神的には自殺に等しいと思ったらしい。

唐木順三は昭和八年二月一〇日付の『信毎』に「金井融君の死」と題する追悼文を寄せ、かつての彼の愛読者たちに遺稿集刊行への協力を求めた。遺稿集『永遠なる郷土』は、昭和八年七月一〇日に東京本郷駒込曙町の金井融遺稿刊行会から発行された。菊判二二四頁。函入り。架蔵本に挟み込みの謄写版刷「会計報告」によれば、部数三五〇部。本文は詩、評論、ノートの三部からなり、巻末に書簡と詳細な年譜と目次を付す。奥付上に「編輯委員」として臼井吉見以下一三名の名が五十音順で並んでいる。なぜか唐木順三の名がないが、中島健蔵の名はある。中島健蔵『自画像　第四巻　揺れ動く青春』（一九六九、筑摩書房）には金井融が「デカンショ」タイプの文学青年の「老兵」としてやや距離を置いて描かれ、文芸部に入らないかといわれた「健蔵」は彼の誘いを断っている。

遺稿集が出ると、今度は臼井吉見が昭和八年八月二九〜三一日付『信毎』に「『永遠なる郷土』―金井融について―」を三回連載した。『ほたるぶくろ』（一九七七、筑摩書房）「むかしのアルバム」所収。

ちなみに「編輯委員」の最後に名を連ねる山崎武雄は『大学左派』や『集団』の町田純一、『日暦』以後の澁川驍《ぎょう》の本名。昭和二年、佐賀高校から東大倫理学科に入学、松本高校から同学科に進んだ古田晁と知り合い、帝大新聞社に入って金井融の下で記者になっていた。

衣巻省三「けしかけられた男」

昭和一〇年の第一回芥川賞の受賞作は石川達三「蒼氓」だったが、落選した太宰治が川端康成に嚙み付いたのも無理はないほど選考経過には問題があった。太宰の候補作は「道化の華」だったはずだが、途中から「逆行」に差し換えられた。外村繁「草筏」、高見順「故旧忘れ得べき」、衣巻省三《きぬまきせいぞう》「けしかけられた男」を加えた五作を瀧井孝作が最終候補に選んだのは発表の一〇日前。いずれものちに長篇にまとめられるか短篇集に収められたが、「けしかけられた男」だけは本になっていない。昭和九年一〇月から翌一〇年五月まで中河与一主宰の『翰林』に都合七回連載、三〇〇枚余りで完結しているにもかかわらず未刊のまま。あるいは少部数の私家版のようなものが出ているかもしれないが、未見である。

太宰治の作では「逆行」より「道化の華」の方がいいといった川端康成は、「けしかけられた男」により強い関心を示し、「皮肉に云へば、今日の新しい小説論の見本の如きものなれど、五篇のうちにては最も新味あり、詩人的感性を脱せんとして能はざるところに、自らその輝きあり、所謂「楽屋が舞台の如き小説」としての努力見るべきなれど、欠点もまた多ければ当選は困難である。肝腎の中心人物新しい娘が人間と人形の合の子、「私」の独善的な見下しは反省の余地あると思ふ」と言葉を費やした。他の二、三の選評も好評である。

作品の舞台は大森界隈。近くに住む仲間の若い画家や詩人や外国文学者にけしかけられて小説を書きはじめた「私」が、自分と彼らとの往来や、小説の構想や執筆の過程を書いた作品で、ジイドなどの影響を受けて、小説の表現対象を作者の生活や意識や作品の制作過程にまで拡げる一方、その分だけテクストの虚構性を浮かび上がらせるという、現代小説の新しい方法を打ち出した試みの一つとして、横光利一「書翰」、森敦「酩酊船」などを受け、太宰治「道化の華」、石川淳「佳人」などに連なる系譜に属する中篇である。

中心人物は当の小説の作者である「私」、妻子を郷里に残している仏文学者の「上村」、彼に保護され、彼の「恋愛」の相手で語学の得意な才女「長三千子」。ほかに前衛的な詩人で画家の「北地」という共通の友人が出てくる。他の若い文学青年たちを含めて、モデルも問題になったようだが、すぐわかるのは、自分が芸術的に脱皮するたびに「北地克己」「悪坂友衛」「小松理一郎」というように名を改めるという「北地」こと北園克衛だ。『円錐詩集』とか、純日本的になった彼の最近の詩の是非も論じられる。北園克衛は早くから衣巻省三と親しく、一時馬込に住んだこともあるらしい。丸山薫の著名な詩「砲塁」も「友人K・M」が「私」のことを唄った詩として引用される。結びでは、上村と三千子の間に「私」が入り、二人を別れさせ、上村が持ち去った三千子の日記を返させる。だからといって「私」と三千子の恋愛が始まるわけではない。最後に北地がいう、「楽屋が舞台のやうな小説完成したかい」。

近藤富枝『文壇資料　馬込文学地図』（昭和五一年一〇月、講談社）によれば、昭和の初めに馬込の萩原朔太郎の家でダンスパーティーが開かれ、それが一因で朔太郎は妻と離婚したといわれるが、萩原家の前にダンスの会場になっていたのは衣巻家だったという。衣巻夫妻はダンスの得意なモボ・モガのはしりで、そもそも知り合ったのが帝国ホテルのダンスパーティー会場だった。既婚の年上の美しい妻は「天下の糸平」と呼ばれた実業家田中平八の孫で、衣巻の実家も金持だったので、馬込に贅沢な新居を構えることができた。

衣巻省三（一九〇〇〜七八）は稲垣足穂と同年の生まれで関西学院の同窓、上京して佐藤春夫を一緒に訪ね、足穂の面倒を見た。昭和五年頃から伊藤整や『文芸レビュー』のモダニズムの若い新人たちと交わった。詩集『こわれた街』（昭和三年七月、詩之家出版）、短篇集『パラピンの聖女』（八年四月、金星堂）、詩集『足風琴』（九年八月、ボン書店）はいずれも稀覯書。このあと短篇集『黄昏学校』（一二年八月、版画荘）がある。

戦中・戦後も依頼に応じて短篇や小品を書き続けたが、私生活については語らなかった人だけに、近藤富枝前掲書の最晩年の聞き書きは貴重。海野喬「衣巻省三著作年表」（『舢板』Ⅲ-4、二〇〇三）のような調査の継続と発展を期待すると同時に、森敦『酩酊船』（平成二一年八月、筑摩書房）のように、幻の「小説の小説」の刊行への夢を抱き続けたい。

評論雑誌『現実へ』

澁川驍（本名・山崎武雄）は、最晩年、『黒南風』（一九六六、筑摩書房）に続いて旧制佐賀高校から東大入学までの青春時代を描いた自伝的四部作『潮間帯』の完成に力を注いだ。第一部『黒南風』改訂版と第二部『潮目』は一九九二年七月に青桐書房から二冊同時に出た。その半年後に作者は八七歳で亡くなったが、翌九三年一〇月に第三部『暗礁』、第四部『蜃気楼』が遺族の手で同時に刊行され、ライフワークはめでたく完成した。残念なのは、それらを含めて、昭和初年以来の長い履歴を持つ澁川驍の作家、評論家、図書館人としての仕事全体についての紹介や評価がいまだにほとんどなされていないことだ。

『潮間帯』最後の第四部で主人公の早坂幹雄は、昭和二年、二浪の末、東大倫理学科に入学、帝大新聞の編集部に入り、映画研究会にも加わり、大学内のさまざまな同人雑誌からの勧誘を受けてプロレタリア小説を書きはじめる。つまり『潮間帯』は作者が帝大系の『大学左派』『十月』に池田寿夫《ひさお》、武田麟太郎、高見順らとともに「町田純一」として登場するまでを描いているのだ。

昭和五年三月、東大倫理学科を卒業すると東大図書館に就職。在学中、帝大新聞の編集を通じて知遇を得ていた仏文科の助教授で図書館の司書官でもあった森鷗外の女婿、山田珠樹の紹介による。

倫理学科同期の卒業生は、井口世雄、岩崎二雄、小沼洋夫、関谷謹之助、高岡潔、長尾実玄、野中義夫、古田晁、宮崎寛、矢島羊吉、山崎武雄の一一名。彼らは卒業と同時に、敢えて「評論雑誌」と銘打って『現実へ』という同人雑誌を創刊した。マルクス主義運動全盛の時代を反映して「原理」より「具体的な現実」を重んじようとする姿勢が題名にも誌面にもあらわれている。古田晁はのちの筑摩書房の創立者。一周忌記念に配られた『回想の古田晁』（一九七四、筑摩書房）のなかで澁川驍はこの雑誌のことに触れている。矢島羊吉、宮崎寛、小沼洋夫が主に書いたが、のちに同人を拡げることになり、武田泰淳が大島覚の筆名で加わった。古田は卒業後すぐアメリカに行ってしまったので、ほとんど評論らしいものを発表していないといい、第三号（昭和五年一〇月）に寄せた感想「アメリカだより」の一節を引いている。

しかし雑誌に当ってみると、古田は創刊号にも「所謂「科学の階級性」に就いて」という論文を書き、エンゲルスやデボーリンに拠って田辺元博士の説を批判し、哲学や社会科学と同様、科学も歴史性と階級性を免れるものではない、と堂々と主張している。ところが表紙の目次では古田晁が「吉田晃」になっている。昭和一五年一月一日付の筑摩書房創業の挨拶状で古田晁が吉田晃に誤植されたまま発送されたというのは有名な話だが、その前に『現実へ』でも同じ目に遭っているのだ。

創刊号は昭和五年四月一日発行、編輯兼発行者　矢島羊吉、発行所　30年社、菊判六六頁、定価三〇銭。昭和九年一〇月まで通巻一六号。澁川驍は創刊号に「文学における視覚的要素の重要性」、二号（昭和五年六月）に「芸術形式の階級的創造について」、五号（六年四月）にゲオルグ・ルカッチの翻訳「新しい内容と古い形式」、六号（六年七月）に「文学の構成と距離の問題」、八号（七年三月）にコント「星空」を町田純一名で、一三号（八年六月）に映画評「巴里祭その他」、一四号（八年一〇月）に「永遠の良人」を帝大新聞と同じ堀重二名で、一五号（九年六月）にエッセイ「作家と手紙」を山崎武雄名でそれぞれ書いている（「澁川驍」の筆名は昭和八年九月創刊の『日暦』以降）。

武田泰淳が大島覚の名で発表しているのは耶霊の小説「駅頭」訳（一三号、昭和八年六月）、「馮玉祥「入露日記」より」（一四号、八年一〇月）、「民族文化について」（一五号、九年六月）、随筆「淡島漁場」（一六号、九年一〇月）の四篇。いずれも『中国文学月報』創刊前の作品で、「民族文化について」を除いて全集未収録。
なお『現実へ』についてはすでに飯澤文夫氏によって本誌六七九号（昭和六一年一月号）に解題と総目次が発表されている。ここでは前々回の金井融、古田晁らとの関連で、澁川驍を中心にあらためて取り上げた。

雑誌『鳰の巣』

和田芳恵の名著『筑摩書房の三十年』（昭和四五年一二月、筑摩書房、非売品）が筑摩書房創業七〇年を記念して復刻され、筑摩選書の一冊として市販された（二〇一一年三月）。本文は見出しを加えただけで、もとのまま。最初の方に、伊那中学校の教師になった臼井吉見が同人雑誌を出したいというので、古田晁が他言しないことを条件に費用を出したことが書いてある。「臼井吉見の編集で、伊那から同人雑誌『鳰《にお》の巣』が昭和十三年五月に創刊された。同人は臼井吉見と、高岡市にいた北沢喜代治、それに松本市の田中富次郎の三名であった。三人とも教師なので、休みを利用しては松本で落ち合い、入念に計画を立てた。表紙は中川紀元がかいた。この三人ではじめた同人雑誌の『鳰の巣』は、三号で終ってしまった。北沢喜代治が創刊号に載せた「日之島の女」を宇野浩二が認め、それがきっかけで、北沢の「雁の書」を、『早稲田文学』の新人号に推した。「雁の書」は、文芸時評で伊藤整が採り上げたりした。／北沢が『鳰の巣』二号に載せた「最後の銀貨」のため、雑誌は発禁になり、臼井吉見は伊那の警察へ幾度も呼び出された結果、始末書をとられた。／田中富次郎は、島崎藤村の影響をうけた小説を書き、臼井吉見は評論も書いたが、長篇小説「稲妻」を載せはじめたところで廃刊し、中絶した。／どうして、『鳰の巣』が三号雑誌に終ったかは、はっきりしないが、発禁が、教師の立場にあった同人たちに、心理的な圧力を加えたためであろう。」

復刻版から引いたが、『鳰の巣』の「鳰」にルビが付けられたほかは、発禁になった二号の表紙の写真も、元版とまったく同じ。創刊が「昭和十三年五月」というのは最初から誤りで、正しくは「昭和十二年五月」だが、そこまで元版のままである。

北沢と田中は先輩臼井の後を追って松本高校から東大国文学科を出て地方の国語教師になった。二人とも毎号小説を書いている。北沢は真面目な教師と遊女とのかかわりを双方から語るのが巧みで、早くから宇野浩二に気に入られ、終戦前後には宇野夫妻の松本への疎開の面倒を見た。宇野の『思ひ草』（昭和二五年六月、六興出版社）に当時のことが書かれている。

『鴂の巣』の創刊号を読んで宇野浩二が認めたという「日之島の女」も、三〇過ぎの教師が一人旅に出て三国の遊廓をさまよい、九州の小さな島から流れてきた若い女に寝ながら島に帰った後の夢を聞かされるという話だが、女の話が終ると今度はいきなり「私」の方が熱っぽく語り出す。近くの東尋坊で自殺したという友人「八百清顕」の話だ。女は知るはずもないが、読者には「八百清顕」と聞いてハッと思う人もいるだろう。唐木順三が、松本中学時代に同じ下宿で暮して以来、深い交際を続け、唐木に三木清を紹介し、芥川を超えよ、といいながら、日大講師になった自分は昭和六年の大晦日に遺書も残さず東尋坊に身を投げた年下の親友の実名だからだ。彼との論争の産物である芥川龍之介論を結論とした唐木の最初の評論集『現代日本文学序説』（昭和七年一〇月、春陽堂）の序には、「八百清顕」の名が墓前への感謝の念をこめて刻まれている。八百のことは北沢も臼井か唐木から聞いていたのだろうが、唐木自身が現地を初めて訪れて「東尋坊—八百清顕がこと—」（『心』昭和三六年一月）を書いたのは、それから三〇年近く経ってからのことだった（『安曇野』第四部にも実名で登場）。

発禁（削除）の対象になった二号の「最後の銀貨」は、中学校の教師が結婚直前の定宿の女中と性的関係を結ぶ箇所が問題になったようだ。この号については水沢不二夫のホームページ改訂1版の労作「米国議会図書館「検閲和雑誌」書誌調査」に検閲官の意見を添えたデータが公開されている。

毎号小説を書いている田中富次郎は、戦後、藤村研究家として信州大学教授になった。

臼井吉見は創刊号に小説「稲妻」と評論「室生犀星」、二号（昭和一二年六月）に「稲妻（第二回）」と評論「「万葉集に還れ」といふこと」を発表しているが、三号（一二年七月）には何も書いていない。「稲妻」は四年前に急死した先輩詩人金井融をモデルにして、変転する時代を生き延びさせようとした小説だが、その後の展開の見通しもつかぬまま中絶。

唐木はもちろん、臼井も、北沢も、亡き松本時代の旧友や先輩のことがいつまでも頭から離れなかったのは、その後の時代と自分の激しい変化のせいでもあったろう。

生田蝶介『歌集　宝玉』

関東大震災後、「新感覚派」の舞台となった雑誌『文芸時代』を創刊、築地小劇場の開場に呼応して新興海外戯曲集『先駆芸術叢書』を刊行、モダニズム系出版社の先陣を切った金星堂は、震災前までは、田山花袋らの後押しのおかげで大正期後半の文壇に喰い込んだ、どちらかといえば伝統的な文芸出版社の一つだった。

その金星堂から最初に出た本は、生田蝶介の第二歌集『宝玉』だったようだ。大正八年一一月二〇日、東京市神田区美土代町《みとしろちょう》二丁目一番地　金星堂発行。発行者　福岡益雄。袖珍本（一二六×九〇ミリ）三方金。表紙羊一枚皮（黒）。本文二色刷二四二頁。口絵著者肖像　中澤弘光画原色刷。装幀・扉絵　著者。「自序」に続いて、大正五年（著者二七歳）から八年（三〇歳）までの作より四一一首を選び、「遍き光」「人間苦」の二部に分けて収め、「巻末に」で結ぶ。定価一円八〇銭。同年一二月一日再版発行。

生田蝶介は本名調介、明治二二年山口県生まれ、京都に出て叔父の養子になる。明治四〇年上京、早大英文科に入学、同級に坪田譲治がいた。卒業を待たずに博文館に入社。かたわら短歌、詩、小説を発表。博文館では『講談雑誌』の編集を担当。同誌に短歌欄を設ける。大正一〇年、第三歌集『凝視』も同様な袖珍本で金星堂刊。一三年、歌誌『吾妹《わぎも》』を創刊、昭和二年、博文館編集次長を辞職後、吾妹社を主宰する歌人として活躍。昭和五一年没、八七歳。『生田蝶介全歌集』（平成二年、短歌新聞社）がある。

金星堂創業者の福岡益雄は明治二七年京都生まれ、上京して関西本の有力卸店富田文陽堂に入社。大正七年、二五歳で独立して神田美土代町に上方屋書店を開く。関西本や赤本の取次だけでなく出版にも意欲を示し、翌八年、本格的な文芸出版を目指して金星堂を創業。生田蝶介との関係は詳らかでないが、出版については博文館に学び、新潮社に追い着き追い越そうという野心を抱いて、大木惇夫、前田孤泉ら博文館の編集者に助言や協力を求めた。生田蝶介もその一人だったのであろう。博文館のルートを通じて間もなく当時の文壇の権威田山花袋に近づいて信頼を受け、短篇集『小春傘』（大正九年五月、装幀中澤弘光）をはじめ花袋の長篇を次々に出版、表神保町に移した金星堂の店の看板にも花袋の揮毫を仰いだ。翌年から『随筆感想叢書』（大正一〇年九月～一四年六月、全一三冊）『金星堂名作叢書』（大正一一年三月～一四年六月、全三三冊）など大正期を代表する文芸叢書を短期間に刊行して注目を浴びた。

生田蝶介には博文館の編集者でありながら腰の定まらないところがあった。『宝玉』には、三〇歳を過ぎて、そろそろ自分の方向を決めたいという気持がこめられていた。造本に凝ったのもそのあらわれだった。「巻末に」によれば、自分はこれまでずいぶんいろいろな雑誌や新聞に小説や雑文を書き散らかしてきたが、これからは一心一向に歌の道にいそしみたい。本書はそのための記念出版として自分の全財産を捧げるつもりだったが、福岡益雄君が好意をもって何かと手伝ってくれたのはうれしかった。装幀、扉絵、表皮、金箔には一人で苦心した。しかし特筆したいのは何といっても中澤弘光氏が貴重な時間を割いて口絵を描いて下さったことだ、という。たしかに帝展の審査員で、竹柏《ちくはく》会の初期からの会員であり、与謝野鉄幹、晶子や金尾文淵堂と縁の深い中澤弘光に肖像画を描かせ、堂々と口絵に掲げているのには驚かされる。しかも高価な宝玉を表紙にちりばめた一冊五〇円の特製本（未見）を別に五部作らせたという。

このあと、金星堂からは田山花袋・中澤弘光共著の豪華本『温泉周遊』西之巻、東之巻（大正一一年二月、五月）も出ている。中澤弘光の代表的な装幀・挿画のカラー写真は三井光溪責任編集・発行『中澤弘光研究』（平成一八年九月）で見ることができる。『温泉周遊』も二頁にわたって取り上げられているが、『宝玉』の口絵はもちろん載っていない。

深尾贇之丞『天の鍵』

大正七（一九一八）年一月一日付の『東京日日新聞』は〝「国詩」募集〟の社告を掲げた。「国詩」とは耳慣れぬ言葉だが、「国語を以てせる新しき詩を募る」との添え書きがある。伝統的な短歌、俳句、七五、五七の定型だけにとらわれない詩で、形式の制限を加えないという。

審査委員　与謝野晶子、高浜虚子、斎藤茂吉、北原白秋、島崎藤村。顧問　森林太郎。幹事馬場孤蝶。締切　一月末日。発表　四月一五日。賞金　一等二〇〇円（一人）、二等一〇〇円（二人）、三等三〇円（三人）。

四月一五日から一八日の紙上に入賞作品が次の順で発表された。

当選国詩「壁に画きて」深尾贇之丞《ひろのすけ》、同「踊子」斎藤清漲、同「地平の秋」中村勝喜、同（選外佳作）「或る夜の会と蜘蛛」北野貞。いずれも自由詩で、最初の「壁に画きて」は、壁に画かれたヴェスヴィオ噴火前のポンペイの人々と、彼らを画く者との越えられぬ距離を嘆いた一一二行に及ぶ長詩であった。作者、深尾贇之丞は、明治一九（一八八六）年、岐阜県の山林地主の一人息子に生まれ、早くから詩歌に親しみながら、京大工科を卒業して鉄道院に勤める三二歳の青年で、六年前の学生時代に結婚していた。「壁に画きて」について島崎藤村は「全体に亘つて何となく涌き立つて来て居るやうな詩母の醱酵とも言ふべきものゝ香気を愛する」、与謝野晶子は「作者の天才主義を目標とする意思的な自己革命の宣言に敬意を表」すると評し、北原白秋は応募作のすべてに落胆したと述べた。

その後、深尾は川路柳虹の『現代詩歌』を主な舞台にして詩作を続けるが、二年後の大正九（一九二〇）年八月、不慮の事故と病気のために急逝。残された妻、須磨子は、亡き夫の愛した桜草の雅名「天の鍵」を表題にした遺稿詩集を出したいと思い、かねてから二人で愛読、尊敬していた与謝野晶子のもとを訪れた。その際、夫の遺稿全部と、夫を失った哀しみをうたった自作の詩五十数篇を持参した。それらを見て、晶子は出版に向けての助言をあたえた。その結果、故人の一周忌直前に出たのが本書『天の鍵』である。

大正一〇年八月五日、アルス発行。著者　深尾贇之丞。編纂者　深尾須磨子。装幀　山本鼎《かなえ》。四六判天金函入。定価二円。扉、序（森林太郎）三頁、中扉、目次六頁、自序五頁、著者肖像、本文（詩二七篇）一七四頁、「天の鍵」を世に出すに就いて（深尾須磨子）一六頁、附録（深尾須磨子、詩五四篇）九一頁、最終の旅（深尾須磨子）一〇頁、跋（与謝野晶子）六頁。

鷗外の序、山本鼎の装幀、須磨子の作品を「附録」とすることなどは、すべて晶子の勧めと依頼による。

鷗外には、冒頭に収められた「国詩」当選作「壁に画きて」をはじめ、『天の鍵』全体が気に入らなかったらしい。「序」の中ではっきりと「アンチパチイ」（Antipathie、反感）という言葉を使っている。平川祐弘（『和魂洋才の系譜』）は鷗外の「アンチパチイ」は他の詩でロシア革命を賛美するような作者の思慮分別のなさに対する「反感」だと指摘したが、逆井尚子《さかいひさこ》（『深尾須磨子』）は、「単なる反感」ではなく、死の前年の文豪の「違和感と謙譲のいりまじったシニックな感嘆」だと述べた。鷗外自身は自分の「アンチパチイ」が感情よりむしろ理性から発したものだといっている。

これは与謝野晶子が「跋」において、『天の鍵』は「過去の日本に存在しなかった一つの詩風を暗示する」としながらも、「附録」の須磨子夫人の作品について「故人の深尾氏が半ば理性に由つて成し遂げようとされた所のものよりも、夫人が専ら満身の熱情を以て実現されたこの詩篇の方により多く驚歎します」といい、「我国の詩壇が、夫人に由つて初めて天成の女詩人を得たことを承認する日は恐らく遠くないでせう」と予言したことにもかかわる。

本書は深尾贇之丞の遺稿詩集であると同時に詩人深尾須磨子の出発点にもなったのである。なお『東京日日新聞』の「国詩」募集に関しては、つとに久保忠夫の周到な論考（「〝「国詩」募集〟のこと」、『短歌』昭和五七年三月）があり、『天の鍵』については、岐阜女子大学図書館の中嶋康博の個人管理による「四季・コギト・詩集ホームページ」に書影と全頁のデータベースが公開されている。

『横光利一集　第一巻』

どうしてこんな本が、こんな時に、こんなかたちで出ているのだろう、と思うような本がある。昭和初年の改造社の、いわゆる円本全集、『現代日本文学全集』の周辺に、そんな本がいくつかころがっているのが気になるのだ。

たとえば円本全集が完結に近づいた昭和六年、四六倍判背革継表紙天金函入という、超豪華版個人全集が、『石川琢木全集』全一巻、「山本有三全集」全一巻、などといったかたちで出はじめていることは大方ご存知だろう。『里見弴全集』全四巻、『菊池寛全集』全三巻などは手もとにあるとなかなか便利だ。『正岡子規全集』全五巻、『菊池幽芳全集』全四巻、『葉山嘉樹全集』全一巻あたりを探しているのはかなりの通だろう。

とにかく大判だし、今でも端本はよく見かけるから、知らない人はあるまい。しかし「日本文学大全集」というシリーズの総称は広告や月報に出ているだけで、一巻一巻の本にはどこにも書いてないから知らない人が多い。また全部を集めようとすると容易でないこともすぐわかる。

早くから文学全集（それも月報）について徹底的に調べていた故青山毅氏さえ、この「日本文学大全集」だけは途中で投げ出してしまった。氏の調査した限りでは、刊行されているのは一三点二九冊で、内容見本も月報もあるが、それ以外に出ている可能性もあり、月報も一七点しか確認できなかったという（青山毅編著『文学全集の研究』明治書院、平成二年五月）。だからここで取り上げようと思うのは「日本文学大全集」ではなく、そこからは外された当時最有力の二人の作家の「集」である。

その一つ、『横光利一集　第一巻』は、昭和八年一二月一六日、改造社発行。装幀・佐野繁次郎。四六判函入。本文三六字×一二行、全五三八頁、定価一円八〇銭。巻頭に見開き二頁の目次があるほかは、各篇の扉と本文、奥付のみ。単行本の小説集とまったく同じ体裁である。ただ一か所、奥付中に記された書名は「横光利一集　第一巻／「思ひ出」」。収録作品は順に次の通り。（　）内は初出年月・誌。

思ひ出（昭8・5、改造）

時機を待つ間（8・9、改造）

春（8・1、中央公論）

雪解　（8・6、週刊朝日）
薔薇　（8・7、中央公論）
舞踏場　（7・1、中央公論）
馬車　（7・1、改造）
受難者　（8・1、改造）
日記　（8・7、経済往来）
書翰　（8・11、文芸）

昭和五年九月に中篇「機械」を『改造』に、六年四月に「時間」を『中央公論』に発表してモダニズム文壇の話題になり、同年一一月『改造』に連載していた長篇「上海」の終篇「春婦──海港章」を発表したあと、昭和七年から八年にかけて『改造』『中央公論』などに掲載した中篇を中心に最新作一〇篇を収める。この間、七年七月に長篇『上海』を改造社から刊行している。しかし最後の「書翰」が「小説の小説」の試みとして注目された以外、ほとんど見過ごされてしまった中短篇群である。

最新作を第一巻に持ってくるという全集の作り方がないわけではない。その場合は第二巻以下にどんな作品をどんなふうに収めて、全体をどうまとめるかが問題だ。ところがこの『横

光利一集　第一巻』は『横光利一全集　第一巻』ではない。ないからといって「第一巻」とあるのだから、個人の全集あるいは著作集と思うのがふつうだろう。しかしこの本には第一巻だけがあって、第二巻以下はないようなのだ。

一般に物が存在することを証明することより、存在しないことを証明することの方がはるかに難しい。これこれしかじかの本や資料は存在しないと言い切るには相当の自信と勇気が要る。『横光利一集』についても、もしやと思って、これまで第二巻以下をずいぶん長い間探してきた。内容見本や予告や広告も探した。しかし、ない。雑誌『改造』に当ってくれた友人が、昭和九年一月号と二月号に出ている広告と、一月号から三月号までの「編輯だより」の短い記事を教えてくれたが、第二巻以下の内容はどこにも出ていない。

改造社は実は一年後にも同じような本を出している。『川端康成集　第一巻』。次回にまとめて考えてみよう。

『川端康成集　第一巻』

昭和九年一〇月一九日、改造社発行。四六判変型桝型一九〇×一四三ミリ。本文四三〇頁。函入。定価二円三〇銭。装幀・芹澤銈介《けいすけ》。題簽《だいせん》・菅虎雄。函の表には「川端康成集」、函背・本体背・本扉・奥付には「川端康成集　第一巻」、目次表題には「第一巻　随筆批評集 内容」、中扉には「川端康成集　第一巻／随筆・批評集」とある。

内容はⅠ～Ⅳの四部からなり、Ⅰには愛犬、舞踊、「伊豆の踊子」映画化などについての随筆、Ⅱには伊豆関係の紀行、随筆、Ⅲには「末期の眼」ほか作家・作品・文章に関する随想、Ⅳには「文藝時評」一～一一を収める。

前回述べたように『横光利一集　第一巻』（昭和八年一二月）の約一年後に同じ改造社から出版された本書も第一巻一冊だけが出て、第二巻以後は出ていない。内容見本・予告等によって第二巻以後を含めた「集」全体の内容をうかがうこともできない。その点、『横光利一集　第一巻』の場合とまったく同じ。横光、川端と続いて、このような第一巻だけの「集」を出版した改造社や著者の意図はどこにあったのか、そこがよくわからないのだ。造りの重厚さや美麗さにもかかわらず、著者が本にしたいと思っている作品を、何でもいいから一冊にまとめてしまえと思って作った本のようにも見えかねない。しかしその場合でも、自ずからそこには著者の性格の違いのようなものがあらわれる。

横光の場合、改造社は『改造』連載の『上海』は自社で本にしたが、その前に『改造』に載って大評判になった「機械」を収めた同題の小説集は白水社に取られてしまった。創元社も中央公論社も横光本出版の機会を狙って虎視眈々としていた。『機械』の次の最新の中篇集を今度こそは他社に取られたくないという焦りが改造社にはあったのではないか。それにしても、小説集『思ひ出』ではどうしていけなかったのか。

生粋の小説家で小細工のきかない横光利一に対して川端康成は器用で、小説でも批評でも随筆でも、短いものなら何でも鋭く、深く、味わいがある。震災前から新聞に文芸時評を書いていて、自分は作家としてよりもまず時評家として文壇に登場したといっている。そういう小説以外の短い批評や随筆は書き捨てられたままになってしまうが、川端は早くからそういうものをこそ本にしたいと思っていたようだ。とくにこれまで苦労して書いてきた文芸時評をまとめて一冊の本にしたかった。後輩の小林秀雄が雑誌に発表した文芸時評類を中心にして出版した『文芸評論』（昭和六年七月、白水社）には技癢《ぎよう》を感じたに違いない。流儀はまったく違うが、自分の方がはるかに先輩だし、作家や作品の評も的確で、具体的だという自信もあったろう。その後、作品社から『文芸時評十三年』とかいう本を出す約束もあったらしいが、実現しなかった。宿願がようやく不十分ながら叶ったのが『川端康成選集　第八巻』（昭和一三年一二月、改造社）で、同巻は「文藝時評」と題され、昭和六年五月から一三年一一月までの時評三二本を一巻に収めている。

本書『川端康成集　第一巻』は、すでに谷沢永一が指摘しているように（『紙つぶて　自作自注最終版』）、文芸時評を本にまとめたいというその夢を、本の全部ではなく一部に収めるというかたちで果たした最初の本だという点をとくに重視したい。

戦後、川端康成の文芸時評は、昭和四〇年代に刊行された一九巻本全集の「文學時評」全四巻中に、大正一一年に遡ってほぼその全篇が集められ、昭和五〇年代の三七巻本全集では「評論」全五巻のうちの「文藝時評」全二巻に、大正一一年から昭和一六年までに発表された時評一三三篇が収録されて壮観である。

本書のⅣに収められたのは昭和六年から九年までの一一篇にすぎず、他の随筆や評論もその時々に求められて書いた雑文にすぎないといえばいえるが、「書き捨てられた雑文の底に美しさが光つてゐる」「偶然の名著」（古谷綱武「川端康成集第一巻読後」）という評は、「集」の第一巻をあえて小説ではなく、そうした「随筆批評集」にした著者のひそかな自信が生んだものと見てよかろう。

瀧田樗陰愛蔵品入札目録

丸谷才一によれば、戦後、綜合雑誌が往年の力を失ったのは文学を忘れたからだという（『星のあひびき』）。綜合雑誌が栄えた一九一〇年代から三〇年代にかけて『中央公論』と『改造』はたんに政治や経済の雑誌ではなく、名作が並ぶ「文学の檜舞台」でもあったというのだが、むしろそちらの方が大正・昭和戦前の例外現象ではなかったか。

明治の『国民之友』や『太陽』はそれほど文学に力を入れてはいなかった。文学を前面に出して発行部数を上げ、文芸欄の人気と権威を確立したのは明治末年から大正にかけての『中央公論』であり、西本願寺系の『反省会雑誌』をそこまで世俗化すると同時に一流にしたのは、「文学の檜舞台」を演出した名編集者瀧田樗陰（蔭）の功績にほかならなかった。樗陰は

『中央公論』を文壇の歌舞伎座だといい、彼の自家用人力車が家の前に止まれば、文壇での出世は保証されたも同然といわれた。『改造』は『中央公論』の大正デモクラシーをマルクス主義に入れ換えただけで、『文藝春秋』はもともと文芸同人誌だった。文学を重視する点では樗陰の『中央公論』に倣ったといってよい。

樗陰は文壇随一の趣味人で、遊興、美食、芝居、相撲のほか、書画骨董の鑑賞家、蒐集家としても有名だった。帝大英文科での恩師漱石には初期の小説の原稿をもらっただけでなく、晩年の書画を尊び、木曜会には一番乗りで揮毫を依頼した。大正五年、漱石が逝くと『中央公論』に一頁の弔文を掲げ、先生は「詩・書・画三絶の域」の大芸術境に達しつつあったと述べ、『新小説』臨時号「文豪夏目漱石」では「夏目先生と書画」について倦むことなく語った。その後、樗陰は『中央公論』をさらに発展させ、大正八年には発行部数一二万部に伸ばし、主幹としての給料も売上歩合制で二〇〇〇円取るようになった。当時の同誌普通号の定価は四〇銭。国家公務員の初任給は七〇円、総理大臣の給料は一〇〇〇円だった。しかし震災後、不惑を越える頃から、多年の過飲過食がたたって病気がちになった。

大正一四年夏、『讀賣新聞』の連載「コレクション拝見」は樗陰を西片町の自宅に訪問、漱石書二曲一双の屛風を背にした、痩せ衰えた樗陰の写真を載せて読者を驚かせた（八月一六日付）。記事の最後で、近く長女も嫁ぐことになったので、漱石の最高傑作で、震災前は五〇〇〇円といわれたこの屛風も手離したくはないが、三〇〇〇円位なら、と語った。

樗陰が亡くなったのは二か月後の一〇月二七日。コレクションの大部分は没後半年も経たない間に売立に出された。その入札目録が残っている。菊判和装本。表紙に桜花をあしらい、変体仮名で小さく「もくろく」と記す。図版入り二四八点、目録のみ三九三点、計六四一点、一五二頁。写真に掲げたのは表紙をめくった次の扉で、「瀧田樗蔭氏愛蔵品入札／大正十五年三月廿三日・廿四日両日下見／廿五日入札並ニ開札／場所　東京美術倶楽部」、裏に「札元　光華堂／東京会／渡邊温古堂」とある。

翌二六日の『讀賣新聞』は「名原稿売立は／槍が出て中止／酷い上げ下げの値となつた／樗蔭氏の遺品入札」の見出しで、樗陰氏の売立は新画商仲間でも見当のつかない漱石の四十余幅が出たりして大人気、総売上八万二九四一円という予想外の好成績をあげたと報じた。漱石のものは概して高く、樗陰と同郷の平福百穂《ひゃくすい》が高値をよんだとして、主な落札品を十数点あげたあと、評判になった有島武郎「実験室」「迷路」、島崎藤村「海へ」とその続篇、坪内逍遥「名残の星月夜」、森鷗外「興津彌五右衛門」などの名原稿は中央公論社の抗議に遭って引込めたので、原稿類の市場での売買レコードは作られなかったという。

最高の値がついたのは鉄斎「蓮池」四八三八円、景年「大原女」二六〇〇円、雅邦「清江釣魚」二四五〇円、百穂では「月下竹林」一六七九円など、計一二点が一〇〇〇円以上で落札されたが、人気だったという漱石は樗陰自慢の二曲屛風一双さえ八〇〇円の値しかつかなかった。『書画骨董雑誌』五月号に詳しい記録が残っているが、「幽居人不到五絶」幅が八八八円で屛風を上回っただけで、ほかに三〇〇円以上で落札された漱石書はわずか六点のみ。前にあげた大正八年とくらべると大正一五年の消費者物価指数は約一割下っているとはいえ、漱石の安値には泉下の漱石も樗陰も嘆いたに相違ない。

青木茂若『雪に埋れた葡萄園』

百田宗治主宰の詩誌『椎の木』（第一次、大正一五年一〇月～昭和二年九月）の同人が椎の木社から出した詩集を早い順にあげれば、伊藤整『雪明りの路』（大正一五年一二月）、安藤眞澄『大道芸人』（昭和二年一月）、飯島貞『樹の間の道』（二年九月）、青木茂若《もじゃく》『雪に埋れた葡萄園』（二年一二月）、半谷三郎『発足』（三年三月）の五冊、いずれも三〇〇部以下の事実上の自費出版で、『大道芸人』『雪に埋れた葡萄園』はそれぞれ「椎之木同人叢書」第一、二篇をなす。

『雪に埋れた葡萄園』とはいかにも『椎の木』らしい抒情的な題だが、詩集そのものが埋れている感じがする。たとえば『扶桑書房古書目録』平成二三年秋季号（近代詩特集号）は椎の木社本の九割以上をカバーする六一冊を一括一八〇万円で掲げて椎の木社ファンに溜息を吐かせたが、本書はその中にも入っていなかった。

前に紹介した「四季・コギト・詩集ホームページ」には本詩集も収められていて、書影のみならず、全頁のデータベースに、著者に関する資料や文献まで添えられているが、奥付の画像を見ると、翌昭和三年に出た異版のようだ。

手もとの初刊本は昭和二年一二月一五日発行、椎之木同人叢書第二篇、装幀・佐藤俊雄、四六判一〇六頁、定価一円、著者・発行者　長野県松本市外壽村　青木茂若、椎の木社発売。これに対して再刊本（異版）は昭和三年八月一日発行、著者　青木茂若、発行所　椎の木社。内容は同じで、百田宗治の四頁の「序」に続いて本文は「雪に埋れた葡萄園」「薄暮の哀傷」「花びらのかげ」「閑寂」「青い風景」の五部に分かれ、巻末に柴山晴美の「跋」、著者の「後記」を収める。「後記」によれば、計五五篇の詩の配列は「大体年次の逆」にしたという。第一部の「雪に埋れた葡萄園」には『椎の木』全一二号掲載の作品がほぼ表題作に並ぶ。うち表題作の「雪に埋れた葡萄園」は『椎の木』第九号（昭和二年六月）の同人詩稿のかなり上位に載った詩だ。

ふりつもつた雪に／すつかり忘れられてゐる葡萄園よ／垣根の蔭ばかりは／うるんだ青みに暗くなつてはゐるが／あとはふかぶかとした雪にうづまつてゐる。／山が吹雪するときには／粉雪は散つてくるけれども／晴れ間には青い空から／葡萄園にかすかな光がのぞいてくる

これは信州の葡萄園だが、伊藤整の『雪明りの路』に出てきてもよさそうな詩である。伊藤整といえば、『椎の木』創刊号の二番目に載った「馬」という詩は百田宗治にも同人にもずいぶん好評だったが、青木茂若の「兵士」（同第七号、本書収録）はその「馬」によく似ている。百田宗治はしかし「雪に埋れた葡萄園」より、すぐ次に載せた「童貞」という題の三行の詩の方がよいと思ったようだ。

はなのやうなくちびるをとぢよ／ゆふやみにゆらゆらとうごく／をとめのはなのやうなくちびるをとぢよ。

青木に対して百田はかなりきびしい。『推の木』終刊号（昭和二年九月）の「同人詩稿回顧」では「青木君の精進には敬服するものがあつたが何故か作品の上では同君本来の抒情味に更

に透徹を欠くものがあった」といい、本詩集の「序」では「青い風景」という題を固執する著者に対して「童貞」と改めたところ、それなら「雪に埋れた葡萄園」にしたいというので同意したという。

青木茂若は明治三八年（一九〇五）生まれ、松本中学、松本高校理科卒。同年の詩人柴山晴美と親しく、松本高校時代は臼井吉見、金井融らとも交渉があった。腰原哲朗（『長野県文学全集』詩歌編2「解説」）によれば、本書の前に出ている小詩集『青い風景』（大正一五年、萌土詩社）には臼井吉見の跋があるというが、未見。詩誌『北冠』を主宰していた山室静とも往き来があり、本書収録の詩「山の家」は山室に献げられている。昭和三年、一浪の後、新潟医大に入学したが、翌四年九月没。上京して『令女界』編集部に勤め、山室静と同宿していた柴山晴美も、一年後の五年一二月に盲腸炎で急逝。柴山には、同じ西條八十門下の先輩横山青娥の心のこもった編纂による遺稿詩文集『吹雪の洋燈』（昭和六年四月、宝文館）がある。

小樽高商校友会誌

明治四四（一九一一）年、東京、神戸、山口、長崎に次いで五番目に開校した国立高等商業学校である小樽高商は、今年、二〇一一年に創立一〇〇周年を迎え、後身の小樽商科大学では七月を中心にさまざまな記念の催しが行われた。文学関係では、小樽が最も繁栄し、学校も活気に溢れていた一九二〇年代前半に、高浜年尾、小林多喜二、伊藤整、佐々木妙二らが学んでいた三年制専門学校として知られる。彼らは年四回発行の校友会誌（号によって「校友会々誌」）にもかかわって、初期の俳句、短歌、詩、小説などを発表している。

高浜虚子の長男年尾は、父が文学をやることに反対したので、東京の開成中学を卒業後、東京高商を受験、失敗。一年後の大正八年四月、慶應と小樽高商の両方に合格、小樽高商を選んだ。それほど当時の小樽高商は全国的に人気があった。丹毒にかかったせいもあって一年生を三回やり、都合五年かけて一三年三月に卒業した。

小林多喜二は大正一〇年四月に入学して高浜年尾と同級になり、同時に卒業した。伊藤整は一年後の大正一一年四月入学、一四年三月卒業。この間、大正一〇年四月に大熊信行が講師として赴任して経済原論を担当、翌年、教授になったが、一三年六月、病を得て小樽を去った。多喜二は大熊に経済や社会への眼を開かされ、伊藤整と同級の佐々木妙二（本名重臣）は歌人としての大熊の感化を受けて、のちに歌誌『まるめら』の同人になった。

この時期の小樽高商校友会誌について最もよく知られているのは伊藤整の自伝的小説『若い詩人の肖像』（一九五六）の次のような一節であろう。

「私は小林多喜二なる文学青年をそれと知りながら、近づかなかった。従って私は、彼とその同級生で、どういう都合かでこの田舎の学校に入っていた高浜虚子の息子の高浜年尾とが中心人物であった校友会誌編纂部に近づかなかった。私の同級生では、……佐々木重臣が、その編纂部に入った。……入学して間もなく原稿募集案内が張り出されたが、私はそれに応じようとする自分の衝動を押えた。」

いかにも伊藤整らしい反応のように思われるが、事実はこれに反する。伊藤整が入学した二か月後の大正一一年六月三日発行の『校友会誌』第三五号・歓迎号には、バルビユッス・小林多喜二訳の小説「The Presence.」の後に、活字のポイントを落として、伊藤整の詩「春日小曲」三篇、続く「緑丘吟　新入生歓迎句会」の冒頭に高浜としをの二句が掲載されている。「春日小曲」の「1」は四年後に椎の木社から出た処女詩集『雪明りの路』の巻頭詩「春日」だから、「春日小曲」は詩人伊藤整の出発を告げる重要な作品である。次の「2」「3」もいい詩だが、未発表の「詩稿ノートI」に原型があることから、全集にはそちらだけが収められ、『校友会誌』掲載稿は棄てられたまま。

小林多喜二と高浜年尾が校友会誌編纂部を牛耳っていたかのような書き方にもやや問題がある。多喜二の年譜にも、二年になって間もなく高浜年尾と校友会誌の「編集委員」に選ばれたというように書かれているが、これも正確でない。

この時期の校友会誌は教官の部長・副部長各一名、生徒の理事一名、幹事四、五名からなる校友会編纂部で編集・発行されていた。表紙も本文も四六倍判のザラ紙。大正一〇年七月発行の「十週年紀念号」（二一号）だけは大きめの菊判で、上質紙の本文に、厚めの表紙が付いている。二八号（大正一二年三月）以降は普通の菊判雑誌の体裁になる。高浜年尾は入学の翌年から緑丘吟社という俳句結社を組織し、盛んに句を発表しているが、十週年紀念号には句だけでなく小説まで発表している。そしてその後間もなく編纂部の幹事に選ばれ、三年になると理事として編輯兼発行人になっている。

小林多喜二は一年のときから作品はよく載せているが、編集に積極的にかかわったのは二年の終りから三年にかけてで、その間の二八号（大正一二年三月）～三二号（一三年三月）の五冊には巻末に「編纂余録」を寄せている。小説は「悩み」（二四号）「継祖母のこと」（二八号）「ロクの恋物語」（三〇号）「ある役割」（三二号）、卒業後の「人を殺す犬」（三八号）の五作、最後の「人を殺す犬」が断然すぐれている。

伊藤整は小林多喜二や高浜年尾らが卒業して佐々木妙二が編纂部の中心になってから集中的に詩やチエホフの小説の翻訳を発表しているから、一級上の多喜二や年尾が煙たかったことは確かだろう。

武田麟太郎編『学生生活短篇集』

『人物書誌大系21　武田麟太郎』（浦西和彦・児島千波編、日外アソシエーツ、一九八九）によれば、武田麟太郎唯一の編著書。昭和一二年一一月二〇日、矢の倉書店発行。四六判折込表紙、三三二頁。定価一円五〇銭。

内容は、目次／中谷孝雄「春の絵巻」、藤沢桓夫《たけお》「仙人掌のやうに」、新田潤「競争」、井

伏鱒二「休憩時間」、永松定「秀才」、田村泰次郎「大学の広場」、伊藤整「破綻」、丸岡明「若い魂」、上林暁「天草土産」、豊田三郎「高原」、林房雄「繭」、秋山六郎兵衛「計算」／武田麟太郎「後書」。

「後書」にいわく、先年来、論壇を賑わしていた青年論ないし学生論は解決を見ないでうやむやに終ってしまったが、この問題はあくまでも執拗に追求さるべき重大な対象である。「さうした深刻にして広大な仕事の一助にもとのよき意志をもつて、この書は送られる。青年学生層の偽はらざる生活の姿が具象的にここに展げられる」。一二篇の作品は「現代の学生生活を写し出した傑作に限定した。したがつてまた新進気鋭の青年作家の労作に俟《ま》つことになつた」。いずれも過去約一〇年間に雑誌などに発表された小説を集めている。

武田麟太郎の編著とはいっても、自身の短篇は収めていない。編者になっているのは、初めて活字になった武田麟太郎の小説が学生小説、正確にいえば、受験小説だったからではあるまいか。受験雑誌『考へ方』の大正一二年一月号に懸賞受験小説入賞作として掲載された最初の小説「鈴木君のこと」は、のちに選者藤森成吉によって他の秀作とともに『受験小説選集』（昭和四年一二月、考へ方研究社）に収められた。当時、武田麟太郎はすでに有望な新人として文壇の一角に登場していたが、同書に「入学するまで」が採録されていた秋山六郎兵衛も新人としてある程度名を知られていた。秋山は藤森成吉のあと、昭和五年から一〇年にかけて『考へ方』の懸賞小説の選者をつとめた。その秋山が本書『学生生活短篇集』にも顔を出しているのだ。それだけではない。本書が出る直前に発売になった『考へ方』昭和一二年一〇月号の座談会「懸賞小説入選の頃を語る」には、雑誌『人民文庫』の相次ぐ発禁、その他で多忙の中を、武田麟太郎も出席しているのである。

本書は予想通り好評で、初版発行五日後の一一月二五日に再版、一二月三日には三版を刊行。さらに発行元では多分武田麟太郎と相談して続篇の出版を考えた。そうして約一年後に出たのが高見順編『第二学生生活短篇集』（昭和一三年一二月二〇日、矢の倉書店）で、収められた作品は森山啓「夏やすみ」、高木卓「或る師弟」、石川達三「青春の奇術」、石光葆《しげる》「高原の霧」、福田清人「高校生」、庫田重義「荒蕪の梢」、井上友一郎「にがよもぎ」、南川潤「殻の外」、荒木巍《たかし》「鶯」、那須辰造「秋の一頁」、高見順「終止符」の一一篇、編者の高見順が「後書」を書いている。第一集と違って第二集は全篇書き下ろしである点に価値があったが、それだけに発行が遅れ、学生や青年の関心がすでに戦争一色に塗りつぶされようとしていたために、期待したほど売れなかったようだ。

ところで第一集収録作のうち「破綻」については前に触れたことがある。『石を投げる女』

（昭和一三年一二月、竹村書房）に収められた「蹉跌」は一年半前の『中央公論』に発表されたマルクス主義との関わりを扱った「破綻」を改題、改訂したもので、同書の校正を担当した平野謙に最初の伊藤整論を書かせるきっかけになった作品だった。それが初収録のこの『学生生活短篇集』では題名も本文も初出のままになっているのだ。

最後に矢の倉書店は、昭和一二年から一五年にかけて、右の二書以外に三木清編『現代学生論』、大草実編『研究室から』『好日紀行』『読書随筆』など、主として学生向けの編集ものを出した小出版社。社主の大草実（本名）は、戦後、本格的に詩を書きはじめ、長らく雑誌『詩学』の編集に携わった孤高の詩人、嵯峨信之。自筆「半年譜」によれば、若くして萩原朔太郎に師事し、文藝春秋社に一〇年余りつとめた後、結核の疑いで休職、富士見高原療養所を出てから、牛込区矢来町一一に住み、知人の出資を受けて矢の倉書店を創業したが、間もなく上質洋紙配給激減のため書籍出版を中止したという。

第四章

伊藤整と私小説

太宰治と伊藤整

伊藤整は『新心理主義文学』に続く第二評論集『小説の運命』を昭和一二年一月に竹村書房から出している。たまたま私はその初版を三冊持っている。少しでも保存状態のよい本を欲しいと思って買い重ねてきたためだが、いま取り出してきたのは、もう三〇年以上も前に最初に手に入れた、フランス装の表紙の剝がれた汚い本である。

ただ見返しに著者伊藤整のペン書きの署名が入っていて、序と巻末の広告頁の欄外に多分最初の持主だったと思われる人の書き込み、というより落書きがある。買ったときから気がついていたが、とにかく中身を読みたい一心で買った本だったので、それらにはほとんど注意を払わなかった。しばらく経って二度目に本を開いたときだったか、ふと署名や落書きが気になって、あらためて調べてみた。

序の頁の落書きは、開けたままの本を筆ならしに使ったのか、墨で縦や斜めにチョン、チョン試し書きしたそのまわりに「七」だとか「二十五」だとか数字が書いてある。最後の広告の上の横長の狭い余白には、鉛筆書きで縦五行にわたって「世界史的人間創造に於ける根本思想」と、何やら難しい語句があまりうまくない字で書いてある。見返しの「伊藤整」の署名の上には献呈された人の名が書かれていたはずだが、その部分全体が、いまこれを書きながら測ってみると、縦七・三センチ、横一・四センチの短冊型に同じブルー・ブラックのインクで丁寧に塗りつぶされているので、名前はすぐには読めない。何げなく明かりにかざすと、「太宰治様」の四文字がはっきりと透けて見えた。

面白くなって、今度は落書きの方も確かめてみた。筆ならしの数字と鉛筆書きの十数字の語句だけでは、たとえそれが太宰治の自筆だったとしても大した価値はない。けれども私は、その少し前に、何かの会で太宰治研究に生涯を捧げているという長篠康一郎氏に初めて会い、氏からいきなり帝大仏文科学生津島修治が使用していたという荻窪—水道橋間だかの定期乗車券を見せられて、驚きのあまり氏をすっかりいい気分にさせてしまっていたことを思い出した（現在、その定期券は氏の貴重な太宰コレクションの一つとして神奈川近代文学館に寄贈され、展示されている）。

もし一枚の定期券にそれほどの価値があるとしたら、定期と同じように一時ではあれ太宰治が使ってその痕跡を残しているこの本にも少しくらいの価値はあるかもしれない。そう考えて私は早速落書きの鑑定調査にとりかかった。細かい経過は省くが、現在のところ、太宰治の筆蹟にほぼ間違いないという結論に達している。山内祥史氏か相馬正一氏に鑑定を頼めば、もっと正確なことがわかるにちがいないが、万が一私にとって好ましくない結果が出ると困るので、当分の間、誰にも見せないつもりだ。

情けない話だが、私が持っている太宰治関係の資料で少しでも話になりそうなのは、せいぜいそんなところだ。これだけでちょっとしたミステリーが作れたらと思って書きはじめたのだが、やはり無理のようなので、あきらめて話を『晩年』に移す。

太宰治は伊藤整から『小説の運命』を贈られる半年前の昭和一一年六月末に山崎剛平の砂子屋書房から最初の創作集『晩年』を出していた。よく知られているように『晩年』は太宰自身の希望や好みを生かした面白い本である。本を出してくれることが決まってから、太宰はいろいろ細かい注文をつけた。まず本の造りは、プルウストの『失われた時を求めて』の第一巻を帝大仏文科の先輩の淀野隆三と佐藤正彰が訳して五年ほど前に武蔵野書院から出した菊判変型フランス装の『スワン家の方』と同じにしてもらいたいといった。二つを並べてみると、本のサイズ、表紙、本文用紙、表紙の題簽の色など、たしかによく真似て造ってある。五四字詰二〇行という本文の組み方まで同じなのには恐れ入る。

しかし口絵写真とオビは『スワン家の方』にはない太宰治の独創だった。口絵は猫か犬の石像の前に羽織姿でやや俯き加減に立ってこちらを見ている著者の肖像写真である。文学全集や叢書の各巻巻頭に著者の肖像写真を入れることは円本全集以来流行していたが、単行本の創作集で自らそれをやるのはめずらしく、かなりの勇気を要したと思われる。そのあたりの事情に関してはすでに紅野謙介氏が明快な史的意味づけを行っている（『書物の近代』）。オビは、これもよく知られているように、山岸外史あて佐藤春夫書簡と太宰治あて井伏鱒二書簡を無断で刷り込んだもので、内容はどちらも所収の「道化の華」や「思ひ出」に対する讃辞である。帝大新聞に『晩年』の広告を出すつもりで山岸外史にその推薦の言葉を依頼した手紙では、「『天才』くらゐの言葉、よどみなく自然に使用下さい」と書いている。こういうことを抜け抜けと言ったり、やれたりする神経の持主でないと「太宰治」にはなれないのだ。

口絵の肖像写真が晩年の『人間失格』を思い出させるとすれば、オビに無断借用した書簡は、ちょうど『晩年』を出す頃、自分のところへ来た手紙や葉書と架空の書簡を組み合わせて書いていた「虚構の春」を思い起こさせる。というより、もしかしたら『晩年』のオビには他人の手紙を拝借することを思いついてから、このやり方で小説が書けると思って書いたのが「虚構の春」だったかもしれない。万事そんな調子だから、太宰治の場合、実生活上のちょっとしたことがどこでどんなふうに作品に取り込まれているかわからない。定期券も落書きも徒《あだ》や疎《おろそ》かにはできない所以である。

　ところで年長の伊藤整から贈られた『小説の運命』を落書き用に使ったあと自分の名を消してどこかに売り飛ばしている事実だけから判断すると、太宰治は伊藤整など歯牙にもかけていなかったかのように見えるが、実際にそうだったのだろうか。太宰治が『晩年』を『スワン家の方』と同じような本にしたいと思ったのは、たまたま装幀が気に入ったからだけではなく、自分の作品をジョイスやプルウストの流れのなかに置きたいというひそかな願望のあらわれではなかったろうか。淀野隆三はジョイスの『ユリシイズ』の翻訳を伊藤整らにすすめ、最初の訳稿を季刊誌『詩・現実』に連載させた人でもあった。ちょうどその頃上京して帝大仏文科に入学した太宰治は、『詩と詩論』以後、クォータリーを中心に紹介、移入されていた新しい海外文学の流れにも無関心ではいられなかったはずだから、『詩・現実』も当然読んでいただろう。翌昭和六年、伊藤整は『詩・現実』に続くクォータリーとして金星堂から出はじめた『新文学研究』の編輯を担当した。太宰治がその『新文学研究』にも目を通していたらしいことは、最近、笠原伸夫氏の鮮やかなミステリー仕立ての論文で実証された（「『猿面冠者』の方法」）。笠原氏は『晩年』所収の「猿面冠者」におけるプーシキンの引用が

『新文学研究』に掲載された中山省三郎訳に拠ったものらしいことを突き止めたのである。

当時の太宰治は左翼運動に巻き込まれながら、ジョイスやプルウストをはじめとする外国文学の新しい動きや、それに刺激されて起こったわが国のモダニズム文学の方法にも深い関心を払っていた。そうでなければ『晩年』に収められた「葉」「道化の華」「猿面冠者」などの一連の新しい小説は決して生まれ得なかっただろう。そこまで考えると、伊藤整から贈られた『小説の運命』を全然読まなかったとは思えなくなってくる。むしろ何日かは机上に置いて読んでいたからこそ、落書きもしてしまったのだと考えたい。しかしそれをいつ、何で手離したかはわからない。ただ自分の名の念入りな消し方に、モダニズムの先輩伊藤整に対する後ろめたさのようなものを感じとるのは、私のひいき目にすぎないかもしれないが。

伊藤整と私小説

私小説について何か書けということだが、取り立てて新しい意見を述べることができるわけでもないので、伊藤整から出発してこれまであれこれ考えてきたことをまとめることで責を果たしたいと思う。

伊藤整に出会ったのは昭和三〇年、中学を卒業する前後だった。チャタレイ事件後の伊藤整ブームの余波が静岡の田舎の中学生にまで押し寄せてきていたのだ。以来、伊藤整によって文学と人間に対する眼を開かせられ、伊藤整を通じて近代文学の批評や研究に興味を抱くようになった。といっても、文学少年でも文学青年でもなかったから、大学は経済学部を選んだが、ひょっとするとそれも伊藤整の影響だったかもしれない。

とにかくそんな文学入門の仕方だったので、伊藤整の戦後の批評の中心問題の一つだった私小説についても早くから関心を抱かせられた。戦後の私小説論の主な担い手は伊藤整、平野謙、中村光夫らで、とくに平野謙と『近代文学』派の人々は私小説論だけでなく、伊藤整の作品や発言のすべてに注意を払っていたので、彼らの書くものにも自然に目を向けるようになった。

その後、折に触れて、自分が知らぬ間に伊藤整の影響に深く侵されていることに気づき、そういう自分から脱け出すために、あらためて伊藤整について批判的に読んだり、書いたりするようになった。ところが伊藤整を卒業するために始めたことが、皮肉にもますます伊藤整に深入りするきっかけを作ってしまい、困惑した。伊藤整についても、私小説についても中途半端な気持のまま、その後何十年かが過ぎ、今年は自分が伊藤整の亡くなった年齢に達していることを知って愕然としている。

よく知られているように、伊藤整は郷里北海道の自然と風物を背景にした素朴な抒情詩人として出発した。昭和改元の直前に出した『雪明りの路』は後年の伊藤整とは別人のようなナイーブな詩集だ。それが昭和三年の上京後、一転して洒落たモダニストになる。古くさい詩はきっぱり棄て、フロイトの精神分析やジョイスの「意識の流れ」など、二〇世紀新文学の技法をいちはやく導入した新心理主義の代表的評論家兼小説家として文壇に登場するのだ。

そうした初期のモダニストの顔と、私小説を世界に誇り得る日本文学の最大の長所として評価する戦後の評論家の顔とは、うまく結びつかない。戦争を挟んだ十数年の間に伊藤整の文学観に重大な変化が起こったのだ。

昭和六、七年の新心理主義時代に私小説ないし私小説的なものを否定していたことは疑いない。最初の評論集『新心理主義文学』を出した昭和七年四月に発表した「現代文学の芸術的方向」という評論のなかで、伊藤整は、小説が作者と作者の生活を書いた感想の集積であるような自然主義以来の「作者人格尊重主義」を批判し、小説が作者から独立した芸術的構成物であるべきことを主張している。「作者人格尊重主義」という言葉は、のちに本多秋五によって伊藤整の評論を解く鍵とされた「日本的人格美学」という戦後の伊藤整の批評用語を思い出させる。若い頃の伊藤整の志賀直哉に対する反撥と嫌悪はとくに著しく、彼から学ぶべきものは何もないとさえ言い切っている。

しかしここで注意しなければならないのは、伊藤整の批判は必ずしも私小説あるいは私小説的なもののすべてに向けられていたのではない、ということだ。新心理主義に行き詰まりを感じた頃から、同じ私小説といっても嘉村礒多や牧野信一の小説の持つ力には圧倒されていた。その衝撃は当時の発言の端々にうかがえるが、だいぶ後の昭和三〇年一二月にNHK札幌放送局からラジオ放送された「自作について」(質問者・宇野親美)でも証言している。批判の矛先は、もっぱら作者の人格、風格、構え、腰のすわりといった文人的要素を重視する志賀直哉、瀧井孝作らの心境小説に向けられており、嘉村礒多型の破滅的、自己苛責的な狭義の私小説に対しては最初から熱い共感と屈服の気配をうかがわせていたのだ。とはいえ、芸術と実生活とは別の秩序で成り立っているという考えは一貫していたので、爾来、嘉村礒多型の私小説のあたえる文学的感動を実生活とは離れた純粋な芸術の秩序のなかで実現させたい、というのが、作家伊藤整の夢になるのである。

自身、同じ頃から「生物祭」「イカルス失墜」「浪の響のなかで」などの詩的、観念的な私小説風の作品を書き、愛や性や文学にまつわる自己のエゴイズムを断罪しようとした。その到達点である「幽鬼の街」「幽鬼の村」の連作は、詩とジョイスと私小説という、それまでの伊藤整の文学的技法と体験の集大成になった。

昭和一〇年前後には、芸術を実生活と峻別しようとするだけでなく、個我尊重の立場から左右両翼の政治からも守って自律させようとする姿勢が顕著だが、省みれば我執と欲望の塊にほかならない個我を主張する正当性や大義名分はどこにもなかった。戦時言論統制が厳しくなるにつれ、昭和一三年あたりから、その脆弱な立場があっけなく崩れ、政治優先的態度への急転回が起こるのは必然の成り行きだったというべきだろう。そして、それに伴って芸術より生活が重視され、私小説が、以前のように芸術的な感動の因子としてではなく、非常時の生活と人間を忠実に記録する方法やジャンルとして重んじられるようになる。こうして自分を「得能五郎」に託して戦時下の文学者の日常を克明に記録しようとした「得能もの」の連作が試みられる。太平洋戦争開戦直後には興奮した愛国主義的感想を発表すると同時に、次のような私小説への全面的屈服宣言が行われる。戦前・戦後の伊藤整からは想像できない口調と内容だが、強いられた奴隷の言葉でなかったことだけは確かである。

大東亜戦争に関する御詔勅を拝読し、日本人たるの意識が自分の中に新しく洗ひ出されるのを感じてから、私は、今こそ日本人に最も似つかはしい文学形式である私小説が、今までにあつた自己懺悔、自己潔斎の道をとほつて、我々の中にある憂国の心情を積極的に吐露する方向へと展開されるべきであると考へるやうになつた。それは、作者の思想の直接な表白法として評論の長所を持ち、自己懺悔の表白として古い経文の挿話にも似得る力を持ち、説話の面白さにおいては東西の物語手法の長所をとり容れることが出来、しかも作者自らの人間記録としての現実的裏づけを伴つてゐる。

私小説への傾斜は具体的な作家や作品の読み方にも現われた。かつてあれほど反撥していた志賀直哉の「城の崎にて」を戦争中に読んで感服し、以前から感じていた作者に対する抵抗は敬意に変った。「城の崎にて」のような私小説では、体験記的な力強さと、小説の表現の細かさとが結びついて、小説としての力以上のもの、つまり小説の力と伝記の興味と思想書の深さとを兼ね備えるようになっている、というのだ。

このような戦中の屈折と屈服が戦後にそのまま引き継がれた。『小説の方法』の第一章では、日本の小説を私小説か本格小説かという観点から論じるのは意味がないとし、本格小説のお手本とされる『アンナ・カレーニナ』は日常生活の中での細心な、絶間のない体験の記録と告白と環境の描写との巨大な集積にほかならず、「『城の崎にて』を書いた時の志賀直哉は、トルストイの大作の一部分に象嵌《ぞうがん》してもほぼ同質として通るような観察とその記録をしていたことを痛切に、そして日本人の誇りをもって考えるのである」とまで述べるようになる。

ただ戦後の伊藤整の私小説評価は戦前・戦中とは微妙に変化している。『小説の方法』のライトモチーフは、近代小説の核心が作者の「内なる声による発想」にあり、それがジョイスやプルーストをはじめ二〇世紀文学の基調にもなっているという考えだ。一九世紀ヨーロッパの本格小説の立場から私小説を変格として葬り去ることは、盥の水といっしょに大事な赤子まで流してしまうようなものだ、というのである。

しかし小説が作者の告白だという考え方は、その後急速に力を失った。「作者の死」が宣告され、作品を独立のテクストとして、またその時代の歴史や文化との関連でとらえることが批評や研究の新しい方法とされるようになった。

「内なる声による発想」を基軸とする伊藤整の文学観の根には、大正期ロマンティシズムの余韻が感じられる。罪と汚れに塗《まみ》れた「個我」「エゴ」の働きを、「生命」の止むに止まれぬ営みとして救出したいというひそかな願望がある。「内なる声」の重視も私小説の擁護もそのような生命主義的ロマンティシズムから来るものではないか。

しばらく前まで私はそう考えていたが、その後、言葉の問題、日本語の問題もそこにかかわっているのではないかと思うようになった。それに応じて伊藤整から日本の近代作家全体へ、私小説から日本の近代小説全体へと、問題は拡がって行った。

これは必ずしも伊藤整に限ったことではないだろうが、私小説家とはいえない伊藤整の場合も、その小説全体を眺め返してみると、短篇か長篇か、主人公が一人称で書かれているか三人称で書かれているか、自伝的かそうでないかを問わず、語り手と作中人物の距離があまり離れていない小説がほとんどで、例えば全知の語り手によるような、一九世紀ヨーロッパ流の客観小説がまったくといってよいほどないことに気がつく。これは冷静な「認識者」、「仮面紳士」といわれた伊藤整のイメージにそぐわない。初期にジョイスの「意識の流れ」の文体を日本語の小説に移植しようとしたとき、三人称独白体ともいうべき自由間接話法につまずき、「意識の流れ」を一人称の直接的な告白文体と考えてしまったために行きづまったあたりから私小説への傾斜が始まっていることも見逃せない。戦後の『鳴海仙吉』『火の鳥』『氾濫』などの長篇でも、視点人物は章ごとに異なっても、全体の語りの構造にそれほどの変化はない。

伊藤整の作品で、さまざまな登場人物の間に展開される物語をパノラマ風に描いた、西洋近代小説によくあるようなスケールの大きな作品があるとすれば、『日本文壇史』だけである。『日本文壇史』の連載を始めて間もない頃、伊藤整は、これは「人物を中心に置いた一種の文学史であるが、文士や思想家の生活や考え方を、なるべくリアリスティックに描き出しながら、明治初年以後の文学史を、歴史小説のような形で描き出そうとするもの」だといっている。文士の作品でなく生き方を中心にしたのは、日本の近代小説には自伝的作品が多く、それがやがて私小説に行き着いたという認識があったからである。しかし私小説を含めて自伝的小説は、オーケストラ的でなく、それぞれが単一のメロディーという性格を持っている。にもかかわらずそれらの自伝が人を感動させるのは、「彼等文士の生き方の中に、近代日本という半封建社会に抵抗して生きた真の人間の姿が現われた」からだ。そうだとすれば、「多くの文士の伝記を集中すること自体が、彼等の私小説の綜合であり、彼等の意識しなかった、しかしその時その日本に存在していた最も鋭い生命感の綜合としてのオーケストラたり得る」のではないか。これが『日本文壇史』のそもそものねらいだったのである。

私小説を中心にした近代日本文学の分析と解明が評論家伊藤整の功績だったとすれば、私小説的作品そのものとその作者に関する学者たちの研究成果を綜合して『日本文壇史』という壮大な物語を作ったのは、やはり小説家としての伊藤整ならではのことだったというべきであろう。

しかし、話をもとに戻せば、『日本文壇史』はあくまで例外的な作品であり、厳密な意味で小説として書かれた作品ではなかった。『日本文壇史』がパノラミックな小説の形式を採用して成功したのは、人物や出来事が事実に基づいているという保証があらかじめ作者と読者の間にあったからにほかならない。事実に基づいて書かれた小説にしても、純然たる小説の場合にはそうはいかない。事実であってもなくても、それがいかにも事実であるかのように、本当らしく語られなければならない。物語の面白さではなく、本当らしさ、リアリティーの方が大事だということになれば、ヨーロッパ流の全知の語りは日本語ではやはりリアリティーを欠く。作中人物や作品の舞台を超越した高みから語ることによって得られる神的ないし科学的客観性は、西洋の言葉で語られる小説ではリアリティーを持ち得ても、日本語で語られる小説ではどうしても作り物めく。『戦争と平和』も『ボヴァリイ夫人』も偉大な通俗小説にすぎないという久米正雄の言葉を一笑に付すことはできない。私小説こそ文学の本道だという考えは、結局、そこから出てくる。

言葉が誰によってどう語られた場合にいちばん本当らしく聞こえるかは、言語と文化の違いによって異なるだろう。問題は日本語の場合はどうかである。先学の研究成果を当面の問題に即して私なりに要約すれば、こんなことになるだろう。

日本語には、言葉がつねに発話の場や発話者に結びついていて、そこから離れて自律しにくいという特徴があるらしい。言い換えれば、発話者や発話の場が聞き手にすぐわかるような言葉や語りの方が本当らしく聞え、その場や人物を離れた客観的な言葉や語り方は、その内容がどれほど妥当であっても、その真実性を支える実感的根拠、つまりリアリティーを欠く。といっても、言葉や表現が必ずしもその場にいる特定の発話者と結びついているわけではなく、その場にいる他の者や、その場に入って行く者も、自由に発話や受話の担い手になることができる。つまり言葉を発する人よりも場が重要な問題になるということである。その共有の場を無視したり、その場から遊離した言葉や表現は、文字通り宙に浮き、リアリティーを失うのだ。

人間の真実を追求し、表現する小説は、日本語で書かれる限り、日本語のこのような特質を無視するわけには行かない。ある出来事を体験したり、直接見聞したりした本人が自分の言葉でそれを語るとき、話はもっとも本当らしく聞える。しかし要はそれが事実であるかどうかではなく、事実であるように語るかどうか、「見てきたかのように嘘を言」えるかどうかである。主人公が一人称でも三人称でも、単一意識、単一視点の肉声を具えた語り手によって語られる小説がもっとも自然で、本当らしく聞えるのは、岩野泡鳴の一元描写論を引き合いに出すまでもなく明らかである。しかし多意識、多視点を採りながら、全知の非人称的語り手ではない、人間の知覚と声を具えた語り手による語りあるいは描写の試みが、一元描写論以前にすでにあったことを忘れてはならない。一元描写論はその批判として主張されたのである。その多意識、多視点の描写の試みとは、田山花袋が『生』（明治四一年）で初めて試みた「平面描写」にほかならない。

『生』の語り手は、作中人物と同じ平面（場）にいて、人物や場を外側から描写したり、ある人物の中に入ったり出たり、また別の人物の中に入ったりしながら、その場全体を自由に移動する。全体が見える高い地点に立つことはできるが、あくまで人物と同じ場で人物と同じ人間の知覚を通して語ることを原則としていて、物語世界の外部から世界全体を対象化し得るような超越的な主体の視点、いわゆる全知の視点に立つことはない。姿こそ見えないが、物語世界の内部に存在して、自らが知覚の主体であることがその特徴なのである。人物の中に入る場合は、その人物を三人称で呼びながら、一人称の語りのようにその人物の知覚と声で語る。ヨーロッパの言語でいえば体験話法とか自由間接話法とか呼ばれたりする奇妙な話法だが、日本語としてはさほど違和感がない。次に例をあげておく。

老母は不愉快でならぬ。興奮した神経が手伝つて、其饒舌《おしやべり》が此処まではつきりと聞えて来るやうに思はれる。前の嫁も井戸端でよく油を売つて居た。何うして今の若い者はあゝだらう？　そんな閑暇《ひま》があつたら、病人の世話をしたら好ささうなものだ。でなくとも腰巻の汚いのでも洗濯したら好いだらう。此間なぞ現に汚い物が其処等に散らばつて居た。女がさういふ不始末をするのは此上もない恥辱《はぢ》である。ふと前の嫁が朝飯の焦げたのを食ふのが厭さに、襤褸布《ぼろきれ》に包んで押入の奥に隠して置いたことを思出して、厭な厭な気になる。

田山花袋が『生』で試みた描写は、作中人物の誰かの知覚や印象を介した描写を基本にしている。語り手でさえ、人物と同じような知覚機能を持たない限り、作中に登場することができない一方、人間以上の知覚機能や超能力を持つことは許されない。いわば作中人物と同一平面上にいる、姿の見えないもう一人の作中人物だといったほうがいいかもしれない。だから全知の語り手のように物語世界全体に対して超越的な主体にはなれないかわりに、それぞれの人物の主観を並列的に描くことができる。その結果、単一の主観ではなく、複数の主観を同じ平面上に並べるというかたちで、西欧近代の客観とは異なった一種の「客観」がそこに実現される。「平面描写」とはそういう性質のものではなかったかと私は考えている。

ここにはさきに述べたような日本語の特性に応じた「客観」の追求があり、それに応じたリアルな描写の試みがあった。花袋自身はおそらく意識しなかったであろうが、その背後には、自分の知覚や心情だけに最終的なリアリティーの根拠を置いてそこから出られないにもかかわらず、そういう知覚や心情を統一する主体としての自己意識は希薄なわれわれ日本人の心性と、それを反映した日本語の力が働いていただろう。

「蒲団」に私小説の濫觴《らんしょう》を見るよりも、平面描写がわが国のその後の小説の語りの基本構造を打ち出していることを確認し、その上で、そのアンチテーゼとしての一元描写論を経て、私小説がより安定した形式になって行く必然性を考えることの方が意味があるのではないだろうか。

かくして伊藤整と私小説の問題は、私のなかでわが国の近代作家と小説一般の問題にまで拡大して、収拾のつかない状態になっているのである。

志賀直哉と伊藤整――「城の崎にて」をめぐって――

伊藤整が志賀直哉から直接何らかの影響を受けるということはなかった。伊藤整にとって志賀直哉は、文学を志した当初から、自分の前に立ちはだかる大きな壁だった。その壁を乗り越えることはできないにしても、壁に抵抗し、壁の構造を理解して自己の認識のなかに取り込み「心の平安」を得ること、それが志賀直哉に対して伊藤整が批評家として採った闘いの方法である。志賀直哉に対する伊藤整の反撥は「如是我聞」における太宰治に劣らず激しかったが、その戦術はより巧妙であり、その戦果ははるかに目ざましかった。

一

志賀直哉との最初の出会いは、昭和三年の上京直後、麻布飯倉片町の下宿で会った梶井基次郎を通して起こった。『若い詩人の肖像』にも書かれているように、梶井基次郎の人柄と文学談は北海道から出てきたばかりの伊藤整を魅了したが、志賀直哉はその梶井が最も傾倒していた作家だった。梶井は活字になった志賀直哉の文章を一字一句原稿用紙に書き写してその呼吸を学んでいるといった。梶井に心酔していた伊藤整も、彼の志賀直哉熱だけは理解できなかった。読んでも一向に面白くないどころか、嫌悪と反撥しか感じられなかったからである。

梶井基次郎は四年後の昭和七年春に大阪で死んだが、同じ年の秋、伊藤整は「伝統の正体」（『讀賣新聞』一一月九日）という短い文章で志賀直哉に対する嫌悪と反撥を初めて露骨に表明した。現在の文学においては自然主義以後の俳文的、心境的描写がすでに強力な伝統になっている。「例をあげれば、志賀直哉のような存在は全くどうにも仕様のない困った絶望的なものだ。／向側に何ものも残っていない塀のように無意味だ。学ぶべく如何なるものがそこにあるのか。」

半年後の最初の志賀直哉論である「志賀直哉の問題」（『作品』昭和八年四月）では、批判の内容をやや具体的に語っている。少年時代に「クローディアスの日記」を志賀直哉のものとは知らずに読んで実にうまいと思ったが、のちになって志賀直哉の代表作は「暗夜行路」とか「和解」とかの自伝的な小説で、それらの作品を文壇人は神聖視していることを知ったので読んでみたが、およそ問題にならない位に面白くもなく感銘もなかった。大哲学者だとか大詩人だとか別に大きな仕事を残している人の自伝というならまだ意味もあるかもしれないが、「単に自分が『クローディアスの日記』なる小説に感心したことのある一小説家の正確な自叙伝を読むということだけでは無益に近いことのように思われた」。志賀直哉の自伝的小説がある種の量感と正確さを持っていることはわかるが、文学青年の得手勝手な生活や悩みをだらだらと書いて他人に読ませようという気持は、育ちや環境の違う自分にはとても我慢できなかった。そのなかで「クローディアスの日記」「范の犯罪」「剃刀」等の特殊な題材のものだけは集約的な効果をあげているが、自伝的小説が重んじられている風潮は理解に苦しむ。

伊藤整は昭和初年の出発当初から一貫して作品よりも作者の態度や人格を重視する文人的、修養的な文壇の伝統とその近代的形式である「心境小説」をきびしく批判、否定した。戦後の伊藤整の用語でいえば「日本的人格美学」に対する批判ということになるが、志賀直哉は瀧井孝作や梶井基次郎らと並んでその代表格と目されていたのである。しかしそれは伊藤整がいわゆる私小説一般を目の敵にしていたということでは必ずしもない。伊藤整は早くから自己中心の記録風の小説を心境小説風ないし心境型と自我描写風ないし戯作型に分け、自分を理想化して書こうとする前者の心境型に対して、文学とは自分の心の傷の表現だと考えている後者、嘉村礒多型の狭義の私小説にはむしろ熱い共感を寄せていた。

前者の代表である志賀直哉に対する厳しい批判の姿勢は次の「志賀直哉論」（『月刊文章講座』昭和一二年五月）でも変っていない。志賀直哉的なスタイルや思考は現代の小説の底流になっている。「志賀直哉は日本の近代小説の写実道にある典型的な基礎を作った人であり、現代の散文の最も美事な達成」である一方、「人間の思考においても個人主義道徳の極点まで考を押し進めた画期的な生活人」だとされ、「生きながら古典的な作家」になっている。しかし志賀直哉にあるのは「一種の確かさ」だけであり、特異性とか独創力とか想像力とかの本質的な作家の力はない。とくに想像力を欠くことにおいて、志賀直哉は決定的に、作家として欠けるところがあるともいえる、というのだ。

二

昭和一〇年前後の二、三の文章論では、「クローディアスの日記」における心理描写や、「城の崎にて」に見られる、対象と一体になった文章の働きに注目している。とくに「城の崎にて」は谷崎潤一郎が『文章読本』（昭和九年一一月、中央公論社）で屋根の上の蜂を描いた一節を引いて、一字一句も動かせない小説の名文だと賞讃してから、よく取り上げられるようになった。伊藤整は、描かれている対象とそれを見ている主人公の間に距離がなく、読者も対象を直接見ているような、文章の存在を感じさせない文章の新鮮さを重視する一方で、蜂や鼠の死が作者自身の瀕死の体験を背景にして描かれていること、つまり作品が作家自身の生活の「象徴」として私小説的に書かれている点を重く見た。

その後、戦時色が強まり、伊藤整自身も次第に身辺の記録や私小説に傾斜して行くなかで、あらためて「城の崎にて」を読んで感心し、志賀直哉に対して前々から抱いていた抵抗感を一時留保して他の作品を読んで行くうちに、「寛大な気持と敬意との混った気持」を抱くようになったという（「志賀直哉の方法」）。こうして志賀直哉という外部の存在が「認識」という武器を通して伊藤整の内部に取り込まれて行く。

「城の崎にて」論を収めた大正文学研究会編『志賀直哉研究』が河出書房から出たのは敗戦間際の昭和一九年六月だが、書いたのは一年以上前のことだった。『太平洋戦争日記』の昭和一七年一二月二〇日の項に「午後渋川君来る。『志賀直哉論集』の原稿十五枚ぐらい書けと言う」とあり、翌一八年三月二四日の項に「志賀直哉論『城の崎にて』考、を九枚まで書いて終りにする」とある。戦後、『小説の認識』や『文学入門』において展開される志賀直哉攻略の礎石は戦中にひそかに築かれていたのだ。

伊藤整はまず「城の崎にて」の主題は三つあって、第一は蜂だといい、谷崎潤一郎と同じ箇所を引いて前とはやや違った分析を行う。「象徴として死んだ蜂が取り扱われているのではなく、事実として主人公の心に応えた強さを正確に描こうとして、ひとりでに筆は客観的な写生から離れてしまい、我にもあらず蜂を自分と同じようなものに見てしまっている」。つまり「この作品のような私小説においては、体験記の力強さと、小説の表現の細かさとが結びついて」「小説としての力以上のもの、つまり小説の力と伝記の興味と思想書の深さとを兼ね備えるように」なっている。しかも蜂の次に、鼠、さらに蠑螈《いもり》の生死を、怪我に遭った自分の生死に重ね合わせるように描くことで、死を自分の身近な、親しいものとして見るような心境に達し、作品に心理的、思想的な深さが加わっている、とした。

これが戦後の『小説の方法』にそのまま引き継がれ、「本格小説」の範と仰がれてきた『アンナ・カレーニナ』も「私小説」の巨大な集積にほかならず、「『城の崎にて』を書いた時の志賀直哉は、トルストイの大作の一部分に象嵌してもほぼ同質として通るような観察とその記録とをしていたことを痛切に、そして日本人の誇りをもって考えるのである」(「小説への疑問」)とまで書くようになる。しかしその一方で志賀直哉は社会的、経済的に恵まれた環境のなかで自他に対して論理的に働きかける強いエゴの持主だったと、その人格主義的、調和型的側面を指摘することも忘れていない。志賀直哉におけるこれら二つの要素をどう結びつけるかが『小説の方法』以後に残された伊藤整の課題になる。

三

志賀直哉における二つの要素は、評論集『小説の認識』に収められた「近代日本人の発想の諸形式」(『思想』昭和二八年二~三月)の「死または無による認識」「上昇型と下降型」の二章を中心に考察され、次のように定式化された。

自然的な存在としての個人の生命感が最も強く感じられるのは、自分が死ぬことを意識したときである。末期の眼にはすべてが美しい。近代の日本文学には、そのような「死または無の意識」によって描かれた短篇の名作が多い。志賀直哉の「城の崎にて」をはじめ、結核患者だった堀辰雄、尾崎一雄、島木健作、梶井基次郎らの同種の作品は、その描写の美しさと鋭さによって強烈な印象を読者に与えるが、それはそこに描かれたものが死の意識によって発見された生命の姿だからである。志賀直哉はそもそも現世を論理によって秩序づけ、調和させたいという傾向を強く持ち、それを自己と周辺に対して強い意志で実践した作家である。しかし「城の崎にて」は、そういう彼が、深刻な生の危機に直面した場合には死または無の意識によって精神の安定を得る思考の型を持っていたことを示している。彼の思想の全体を表現する大作とされている「暗夜行路」の認識形式もまたそれである。「暗夜行路」は完全なフィクションであるだけに作者の思想の骨格は明確に現われている。ここに、無の認識の上に立って現世を肯定し、その調和を意志的に望み、その調和の秩序となる善悪の判断を好悪によって定める、という志賀直哉的な世界が構成される。しかしこの世界を成り立たせることができるのは恒産か文士のような自由な職業を持った者に限られる。貧乏人や無産者は戦う以外にない。要するにこの調和的人間像は限られた特殊な場合にのみ成立するもので、一般の近代市民の像とは違う。それゆえ志賀直哉的人間像から近代社会を構成することは困難である。

このように志賀直哉における人格主義的調和型の人間像と「死または無による認識」という二つの要素を、「城の崎にて」から「暗夜行路」全体を貫く後者の認識こそ前者の根底をなす思想だというように関係づけたところに伊藤整の志賀直哉論の全体が構築された。そして後者の要になる「城の崎にて」については、このあと、書き下ろしの『文学入門』（昭和二九年一〇月初版、三一年一二月改訂、光文社）で詳細な分析が行われていることは、よく知られている通りである。かねてから「暗夜行路」は「城の崎にて」の「拡大深化版」だと考える本多秋五が、最後まで伊藤整の志賀直哉論にこだわり、『志賀直哉（上）（下）』（一九九〇年一～二月、岩波新書）において、「城の崎にて」について書かれたもののなかでは伊藤整の『文学入門』がもっともすぐれているとして、くわしく紹介していることも、またよく知られている。

しかし「調和型」と「死または無による認識」という概念規定や、志賀直哉における両者の関連について、問題がないわけではない。ここでは「死または無による認識」について私のささやかな疑問と展望を述べて結びとしたい。

四

「近代日本人の発想の諸形式」の第四章「上昇型と下降型」の冒頭で、伊藤整は、破滅型または逃避型と死または無による認識は、「両者ともその存在感の究極を無という永遠性の中に見出している」といい、「人間は大地の上に立っていることを感じなければ安定しないように、危機に面した時には、自分の存在が何かの絶対なものと結びついていないと不安で耐えられなくなる。その絶対の形は一方の極が死または無であり、他方の極は完全性または神であるらしい」と述べている。しかし危機に直面した人間を究極において支える絶対なものが無だというのは理解しがたい。逆に死と向き合った人間は死の向こう側にあるのが無だけだと思うから不安になるのではないか。我々は死または無に直面したとき、自分は無に帰するのではなく、自分を越えたもっと大きな世界に入って行くのだと考えることによって心の安定を得たいと思う。その際、自分を越えた大きな世界として想定されるのが、個の生死を包み込みながら永遠に続く生命的自然、宇宙的生命のイメージなのではないか。危く死から逃れたあとで生きものの生死を観察する人間は、それによって自分も生きものの一つにほかならず、そういうものとして、死んでも生きても、自分の存在が宇宙全体の生命の流れのなかにあると考えて救いを感じるのではないか。

同じ章の終り近くで伊藤整は、日本の知識階級者のなかでは無の認識と進化論以後の近代科学的認識が結びついてキリスト教とは違った独特の安定を生み出している、という注目すべき仮説を提出している。その説も右のような我々に親しい生命的救済観抜きには考えられない。そうでなければ、「城の崎にて」をはじめ、死または無の意識によって描かれた日本近代文学の名作に、蜂、鼠、蠑螈、河鹿、赤蛙、蠅等々、小さな生きものの生死を観察したものが多い理由もわからなくなるはずだ。

それだけではない。そう考えることによって、日本の近代文学には、「城の崎にて」に代表される「死または無による認識」系列の名作と隣り合ったところに、それとは別のもう一つの作品系列が存在することに気づくのである。思いつくままにあげれば、「水晶幻想」「禽獣」「川」「黒い雨」「少女架刑」「透明標本」等々、人間と生きものの生死を並べて描きながら、「城の崎にて」の系列とはまったく違った、残酷または非情の効果を生む一連の小説である。それらの小説においては人間を動物と同じ生きものであると考えることが救いにならないどころか、人間を苦しめ、傷みつけるものとなる。死はしばしば動物あるいは人間の死体として具象化され、生きた人間と並べられたり、死体の解剖が描かれたりする。人間が動物と同じ生きものとして扱われるだけでなく、死体として、動物の死骸や物と同列に即物的に描かれる。そしてそこから救いとは対極の非情、残酷の印象が生まれる。志賀直哉、島木健作、尾崎一雄らの「死または無による認識」型の心境小説の系列と、いまあげた川端康成、井伏鱒二、吉村昭らの残酷小説の系列は、一見まったく異種の小説のように見えるが、近代日本の風土に同じ一つの根から生まれ育った二つの同系種として見ることができる。そしてその同じ一つの根こそ、伊藤整が仮説として提出していた、わが国の伝統的自然観・人間観・身体観と進化論以後の西洋近代科学が結びつき絡まり合った根ではないかと考えられるのである。もしそういう推論が成り立つならば、「城の崎にて」も志賀直哉の文学もより広いパースペクティブにおいて眺めることが可能になるであろう。

〔付記〕最後の展望に関しては拙稿「モダニズム――川端康成における伝統と科学」(『國文學』二〇〇一年三月)も併せて参照されたい。

大槻憲二と伊藤整とアナキズム

大槻憲二は前から気になっていた人物だった。最近、彼の主宰した雑誌『精神分析』（昭和八〜一六、二七〜五二年）の戦前版の復刻にかかわった機会に、精神分析学者になるまでの彼の前半生について調べて、興味が募ると同時に謎も深まった。知られているように、大槻憲二は大正末年から昭和初年にかけての数年間、ウィリアム・モリスや農民文芸などについて反マルクス主義的立場から論じる気鋭の評論家として活躍した。当時の農民文芸運動には石川三四郎、加藤一夫、鑓田《やりた》研一ら、数多くのアナキストがかかわっていたためか、『日本アナキズム運動人名事典』にも彼らと並んで立項され、次のような簡にして要を得た解説が付されている。

大槻憲二　おおつき・けんじ　１８９１（明24）11・2－１９７７（昭52）2・23　兵庫県に生まれる。早稲田大学英文科を18年に卒業。ウィリアム・モリスの芸術社会主義体系の研究を『早稲田文学』に発表し、モリスを通じて農民文学へも関心をもち、吉江喬松、中村星湖、椎名其二、犬田卯《しげる》らが24年に始めた農民文芸研究会に初期から参加する。研究会の後身農民文芸会編の『農民文芸十六講』（春陽堂1926）や27年2月の『文芸』農民文学特集号などに執筆、下中弥三郎らの農民自治会へも全国委員として参加し、第1次『農民』（農民文芸会1927・10－28・6、全6号）、第2次『農民』（農民自治会1928・8、9、全2号）までは農民文学について文筆活動を続けているが、その活動の方向性の違いから会を離れ、30年代にはフロイト精神分析学の紹介者としての活動に移る。性心理学者高橋鉄はこの時期の門下生である。東京精神分析研究所所長をつとめた。

（川口秀彦）（著作・文献略）

いうまでもなく大槻憲二はアナキストではなかった。農民文芸運動とのかかわりや反マルクス主義、反都会、反文明という立場からいえば、生田長江、相田隆太郎、宮島新三郎らに近いが、彼らは事典に立項されていない。

大槻憲二に対する私の関心は、しかしアナキズムや農民文学との関係からではなく、そのあとのフロイト精神分析の紹介者としての先駆的、持続的な活動に対してであり、また、なぜ突然、農民文学から精神分析学に転じて、それが戦前・戦中・戦後の彼の後半生を貫く大事業になったかという問題にもかかわっていた。

今度初めて知って驚いたのは、関東大震災後に『早稲田文学』や農民文芸会をバックにしてウィリアム・モリスや民衆芸術や農民文学関係の評論家になる、さらにその前の、若き日の大槻憲二の多彩な活動ぶりだった。詳細は『精神分析』復刻版第一回配本別冊（二〇〇八年六月、不二出版）の解説をご覧いただきたいが、とくに早大英文科に入る前に東京美術学校に入学して田中恭吉、藤森静雄、恩地孝四郎らと知り合い、萩原朔太郎の『月に吠える』に収められた、ムンクを思わせる戦慄的、官能的な版画を遺して夭折した田中恭吉と親しく交わり、一時は同居して、ともに画文による内面の表現を追求したこと、早大に移ってからは、姉崎嘲風らの樗牛会の雑誌『人文』に投稿した「夏目漱石論」、創作「千鳥」、評論「悲劇本質論」が同誌に掲載になるとともに、卒業直前の『早稲田文学』の巻頭を飾った「夜霧」は、一人の青年と二人の女性の間で交された手紙だけを並べた書簡体小説で、内容的には、自分に対する彼女たちの無意識の愛を意識化させて、その告白を迫ろうとする、ナルシシストの青年を中心にした立派な心理分析小説だったこと、などである。

しかし早大卒業後、すぐに精神分析や文学の道に進んだわけではない。鉄道省に職を得て旅行案内書の編集を担当しながら、浜田広介、戸川貞雄、岡田三郎ら、早大英文科の同窓生たちと同人雑誌『基調』を出して小説を発表したり、田中恭吉亡きあと、その遺志を受け継ぎながら、恩地孝四郎、藤森静雄ら、東京美術学校の旧友たちと始めた総合芸術雑誌『内在 Die Immanenz』に初めてウィリアム・モリスの翻訳や評論を発表したりした後、震災の翌年の大正一三年、三三歳になって鉄道省を退職と同時に結婚して東京郊外の立川在に新居を構え、ようやく文芸評論と翻訳を中心にした文筆生活に入る。

足がかりになった本間久雄編輯の『早稲田文学』にはモリス論、農民文学論、評論時評などを毎号のように書き、「早稲田文学合評会」にも何度か出席している。またモリスの芸術的社会主義から民衆芸術や農民文学に関心を抱き、吉江喬松、中村星湖、白鳥省吾、和田伝など早大の先輩たちが多かった農民文芸会（当初は農民文芸研究会）に加わって、同会編『農民文芸十六講』（大正一五年一〇月、春陽堂）の主な執筆メンバーになった。

文芸評論家としての大槻憲二の特徴は、マルクス主義に対して最初から戦闘的、攻撃的な論陣を張った点にあった。しかも原理主義的な論争家タイプの彼は、マルクス主義的な農民文学論の批判に止まらず、マルクス主義評論家やマルクス主義文学論の根本的欠陥を衝くというラディカルな態度に出たので、マルクス派の反論を浴び、激しい応酬を繰り返した。代表的な論争文をあげれば、「イデオロギーと文学との問題——全プロレタリヤ評論家への質疑」（『太陽』大正一五年五月）、「文学に於ける階級意識の止揚を論ず」（『新潮』同年九月）、「マルクス派文学論の根本的欠陥」（『都新聞』同年九月五～七日）、「農民文芸論者として―論敵諸君に答ふ―」（『文芸市場』昭和二年三月）、「依然根本的欠陥あり」（『都新聞』同年三月一五～一六日）、「労働快楽説と経済学上の苦痛説―大熊信行氏の『ラスキンとモリス』を読んで―」（『都新聞』同年五月六～八日）等々。いずれもマルクス主義者だけでなくマルクス主義学説に通じる評論家や学者たちの一斉攻撃を受け、それをまた反撃した。論争の相手は山内房吉、林房雄、青野季吉、平林初之輔、藤森成吉、今野《いまの》賢三、本荘可宗《ほんじょうかそう》、大熊信行らで、とくに大熊信行著『社会思想家としてのラスキンとモリス』（昭和二年二月、新潮社）をめぐる著者との対立は『都新聞』『新潮』『文章倶楽部』など複数の舞台での大論争になった。しかし客観的に見てこれらの論争のほとんどすべてにおいて大槻憲二は敗れている。マルクス主義の勢力伸張期で、孤軍奮闘を強いられたからだけではない。大槻の側には根からのロマン主義的気質とマルクス主義や経済学についての理解不足から来る独断や偏見があった。間もなくプロレタリア作家の旗手として活躍する小林多喜二と、多喜二に対抗しながら大槻らに導かれて精神分析小説の作者としてモダニズムの文壇に登場する伊藤整が、ともに小樽高商での大熊信行のかつての教え子だったことは皮肉である。大熊信行の著書が出た直後の『小樽新聞』（昭和二年二月二七日付）に多喜二は「大熊信行先生の『社会思想家としてのラスキンとモリス』」という敬意のこもった紹介宣伝文を寄せていた。

農民文芸会を母胎として農民文学運動家の大同団結である雑誌『農民』が創刊されたのは、それから間もない昭和二年一〇月だった。大槻憲二が第一次『農民』全六号の主要執筆メンバーの一人だったことは川口秀彦の事典解説の通りである。しかし翌三年の三・一五事件直後のナップ結成とプロレタリア文学運動の急進化、マルクス主義派とアナキズム派の対立、分裂の表面化による第一次『農民』の休刊の一か月後に復刊された第二次『農民』全二号のうち、昭和三年八月発行の第一号に発表した「農民の世紀――農民文学の使命」が農民文学に関する大槻憲二の最後の発言になった。第二次『農民』は新たに加わった加藤一夫らを含むアナキスト中心の農民自治会から発行されるが、間もなく有力メンバーだった中西伊之助、渋谷定輔らが去るに及んでわずか二冊で廃刊となる。マルキストでもアナキストでもなかった大槻憲二は、急進派マルキストたちが抜けてアナキスト中心になった第二次『農民』に残りはしたが、二号以降は離れた。それによって反マルクス主義を標榜する農民文学論者、農民文学運動家としての大槻憲二の評論活動には終止符が打たれる。内心ひそかにマルクス主義に対する敗北を察知したからであろう。しかしそのことを彼は自他に対して頑として認めようとしなかった。反マルクス主義的な農民文学評論家の旗を巻き上げ、翌昭和四年から一転してフロイト精神分析の紹介者としての道を歩み始め、以後約半世紀間まっしぐらにその道を走り続けた彼は、それまでの前半生を自ら葬り去ろうとしたかに見える。それにしても農民文学評論家を辞めたあと、半年も経たぬうちに農民文学とは何のつながりもないフロイト精神分析の紹介者に転身したのはなぜか。いろいろ調べたり考えたりしたが、やはりよくわからない。『精神分析』復刻版別冊の解説にも書いたように、マルクス主義という大敵からの全面撤退を余儀なくされたとき、あらためて幼児期以来の神経症と心理分析家としての自己の資質を生かすほかに道はないと考えたからであろうか。

もっとも同時代や後世への影響ということでいえば、農民文学評論家やモリス研究者としてよりも、精神分析紹介者としての彼の活動の方がはるかに大きい。今ではほとんど忘れられているが、昭和初年はマルクス主義とともにフロイトの精神分析が流行した時代である。昭和四年から八年にかけて二種のフロイト邦訳全集が同時に刊行された一事を見てもブームのほどは察せられよう。そのブームを産み出し、発展させた最大の功績者の一人が大槻憲二だったのである。二種のフロイト邦訳全集というのは、大槻の主宰する精神分析研究所編『フロイド精神分析学全集』全一〇巻（春陽堂）と安田徳太郎、新関良三、丸井清泰ほか訳の『フロイド精神分析大系』全一五巻（アルス）であり、前者の大半は大槻自身の訳業だった。翻訳と併行して彼は雑誌や新聞に精神分析の紹介や評論を発表し、全集が一応の完結を見ると雑誌『精神分析』を創刊し、戦中・戦後の一〇年余の中断を挟んで、彼自身の死まで半世紀近くも続刊して、斯学の研究と普及に貢献した。

昭和初年のフロイト・ブームは文学に最も直接的な影響を及ぼした。例えば昭和を代表する文学者の一人である伊藤整は、昭和五年に発表した精神分析小説「感情細胞の断面」が川端康成に認められて文壇に登場した。マルクスに対抗する拠点としてフロイトを発見したことは、伊藤整にとって決定的な事件だった。フロイトの影響は戦後にいたる伊藤整の文学全体の根底を貫いている。

伊藤整にはフロイトの精神分析に衝撃を受ける個人的な理由があった。昭和三年に北海道から上京するまでの詩人時代の伊藤整は、父親に対して激しい反撥と嫌悪を抱いていた。少し前から父は事業に失敗したあげく病気で寝たきりになり、家族は長男伊藤整の上京に反対した。しかし伊藤整は受験に合格していた東京商大を一年間休学することを条件にして、一年後の昭和三年四月、家族の反対を押し切って上京した。その二か月後、父危篤の電報で帰郷した伊藤整を迎えた北海道の郷里の村は、北国の春の真盛りで、桜も桃も李も一斉に花を咲かせたあと、草木は日に日に緑を深めていた。その自然の生命の祝祭のなかで父はなかなか息を引き取らなかった。その間の息子としての内心の焦燥と葛藤を周囲の自然の狂おしいまでの生の営みと対照させながら描いた小説が初期の代表作「生物祭」（昭和七年）であった。「生物祭」が父親殺しの小説であることを最初に指摘したのは荒正人である。

そういう伊藤整にとってエディプス・コンプレックスやリビドーを基礎とするフロイトの精神分析学説がショックをあたえないはずはない。昭和三年の上京直後、二種のフロイト邦訳全集が出る前年から伊藤整はフロイトを知り、精神分析を新しい文学に取り入れることを考えていた。その導き手の一人が農民文学論者から精神分析紹介者になったばかりの大槻憲二だったのである。

フロイトないし精神分析についての大槻憲二の最初の著作は昭和四年一月から四月まで『文章倶楽部』に連載された「性欲心理学から見た文芸」である。続いて同年六月四日付の『東京朝日新聞』に「無意識心理派の文学」を発表した。北海道時代以来の友人たちと同人雑誌『文芸レビュー』を創刊したばかりの伊藤整は、すかさず大槻に寄稿を依頼し、同誌七月号に大槻の「精神分析派の文芸作品出でよ」が掲載された。川端康成の賞讃を受けた伊藤整の精神分析小説「感情細胞の断面」（『文芸レビュー』昭和五年五月）は大槻の提唱にいちはやく応えた作品だったのである。『フロイド精神分析学全集』刊行開始後、精神分析学者大槻憲二の名は瞬く間に上がった。昭和七年二月七日付『読賣新聞』文芸欄の「文芸・思想 Who's Who 29」には大槻憲二が登場して質問に答えているが、「貴下の言葉（モットオ）」は「まず汝自身の無意識を支配せよ」、「思想、芸術系統」は「文学上では心理派、社会思想的には赤松克麿《かつまろ》の云ふところが私の前からの主張に一致してゐる」と回答している。赤松克麿は東大新人会を結成した社会運動家で典型的な転向者の一人。当時は右翼の社会民衆党書記長で、この年の五月には日本国家社会党を結成する。そういう赤松克麿に自己を同一化させている大槻憲二も、このあと『精神分析』の刊行を続けながら、しだいに社会思想的には国家主義に傾いて行き、『科学的皇道世界観』（昭和一八年三月、東京精神分析学研究所出版部）といった著書まで出すようになる。『精神分析』には元アナキストの延島英一が精神分析関係の翻訳や論評を数多く発表、辻潤なども短文を寄せているが、アナキズムとの直接的なつながりはない。農民文学論者としても、精神分析学者としても、大槻憲二とアナキズムとの間につながりを見出すことは難しい。

ところが昭和初年の出発期に大槻憲二らの翻訳や紹介を通じてフロイトを知った伊藤整は

アナキズムと大いに関係がある。そのことを私は三〇年以上も前からあちこちに書いているが、本誌の読者には知られていないだろうから、あらためて記しておきたい。

伊藤整とアナキズムということで真先に思い出すのは、クロポトキンが英語で書いた『ロシア文学の理想と現実』の伊藤整訳『ロシア文学講話』が戦前の改造文庫で刊行されていることだろう（上・昭和一三年一〇月、下・一四年四月）。『日本アナキズム運動人名事典』が伊藤整の項を設けているのはさすがで、同書が戦後『ロシア文学の理想と現実』と改題されて改造社選書に収められ、創元文庫版では瀬沼茂樹との共訳になっていることにまで触れている。しかし実は同書は中山省三郎から翻訳を依頼された伊藤整が友人瀬沼茂樹に廻した代訳なのだ。そのことは改造社文庫版の「訳者例言」からもうかがえるが、上巻刊行後に伊藤整が印税の一部を瀬沼茂樹に送った速達書留に添えた書簡（日本近代文学館編『文学者の手紙4　昭和の文学者たち』二〇〇七年五月、博文館新社所収）が何より確実な証拠である。戦後の創元文庫版が二人の共訳とされたのもそのためにほかならない。また伊藤整編『20世紀を動かした人々　第6　モラルの解放者』（昭和三九年五月、講談社）に収められたクロポトキンの項は秋山清の執筆で、伊藤整は「序」しか書いていない。

にもかかわらず伊藤整とアナキズムとの間には見逃すことのできないつながりがある。戦後の評論集『小説の方法』（昭和二三年一二月、河出書房）や『小説の認識』（三〇年七月、同）で展開され、スターリン批判後の『芸術は何のためにあるか』（三二年二月、中央公論社、挟み込みの栞に大熊信行「伊藤整の芸術論とマルクス主義批判」を掲載）で発展、応用された伊藤整の芸術論、文学論の根幹には、フロイトの精神分析の影響と同時に、「征服の事実」に対して「生の拡充」を説いた大杉栄の「社会的個人主義」の、遠い、しかし確実な余韻を聞き取ることができるのである。

伊藤整によれば、芸術とは「秩序」に対する「生命」の抵抗感の表現である。人間は個々人の欲求や衝動を抑制するために政治、道徳、科学、宗教などの文化組織の体系を作り上げた。しかしそれは人間が集団として安全に生活するために設けた止むを得ざる手段であり、便宜であって、根本にあるのは個人の内部にひしめく欲求や衝動である。個人の「生命」（「自我」「エゴ」）は社会のすべての「秩序」（「形式」「制度」）に抵抗する激しい否定的、破壊的精神をその本質とする。革命の衝動は破壊的、否定的な働きにおいてのみ芸術とともに歩むが、「秩序」形成期に入ると「生命」を抑制する抵抗体、新しい現世になる。それらを含むあらゆる「秩序」に抵抗する「生命」の表現が芸術なのだ。

周知のように、大杉栄は、「生」あるいは「自我」の「拡充」という面から人間を捉え、それを「征服の事実」という社会的な抵抗体の認識に結びつけて、前者の後者に対する反抗と破壊のうちに「憎悪美と反逆美の創造的文芸」のありかを求めた。それに対して、伊藤整は「自我」を「生命」と呼んで現世の「秩序」と根源的に対立するものとし、前者の後者に対する抵抗のなかに「内なる生命」の声としての芸術の存在理由を探り当てようとした。両者の共通性を無視することはできない。しかしだからといって伊藤整が大杉栄を読んで直接影響を受けたというわけではない。大杉栄のような自我・生命・社会の認識は、白樺派や有島武郎、倉田百三、山本有三らを思い出しただけでも、伊藤整が青春時代を過ごした大正期にはかなり一般的な発想だったのではないかと思われる。おそらく西欧から学んだ近代的な個人の観念は、社会や文化を飛び越えて個人と自然・宇宙を直接結びつける「自我」＝「生命」として再認識されることによって、初めてわれわれのものになり得たのだ。白樺派の文学、大杉栄の生の哲学だけでなく、フロイトの夢の理論を援用した厨川白村《くりやがわはくそん》の「苦悶の象徴」論（『改造』大正一〇年一月）などもその延長上にあった。白村は、文芸とは抑圧された「生命」の「苦悶」の「象徴」にほかならないという持論をフロイトの夢と「無意識」についての理論を借用して主張したのだが、その際、文芸作品が読者に感動をあたえるのは、「象徴」を媒介にして作者と読者の「生命」が共鳴し、解放されるからであり、それはもともと「生命」

が作者や読者の個を超えて宇宙人生に偏在する大なる「生命」だからであるとした。そういえば、大槻憲二の『精神分析』から出て、戦後、気骨のあるセクソロジストとして活躍した高橋鐵《てつ》は、クロポトキン、ルソー、マルクス、有島武郎、河上肇などを読んで、いっぱしの革命家気取りでいた中学三年生のとき「苦悶の象徴」によって目を開かれ、精神分析学をやろうと決意したという（高橋鐵「日本精神分析学私史」、『思想の科学』昭和四一年三月）。

さらに一歩進めれば、そのような「自我」＝「生命」の発想は、決して近代の外来思想の影響から生まれた文学者や知識人だけの観念ではなかった。それが明治以降の民衆のなかに広く深い根を張っていた発想であったことは、幕末以後に生まれて明治・大正にかけて多数の信者を獲得した黒住教、金光教、天理教、大本教ほかの新宗教の教義が、ほとんど同じような「自我」＝「生命」＝「自然」観の上に成立していたことを指摘した宗教社会学者たちの研究によってつとに明らかにされている（対馬路人・西山茂・島薗進・白水寛子「新宗教における生命主義的救済観」、『思想』一九七九年一一月号）。付け加えれば、やはり同様な生命観を教義の中心に据えた「生長の家」総裁谷口雅春は、大正一〇年に最初の大弾圧を受けた大本数を離れて自ら「生長の家」を創設するに当ってクリスチャン・サイエンスとともに精神分析を学び、のちに『精神分析の話』（昭和一六年六月、光明思想普及会）を著している。戦後の『フロイド選集』

全一七巻を刊行した日本教文社が「生長の家」系統の出版社であることもよく知られていよう。

精神分析もアナキズムも、調べたり考えたりすればするほど無際限に拡がって、何が何やらわからなくなってくるもののようだ。クワバラ、クワバラ。

谷崎潤一郎と伊藤整

1

谷崎潤一郎の評価は、批評においても研究においても、近年、ますます高まっている。最近、必要があって、戦後の近代文学の研究で、どんな文学者の研究が盛んに行なわれてきたか、近年、それはどんなふうに変化しているかいないか、といったことについて、多少統計的に調べてみる機会があった（『國語と國文學』平成一九年五月特集号）。文学について、研究するのは、まだいいとしても、統計的に調べる、とはなにごとかと、お叱りを受けそうだが、まあ、お遊びだと思って聞き流していただきたい。

調査の対象にしたのは、一九五一年に創設された日本近代文学会の機関誌『日本近代文学』と、一九七九年に発足した昭和文学会の機関誌『昭和文学研究』のそれぞれに、昨年までに掲載された論文、シンポジウム、資料紹介、研究エッセイ、その他の研究文献である。どちらも現在、年二回発行されている。ほんとうは国文学雑誌や大学の紀要類まで調査の範囲を拡げたかったが、そこまでの余裕と情熱はなかった。

限られた調査の結果だけをかいつまんで紹介すると、明治以後の近代文学全体を研究対象にしている『日本近代文学』のダントツは相変わらず夏目漱石の研究である。ところが漱石以下のランキングに、このところ微妙な変化が現われている。試みに、二〇〇〇年までとそれ以後とに分けてみると、二〇〇〇年までの五〇年間のランキングは夏目漱石、森鷗外、島崎藤村、谷崎潤一郎、芥川龍之介、泉鏡花、横光利一、有島武郎、田山花袋、志賀直哉、太宰治、国木田独歩といった順だった（ここにあがっている作家やこの順位そのものに首を傾げる人も、とくに若い世代には多いだろう）。ところが二〇〇〇年以後の六年間に限ると、多い方から順に谷崎潤一郎、夏目漱石、芥川龍之介、森鷗外、太宰治となった結果、過去五六年間を通してのベストファイブは夏目漱石、森鷗外、谷崎潤一郎、島崎藤村、芥川龍之介と、谷崎潤一郎が島崎藤村を抜いて三位に躍り出た。同じ傾向は『昭和文学研究』にも見られる。昭和作家では、戦後派や昭和一〇年代作家の凋落ぶりは痛々しいほどだが、横光利一、小林秀雄、中野重治、伊藤整らに対する関心も低迷するなかで、宮澤賢治や太宰治らは相変わらず堅調で、谷崎潤一郎、三島由紀夫、坂口安吾らの人気が上昇を続けている。

話を谷崎潤一郎に限って、その理由を考えてみたい。昔から谷崎潤一郎は同時代の花形作家と並べられて、いつも分が悪かった。佐藤春夫と併称されたときには本当の才能の持主は佐藤春夫だろうといわれ、芥川龍之介とくらべられたときは芥川こそ真の近代人だといわれた。荷風と比較された場合もほぼ同じ。晩年の芥川龍之介が谷崎潤一郎と論争し、志賀直哉に拝脆して命を絶ったのは昭和初年だが、それ以来、志賀直哉対谷崎潤一郎という図式が定着し、少なくとも文壇では、「小説の神様」であり、純文学の守護神である志賀に対して、谷崎は異端的な物語作家、大衆作家にすぎないと軽く見られてきた。そうした対比は、谷崎には思想がないといった佐藤春夫の意見と結びついて、戦後まで続いた。外に向かっては社会的無関心、内に向かっては自己の生活の省察の不十分という両方からの結論として、谷崎潤一郎は近代作家または現代作家として疑わしい存在だという通念が生まれていたのだ。

その通念をひっくり返して、谷崎潤一郎の「思想」に注目したのが、伊藤整だった。伊藤整がそうした考えを最初に打ち出したのは、戦後間もなく、『細雪』の完成、『痴人の愛』の映画化、『少将滋幹の母』の連載などで、谷崎潤一郎が婦人雑誌の読者の人気を集め、『婦人画報』からその魅力の本質を説明してほしいという注文を受けて、昭和二五年四月号の同誌に発表した「谷崎潤一郎の芸術の問題」という評論においてであった（その前月号には「谷崎潤一郎先生をかこむ熱海の一日」という谷崎と婦人読者五名の座談会が写真入りで載っていた）。

伊藤整がそこで述べたことは、今日から見れば、それほど大胆な説ではないが、当時としては驚くべき考えだった。永井荷風は初めて谷崎潤一郎を推賞したとき「肉体上の惨忍から反動的に味ひ得らるゝ痛切なる快感」を描き出す作家だといったが、荷風のこの最初の評言がいまなお最も正しいのではないか、と伊藤整はいう。ここで検討してみなければならないのは、谷崎潤一郎の文学より、むしろ近代日本の芸術論や文芸批評の根本にある考え方の方だ。一つは、文芸作品は作家の生き方を描きながら、いかに生きるべきかを説くようなものでなければならないという考え方、もう一つは、生活の現実からの生き生きとした体験の写実性が文学の本質だとする考え方で、これら二つはたがいに関連し合っている。そのような考え方は文学論として果たして正しいか。それを考えることを強いるだけの重要さが谷崎潤一郎にはある、と伊藤整はいうのである。

作家の思想は、政治的、社会的、自己省察的な思想だけをいうのではない。「刺青」から「痴人の愛」「蓼喰ふ虫」「春琴抄」を経て戦後の「少将滋幹の母」にいたるまで、谷崎潤一郎が一貫して描いたのは、女性に支配され、女性に征服されることに至上の喜びと生きがいを見出す男性の姿である。女主人のために自分の目をつぶしてまで仕えるという中期の傑作「春琴抄」は、男性が女性のためにのみ生きるという谷崎潤一郎の「思想」の極点をなしている。それは社会の変革だとか、自己の分析だとか、人生いかに生くべきかとかいったことよりも、もっと根本の永遠の人間のテーマであって、それ以外のテーマに谷崎は興味がないのだ。その思想を貫き通してきた谷崎潤一郎になぜ思想がないというのか。

伊藤整の谷崎評価が、戦後の伊藤整の文学論、芸術論と深く結び合っていることは明らかである。『小説の方法』は一年半前の昭和二三年一二月に本になっていた。一種の私小説論である『小説の方法』では谷崎潤一郎はほとんど取り上げられていないが、そこで主張されていた散文芸術論の次のエッセンスは谷崎潤一郎の逆転的評価と密接に繫がっている。「散文芸術では、もっとも神聖なもの即ちそのために人が生き、そのために死に、そのために戦争や革命が起るところの実生活の倫理的因子なる愛とか悲しみとか嘆きとかをも、「芸」のための「手段」とするのである。」

伊藤整は、その後、谷崎自身の依頼で中央公論社版の『谷崎潤一郎文庫』全一〇巻（昭和二八年九月〜二九年二月）、同じく新書判『谷崎潤一郎全集』全三〇巻（昭和三一年一二月〜三四年七月）の全巻の解説を担当し、論をさらに深化、発展させた。その成果は、没後、瀬沼茂樹の編集による『谷崎潤一郎の文学』（昭和四五年七月、中央公論社刊）にまとめられているから、ここでは省く。

2

近年における谷崎論や谷崎研究の盛行は、戦後の伊藤整による評価が正しかったことを証明すると同時に、その延長上にあるといってよい。文壇では伊藤整に続いて谷崎が本格的に論じられるようになり、中村光夫の『谷崎潤一郎論』（昭和二七年一〇月、河出書房刊）をはじめ、伊藤整・臼井吉見・河盛好蔵・中村光夫「谷崎潤一郎論・永井荷風論・志賀直哉論」（『中央公論』秋季増刊文芸特集、昭和二八年一一月）、伊藤整・佐伯彰一・三島由紀夫「近代文学の二つの流れ――谷崎的なものと志賀的なもの――」（『群像』昭和三五年一〇月号）などの討論や座談会が続いたが、学界で谷崎研究が盛んになるのはずっと遅れ、昭和四四年に伊藤整が亡くなって数年経ってからのことである。最初のきっかけは昭和五〇年の『日本近代文学』第二二集の特集「志賀直哉と谷崎潤一郎」である。その巻頭エッセイの書き出しで吉田精一いわく「故伊藤整と、平野謙と私とで何かの機会に鼎談した時、近代文学第一の作家が潤一郎だといったのは伊藤整であった。それに対して直哉より潤一郎がえらくては困ると異議を呈したのが平野であった」と（平野謙は昭和五三年、吉田精一は五九年没）。谷崎を最高に評価した伊藤整の最大の敵が、日本的人格美学の代表者とされた志賀直哉だったことは周知の通りである（伊藤整『小説の認識』岩波文庫版、曾根博義「解説」〈二〇〇六年九月刊〉参照）。

昭和六〇年代、一九八〇年代後半あたりから学界では谷崎研究がさらに活況を呈しはじめる。千葉俊二、永栄《ながえ》啓伸《ひろのぶ》、前田久徳、細江光ほかのすぐれた谷崎研究家が輩出したほかに、もう一つの理由があった。その頃から近代文学研究には従来の作家研究や作品研究とは異なった、外来の新しい方法が相次いで紹介され、若い研究者たちの間で流行しはじめた。記号論、物語論、メディア論、言説分析、文化研究などである。谷崎潤一郎の文学は、そうした新しい研究方法の実験と検証の場として、専門外の気鋭の研究者を引き寄せるかたちで、幅広い、根強い人気を獲得して行ったのである。そのことは谷崎文学が現在の読者のみならず、作品と同時代の言説空間に対しても開かれた、広く豊かな物語の世界を持っていること、そのことが時代の経過とともにようやく理解されるようになったということでもあろう。

近年、谷崎研究の隆盛にますます拍車がかかっていることは最初に述べた通りだが、研究方法には若干の変化が認められる。最近は、以前の語りに対する興味がやや薄らぐ一方で、大衆小説、探偵小説のジャンルや、映画、電話などのメディアとの関連、日本の伝統文化やオリエンタリズムとの関係、作品と同時代言説との重ね合わせなどに関心が向かっている。言説分析の例としては、「痴人の愛」のテクストとアメリカでの「排日移民法」成立に関する言説を重ね合わせ、テクストの中にその後の日米関係まで読み込むような論まで出現している（五味渕典嗣「われわれの内なる《アメリカ》」、『日本近代文学』第六八集、二〇〇三年五月）。戦後の伊藤整の画期的な谷崎論から始まった谷崎潤一郎の研究は、今や伊藤整を超え、文学をも超えようとしているのだ。

すでに述べたように、戦後の伊藤整の画期的な谷崎論は、『小説の方法』『小説の認識』『求道者と認識者』などを代表とする伊藤整の芸術論、近代小説論と切り離し得ない関係にある。それだけではない。『婦人画報』に発表された戦後最初の谷崎潤一郎論の紹介からそう思った人もいるにちがいないが、伊藤整は日本の近代文学に関する独自の考えをいわば裏側から支えてくれる存在として谷崎に注目し、谷崎を最大級に評価しようとしたのではないかと思われるふしもないわけではないのだ。現に前記『谷崎潤一郎の文学』の「あとがきに代えて」で瀬沼茂樹は、谷崎潤一郎こそ「伊藤理論の試金石」であり、伊藤整の谷崎論は伊藤整の芸術論の適用、応用の性格が強いことを指摘している。そして、その証拠に戦前、戦中の伊藤整には谷崎潤一郎に対する関心がほとんどなかったことを友人の立場から次のように証言しているのだ。

「私の独断によると、（戦前の伊藤整は）都会文学であった谷崎文学に一種の憧憬をもっていたかもしれぬが、都会の少年であった私のように親炙している風には見えなかった。今のところ明かなことは、戦前には『谷崎潤一郎論』（昭和一八・一『近代日本文学研究・大正文学作家論・下巻』所収）一篇があるのみだが、何を隠そう、この作家論は、何かの都合で、私の代筆に成るものであることを明記しておかねばならぬ。あのころ、伊藤君の身辺には谷崎本をほとんどみかけず、自ら執筆するほどの関心がなく、或いは何か憚るところがあって、文筆を折っていた私に代筆をもとめたのであろう。私は通説に従ってまとめることを約したのだから、作家論としては一応の解説にとどまるのも当然である。伊藤君が、戦前に、谷崎潤一郎について、あの作家論に現れているような考え方に立っていたと即断してはならない。」

他ならぬ親友の話だから、なるほどそうだったかと思ってしまいかねないが、戦前・戦中に伊藤整が書き残したものを丹念に探して読んでみると、瀬沼茂樹の証言も鵜呑みにするわけには行かないような気がしてくる。戦中の谷崎潤一郎論が瀬沼茂樹の代筆だったことはたしかだとしても、伊藤整名でそれが出た直後の昭和一八年三月、伊藤整は『東京新聞』掲載の「文芸時評」で、読んだばかりの「細雪」を、伊藤整にしてはめずらしく興奮した筆致で絶讃しているのだ。それだけではない。伊藤整の没後一四年の一九八三年（瀬沼茂樹は一九八八年没）、次男伊藤礼の編集で新潮社から刊行された『太平洋戦争日記』全三巻は、それまでの伊藤整の戦中イメージを一変して読者を驚かせたが、谷崎潤一郎についても「細雪」絶讃にいたるプロセスを明かしていて、瀬沼証言の信憑性を疑わせるのである。その他の文献を総合して伊藤整の谷崎体験をもっと早い時期から追ってみると、だいたい次のようなことがわかる。

3

伊藤整は少年時代から谷崎潤一郎を読んでいた。中でも「或る少年の怯《おそ》れ」（『中央公論』大正八年九月号）に描かれた不安にはとくに興味を抱いた。「我儘な動機」（『文芸雑誌』昭和一一年三月号、全集未収録）という短いエッセイは『新版春琴抄』を読んだ感想を綴ったものだが、「被虐男性の喜び」というテーマの繰り返しは読者には必ずしも痛切には感じられないという留保はつけながらも、書き出しの次のような言葉には目を止めずにいられない。

「佐藤春夫氏であったか、谷崎氏は思想のない作家であると言っていたが、思想と呼ばるべきであるか哲学と呼ばるべきであるかを問わず、作家はみな生活とか思考とかから来るモチーフをもって書いているのであるから、思想を持たない作家とか、感覚ばかりの作家などということは本当は成り立たない言いかたであると思う。／私の如きは、春琴抄その他を通読して、作家のモチーフとでもいうべきものが変り得ないものであることに驚いたのだ。谷崎氏のような大きな作家に於ても、極く自然な状態でその人に浮かんで来るモチーフというものは一つか二つなのではないか、と考えられた。」

少し飛んで『太平洋戦争日記』に移ると、小学館から谷崎潤一郎論の執筆の依頼を受けたのは、太平洋戦争開戦半年後の昭和一七年五月三〇日。その日の日記がいかにも伊藤整らしくて面白いので次に引く。

「昨夜、小学館より速達あり。今度宇野浩二、佐藤春夫二氏監輯で明治大正昭和の作家研究を、各時代上下二冊ずつ六冊にて出す。その中の谷崎潤一郎論と近松秋江論、新感覚派論を書け、ということである。／昭和の代表的な作家のうち、若い方では、和田伝、阿部知二、丹羽、高見、石川、堀、石坂と並んで最後に自分が加えられている。嘉村礒多や梶井が入っていなくって自分が入っている。また岡田三郎、尾崎一雄、中山義秀、舟橋聖一等も入っていない。これは名誉である。改造社の新日本文学に入らなかったが、編輯者の眼とは違う先輩の眼に拾われたこと、ことに二人とも自分は交際していないのに拾われたのは名誉である。多分これは新潮賞で候補になって、得能五郎を読んでもらったせいであろうと思う。自分の仕事をいよいよ大事にしなければならぬと思う。」

三本の依頼のうち、新感覚派論は早くに断り、谷崎潤一郎論と近松秋江論は引き受けて、早速、準備に取りかかり、まず日大芸術科の教え子で東大図書館に勤めていた奥野数美に文献の調査を頼んだ。八月三日、瀬沼茂樹から胸の病気がよくなったから仕事を手伝わせよという葉書が来る。伊藤整自身は下痢が続き、他の原稿も忙しく、家を建てたいとも思っている。一六日、本屋で買い求めておいた「吉野葛」を初めて読む。一五日には瀬沼の母が亡くなったが、二一日に、行けぬといって香典を五円送るついでに、小学館の潤一郎論五〇枚書かぬかといってやる。一枚三円。瀬沼に代筆を頼んでからも谷崎に対する関心だけは持続し、二三日からは仕事の合間を縫って谷崎源氏を読み出し、一〇月初めに読了する。以下、その間の感想を抜き書きする。八月二五日「午後、谷崎源氏「若紫」まで読む。冷酷さと雅かさと頭のよさと好色味との混ざった大作品だと思う。立派な作品だ」。九月二〇日「源氏読みつぐ。紫の上の死ぬあたりまで来る。なるほど、大小説である」。一〇月二一日「午後源氏読み終える。大文学である。その実質は古代と現代と変らず」。当時の伊藤整のメインの仕事は昭和一六年四月に出版した長篇『得能五郎の生活と意見』の続篇『得能物語』を完成することにあったが、一〇月五日、現下の戦争と父の戦った日露戦争を重ね合わせた最終章を苦労の末に書き上げたことを記したあと「この頃、何日も何日も、日露戦争を書いた小説を考える。戦争と平和のようなもの。――それにしても愛や恋のことを大がかりに「源氏」のように書ける時代ではないのだから、戦争そのものを描くのを仕事にすべきだ」。

このあと一〇月二〇日に伊藤整は千歳烏山の土地と家を総額一万七〇〇〇円で買うことにし、その支払いのために苦労する。そして一二月から始まったガダルカナル戦の真相が次第に明らかになり、防空演習が始まる中、翌一八年一月号と三月号に掲載された「細雪」二回分を三月二日に読み始めるのである。最初はこの戦争の最中に「現代上流女性」の話はそぐわないと感じるが、翌三月三日、三月号の第二回を読むに及んで圧倒される。

「読んでいるうちに、この作品の巨大な動かしがたい彫刻的な作り上げに圧倒され、さっきから熱っぽいのに一層胸苦しくなるほど動かされる。ああこれで小説だ、と思う。題材や作者の生活の有閑臭は気に入らないが、この文字による構成力、観察と判断との感覚化は何という力であろう。大変な作品だと思う。この作者の最大の傑作で、その鋭さと確かさにおいてはトルストイに匹敵す。しかし精神の潔癖さがまるで無いのが、もの足りない。」

『東京新聞』に「文芸時評――「細雪」を読む」が発表されるのは三月八日から一〇日にかけてである。少し長くなるが、冒頭を次に引用する。

「谷崎潤一郎の「細雪」を、正月号の最初の部分から、この月の部分にかけて読んだ。この作品については、先月頃色々な批評が出たようであったが、賛成でない批評が多かったように思う。しかし、私は、読んで行くに従って、息がつまるようにこの作家の力量を感じ、胸がどきどきするのを抑えることが出来なかった。／こう書くと少しことごとしいが、非常に強い酒でも飲む時のように、私は一気にはこの作品を読むことが出来ず、ときどき休んだ。／私はこの作品にこんなに感動する自分に驚いたのである。この作品には、どこにも、戦争の中の今の日本が描かれていない。また知識的に、良心的に高いものを持っている人間が描かれているわけでもない。／阪神地方の豊かな生活の中にいる四人の姉妹を描き出したものに過ぎない。そのことで、読み終えて、しばらくしてから私はかつがれたようなものを感じ出した。／だが読んでいる間も、読み終えた当座も、私は酒にうまく酔わされたように、すっかりこの作品の世界に引っぱり込まれた。これは大した作品だ、と私は思った。／私は潤一郎の初期、中期の作品には読んでいないものが多くあるが、近年の代表的な作品「卍」「蓼喰ふ虫」「吉野葛」「春琴抄」などは一とおり読んでいる。そして、この作品はそれ等のどれをも越すものではないかと思った。生命の一滴一滴を作者が手に受けて見せるような描出の見事さは、類を絶した作品に見えた。／そして読み終えてしばらくして感じはじめた私の不満は、不満と言うよりは、一種の不安であった。精神的な疑義や、思想上の問題を少しも含んでいないこの作品に、こんなに自分は満足していいのだろうか、という不安である。／しかし、その不安は、一つのすぐれた文芸作品に接したという印象のために、ともすれば圧倒されて消えそうになるのであった。／潤一郎はこの作品で、感覚的な写生の手法を大成したように見える。あの性癖というか好みというか、錯倒的な心理の描出は、極く少ししかこの作品には現れていない。／それが現れなくなったことには、環境的なものも影響していると思うが、その為に作品は清潔になり、まっとうになり、そして、妙なことだが、その結果として潤一郎の作品の世界はかえって強力になっている。／「春琴抄」、「盲目物語」などの立派な作品ですら、それが主要点になっているかと思われたあの錯倒心理を棄て去ったこの作品が、はじめてこの作家に真の一流人の風貌を与えている。私にとって、この作品ほどこの作家が立派に見えたことは、かつて無かった。／しかし、それと同時に、ああいうマイナスの問題を携えていたこの作家が、それに代って何かプラスの問題を提出し得るかと考えると、皆無なのだ。この作品の世界はこれだけで完全なのだ。それが困る点だと思う。」

以上、瀬沼茂樹の証言とは逆に、戦中の伊藤整が谷崎潤一郎の文学、わけても「源氏物語」の現代語訳と「細雪」の世界にいかに親炙していたかがよくわかるだろう。戦後の谷崎評価はそれを踏まえた上で出てくるのである。

とはいえ、戦中と戦後の評価の軸は明らかに移動している。注意したいのは、引用の最後で、「細雪」は立派な作品だが、「春琴抄」に代表されるような「倒錯心理」という「マイナス」に代って何か「プラス」の問題を提出しているかといえば、それが皆無なのが困るといっていることである。戦後における評価の転移は、ふたたび「春琴抄」を頂点とする「マイナス」のテーマを、谷崎文学の中心に据え直した上で、それを積極的に「プラス」の「思想」と捉えたことだといえるだろう。

4

最後に谷崎潤一郎と伊藤整の晩年のエピソードを紹介して、こちたき拙文を締め括ることにしよう。

晩年の谷崎潤一郎に『雪後庵夜話』（昭和四二年一二月、中央公論社刊）という随筆集がある。創作以外の場所で自己を語ることのきわめて少なかった文豪が、七〇も半ばを過ぎてから、四〇年近くも前の松子夫人との出会いその他を「告白」した興味深い書物だが、その函と本文の冒頭には、いかにもこの文豪にふさわしい歌一首が掲げられている。いわく、

我といふ人の心はたゞひとり
　われより外に知る人はなし

伊藤整はこの一首を歌としても谷崎潤一郎という作家の自己表現としても完璧であるとして絶讃したことがある。谷崎没後一年の昭和四一年、伊藤整自身が、老年の性愛を描いた最晩年の長篇『変容』を雑誌に連載しはじめる直前のことである。おそらく伊藤整は、自己に対する執着の激しさという点で、「我といふ人の心は……」の内容に深く共感するところがあったのであろう。

しかしあくまで自己を恃みたい気持は同じでも、谷崎潤一郎と伊藤整とでは、その現われ方はおのずから異なった。自己告白を道あるいは芸とした私小説家たちとは反対に、谷崎潤一郎は徹底して芸の背後に身を隠そうとした作家であった。『雪後庵夜話』はそのめずらしい例外だが、しかしこの一書とて、右のような歌で始まっている以上、たんなる「告白」の

書として受けとめるわけには行かない。

谷崎潤一郎が芸の背後に身を隠した人であったとすれば、伊藤整はいわば身を隠すこと自体を芸とした人であった。人に規定される前に自己を分析し描きつくして一分の隙も見せないこと自体を芸としたかのような人であった。晩年、鍛え上げられたその自己透視力が、自己の死や死後のことにまで及んでいるのを見る時、読者は一瞬、慄然とせざるを得ない。

そうした自己分析や自己透視の裏には、おそらく、自分や自分の周囲の人々を世間の目から守りたいという慎重な配慮とともに、ほんとうの自分は自分にしかわからないものだという固い信念があったと思われる。

だが、自分にしかわからない自分とは何か。果たしてほんとうに自分は他人にはうかがい知れぬものなのか。そもそも「我といふ人のこころはたゞひとりわれより外に知る人はなし」ということが、一体どんな根拠からいえるのか。むしろ反対に、自分というものは、人にはわかっても、自分自身には遂に捉え得ぬものではないのか。

そんな気がしていた私は、伊藤整が病に倒れて癌研に入院する前日、それまで世話になっていた医師に書き贈ったという一枚の色紙を見た瞬間、愕然とし、やはりそうだったのか、という思いに心を打たれた。伊藤整が逝ったのはその一か月後のことであるから、辞世と見なして差し支えないだろう。色紙にはこう書かれていた。

　我といふ人の心は誰ひとり

　　我自らも知るすべはなし　　整

伊藤整のなかの詩

わが国の詩の不振を嘆く声は昔からずいぶん聞かれるが、これは半ば当り、半ばは当っていない。いわゆる心境小説という我が国独特のジャンルが、立派に詩の代用をつとめていて、本来の詩の舞台を奪っているからだ。すぐれた心境小説はほとんど純粋な散文詩といってよいほどだが、そのかわり小説としては不具だということにもなる。そう考えると不振なのは詩ではなくてかえって小説の方なのである。

と、そんな意味のことを神西清が言ったのは終戦直後のことだが、三〇年経った今もこの事情が根本的に変っていないことは、昨今の文芸雑誌をのぞいてみただけでもわかる。内向の世代とよばれた一群の若い作家たちの危っかしい冒険にかわって、いま文壇でふたたびもてはやされているのは、安心して読める老大家たちの心境小説あるいはそれに近い作品だからである。

昭和一ケタの時代に、プロレタリア文学といわゆるモダニズム文学が退潮した後、その空白を埋めたのも、彼らより一世代前の心境的老作家たちだった。その時と今とでは社会のあり方も文壇の状況もずいぶん変っているはずなのだが、西洋から借りたあらゆる文学的衣裳をやはり何か身にそぐわぬものと感じ出した人びとの最後の拠り所が、作家の人格と直接結びついた詩的ないし俳句的清澄さ、調和と枯淡の境地にあるらしいことは、昔も今もほとんど変っていないといってよいだろう。そこに達し得た文学だけが本物で、あとはすべて偽物なのではないかという意識が、文壇の主流に抜きがたくあり、われわれのなかにもまたある。

伊藤整の文学的生涯は、一貫してこのような文人的思想に対する戦いだった。作家自身の生き方、悟りとか坐りとかいったその姿勢自体を何よりも重んじる文学的風土で、それがきわめて不利な戦いだったことはいうまでもない。周知のように、伊藤整が作家として批判家として一般の関心を惹きはじめたのは、戦後、それもチャタレイ裁判の被告として脚光を浴びてからだといってよい。それがきっかけになってそれまでの地道な仕事が見直されるようになるまでは、ずっと文壇の傍流に位置づけられていたのだ。そういう目立たぬ地位に甘んじなければならなかったのは、商大中退という、文学者としては変った経歴のせいだ、とよくいわれるが、これは一見もっともらしい俗説に過ぎない。何よりも伊藤整の思想が文壇の主流に対する根本的な批判であり、挑戦だったからこそ、それは長い間、無視され、排斥されなければならなかったのだという事実を忘れてはなるまい。

しかしここで誤解のないように言い添えておきたいのだが、伊藤整の戦いの相手はいわゆる私小説家たちだったのではない。調和と上昇への意向を持つ心境小説家とは反対に、私小説家には破滅と下降への衝動が著しい。その衝動を共有しているということで、伊藤整はむしろ私小説家に深い共感を寄せていたのである。伊藤整の敵は、心境小説家にかぎらず、およそ自己の存在に疑いや不安を抱かず、自分のしていることがそのまま社会的善につながるという暗黙の了解を持っている文学者たちだった。いわば自意識の欠落したそのような楽観的立場に立っている点で、一部のプロレタリア文学者たちも、伊藤整の激しい反撥の対象になったのだった。

これは伊藤整が現代社会に生きる人間の存在の不安定さや自我喪失の危機に目をつむっていることができなかったからにほかならない。けれども伊藤整は私小説家ではなかった。私小説家の人間観、生命観に共感を寄せながらも、それを実生活から切り離し、作品のなかで芸として生かすことを狙ったのである。それがどこまで成功しているかは問題だが、その姿勢を貫き通したことの意味は最近ようやく再評価されはじめているようである。

文学が統一された人格の表現である時代はもうとうに過ぎ去った。現代人はもはやそのような確固たる人格を喪失している。そのための迷いや苦しみや内心の傷を、言葉の効果的な組み合わせによって他に伝えようとするところの芸、それが現代の文学でなければならない。伊藤整はそう考えたのだ。

　このような文学観は、伊藤整の出発が詩にあったという事実と深くかかわりあっていると思われる。言葉の組み合わせによる芸という考え方は、詩の方法としてみれば、めずらしくも何ともない。ごく当り前の考え方だからだ。『雪明りの路』『冬夜』の二詩集に収められている伊藤整の詩を読んで、強く印象に残るのは、やわらかで純朴な感受性が表現を獲得しているということだろう。一見、幼稚で形式は古いが、よく読めばむしろその完成度に驚かずにはいられない。そして伊藤整にとってはそれこそが芸だと感じられたにちがいないのだ。だがそれが完成された芸であっただけに、その形式に盛り込めない現代人としての複雑な心の動きを意識した時、詩筆は棄てられなければならなかった。

　散文に移った伊藤整はジョイスの影響を受けたが、ジョイスも若い時は抒情詩人だった。やがて私小説のなかに共感する「詩」を見出した時、その「詩」のエッセンスを抽出して散文芸術を組み立てようとしたのは、もともと詩人であった伊藤整の自然な企てであったと考えられる。

二〇世紀の小説が一般に詩の散文化という傾向を持っていることはよく知られている。伊藤整は、私小説というわが国独特の小説形式の方法化によってそれを果たし、同時に心境小説的伝統を乗り越えようとした現代の代表的詩人・小説家であり、かつまたそれを体系化した文学理論家でもあった。その実験が伊藤整自身の手で完全に果たされているとはいえまいが、その先駆的意義は今後ますます高く評価されていくにちがいない。

『日本文壇史』の叙述法

『日本文壇史』は、文学や文学作品でなく、文壇で生きた人間とその生活ぶりを書いているから面白いといわれる。たしかに文学史に残る作家たちが、われわれふつうの人間と同じように些細なことに喜び、悩み、苦労し、ふつうの人間には考えられないような愚かで、滑稽で、奇矯な言動に走ったりする話を読まされると、遠い時代の遠い存在だと思っていた彼らが、急に身近に感じられ、小説のなかの人物のようにわれわれの目の前で生き生きと動き出す。しかし小説にしては登場人物が多すぎるし、少し目まぐるしすぎる。文壇史の魅力はそれら無数の人物それぞれの人間的な面白さだけにあるのではなさそうだ。個々の人間だけではなく、個々の人間と人間との関係、結びつきが、それ以上に面白いのではないだろうか。

といっても、その関係なり結びつきなりは、個人の言葉や振舞のように、初めから目に見えるかたちでそこに存在するものではなく、作者が意識的に作り出したものだ。だから人間と人間との「結びつき」というより、「結びつけ」といったほうがよいだろう。文壇史の魅力は、人間と人間との結びつけ方、つまり叙述の方法にあるということになる。

登場人物が多いといっても、すべて明治の文壇とその周辺で生きていた人物たちだから、最初から時間と空間は限定されている。その限定された時間と空間を作者はさらに細分化し、細分化された時間と空間のなかに何人かの人物を選んで並ばせ、彼らを何らかの仲立ちによって結びつける。第一巻の書評で山本健吉が「豊富な手持ちの人物を将棋の駒のように動かしながら、人物から人物へ、尻取り文句式に場面が展開されて行く」と述べた通りである。

最初の方から比較的単純でわかりやすい例をあげてみよう。第一巻は明治三年から一八年までを編年体で記述しているが、全一〇章のうち第七章は明治一四年を扱っている。まずこの年に銀座の煉瓦街が完成したことを語り、銀座に集まっていた当時の大新聞社を紹介し、やはり銀座の表通りに突然東洋自由新聞社が出現して西園寺公望が社長になり、自由民権を主唱しはじめたことを述べる。この1、2節では明治一四年の銀座に焦点が絞られている。

3節は一転して「明治十四年の九月に、長野県の木曽の山の中の馬籠という峠の頂きに近い村から、島崎春樹という十歳の少年が上京して来た」という文で始まり、彼が村はずれまで家族に見送られ、兄と二人で山を下りて三日も四日も歩き続け、中仙道の沓掛《くつかけ》を過ぎてから馬車に乗り、松井田を経て、村を出てから七日目にようやく東京神田万世橋に着き、銀座の裏側の煉瓦建二階屋の姉の嫁ぎ先に旅装を解き、銀座の泰明小学校に入学したことが語られる。

続いて「この同じ年、その泰明小学校に、小田原から来た北村門太郎という十四歳の少年が入学した。しかし年が違い、門太郎の級が上だったので、春樹は門太郎を知らなかった」となり、門太郎の生い立ちがかんたんに紹介される。

さらに続けて「またこの明治十四年、同じ京橋の南伝馬町の有隣堂という書店に、十一歳の田山録弥という少年が小僧に入っていた」と記される。そして録弥はいつも腹を空かしていて、天保銭をもらって露店で何か買って食べるのをたのしみにしていた、と記してから、次のような文章でこの短い節を締めくくっている。

「島崎春樹が乗って東京に入ったようなガタ馬車が泥をとばして街を走っていた。田山録弥は大柄の少年だったので、元気を出して馬車と競走して見たりした。」

このようにして明治一四年に一〇歳だった島崎春樹、一四歳だった北村門太郎、一一歳だった田山録弥という三人の少年たちが、銀座、泰明小学校、馬車といった場所や事物を媒介にして結びつけられ、並列される。もちろん三人は当時おたがいを知らないし、のちに知り合うことになることも知らない。しかし文壇史の読者の多くは、彼らがそれぞれ少年時代の藤村、透谷、花袋であり、この一〇年後、二〇年後にそれぞれすぐれた詩人、小説家に成長して、その間に結びつきが生まれ、それがわが国の近代文学の基盤の一角を成すであろうことを知っている。そういう読者のために、著者はここでは故意にそのことを伏せ、おたがいがおたがいの存在を知らなかったことを強調する。その結果、浮かび上がってくるのは、彼ら個々の人間の個々の生い立ちであると同時に、彼らが無意識に生きていた時代と環境の具体的な共通性なのだ。

文壇史を書くために伊藤整が膨大な資料を漁り、詳細な年表と人物関連表を組み合わせた独自の索引年表のようなものを作ったのは、たんに彼らがそれぞれ人間としてどんなふうに生きてきたかを知るためだけではない。彼らを結びつけ、彼らの共通性を浮かび上がらせるには、どんな時、場所、事物、人物などの媒介を使ったらいいかを探すためでもあった。右の第一巻第七章第3節で使われている資料は、藤村については短篇集『微風』所収の「幼き日」(「生立ちの記」)、透谷については勝本清一郎の年譜他、花袋については『東京の三十年』の冒頭の「その時分」というように、どれもさほど珍しいものではない。しかしそれら三つを組み合わせるのに、明治一四年という年を選び、銀座煉瓦街の完成と大新聞社のことを述べてから、同じ銀座、京橋を舞台にして、泰明小学校と馬車、とりわけ馬車を使って藤村と花袋をつなげたのは伊藤整ならではの着想というべきだろう。あらためて藤村の「幼き日」『桜の実の熟する時』や花袋の『東京の三十年』などの自伝的資料に当たってみると、馬車は随所に出て来て、鉄道や電車のない時代にどんなに重要な乗物であったかをうかがわせるし、銀座煉瓦街も通りは泥んこ道だったことがわかる。

もし透谷、藤村、花袋という文学者それぞれの文学と人間を書くことが主な目的だったら、それぞれの生い立ちと活動全体をまとめて記した方が効果的だし、読みやすい。伊藤整はあえてそういう列伝体を採らず、編年体という一見古風な叙述の方法を選んだ。文壇史全一八巻には、明治三年から明治四四年までの四二年間にわたる、おびただしい数の文学者のその時々の姿が、年を追って記述されている。それぞれの文学者はいわば年毎に輪切りにされ、螺旋状に上昇する緩やかなスロープの上に、同じく輪切りにされた他の文学者と並べられる。しかしスロープ面にただ機械的に並べただけでは無味乾燥な年表風の叙述にしかならない。彼らの間に何らかのつながりを見つけ、無数の物語をエピソード風に挟んで叙述して行くこと、それが文壇史を面白い読物にする最大の秘訣だったのだ。伊藤整自身、第一巻の「はしがき」で「私は、ある時代の文士や思想家や政治家の行動が、みなつながりのあるものと考え、そのつながりや関係や影響を明らかにすることに全力をつくした」と述べている所以である。

そして実はそういう方法だったら、文壇史に着手する以前から、伊藤整の最も得意とする発想法であり、叙述法だったことに思い当たる。昭和二四年の「二重現実家」という短い戯文エッセイで、伊藤整は次のように述べている。

「フロオベル君はこの世には同一のものは二つ無いと弟子のモオパッサンに言ったが、私は反対である。この世は五つか十ぐらいの類型で満ちているように私には思われる。」

「『小説の方法』における思考法もこの型の適用である。比較と比喩、違う物や人間の中に同質のものを発見する性癖、それが私である。」

「私は二重人格である。私の現実は常に二重である。私にとって人はその人でない。物はそのものでない。記憶の倉庫につまっている人や物たちの反映や発展又は対極としてのみ人や物は実在する。」

この発想法は科学者のそれに似ている。ただ比較されるものの一方がつねに自分、あるいは自分の記憶である点が文学者的であり、そこからこの発想は科学的であると同時に主観性、倫理性をおびたものになり、自分を一般化する方法にもつながる。伊藤整のいわゆるタイプの造型である。

ともあれ、これが性癖といえるまでに伊藤整の身についた方法だったのだ。右のエッセイのなかで伊藤整は、この方法を使って最も得意だったのは、『得能物語』で、葛の葉の、女の顔が突然狐に変るというテーマがヒステリーによって生物的原型にもどることだと思いついたときと、ヒットラーがクレタ島を空爆する決意をしたのが、ギリシャ神話でダイダロスがその島から飛行機で逃げた話に暗示を受けたからにちがいないと考えたときだった、と語っている。しかし『得能五郎の生活と意見』や『得能物語』を読むと、そのようなエピソードの内容より、むしろそのようなエピソードや人物や事物をつないでゆく語り方そのものにこの発想法がよく生かされ、そういう語り方がそれらの小説の面白さの大事な要素になっていることに気がつく。

「違う物や人間の中に同質のものを発見する性癖」を方法化したディテールの物語的叙述法、それによって個々の人間を描くだけでなく、人間と人間との関係、人間を共通に包んでいた時代と環境を浮かび上がらせていること、そこに文壇史の尽きぬ面白さの秘密があるのではないかと私は思う。

そのような人間の認識の仕方や描き方はきわめて科学的、現代的である。いってみれば、コンピューターがない時代に、コンピューターがやるようなことを個人の手作業でやっていたような趣がある。しかしコンピュータ－時代の今日でも人間や文学をそういう方法で扱うことに対しては相変わらず一部に根強い抵抗がある。

昨年亡くなった奥野健男氏は、伊藤整は個人としての人間は絶対的なものではなく、人間と人間との関係によって決定される相対的な存在にすぎないと考えた文学者であり、その文学は「関係の構造」を重視した「構造主義的文学」だという現代的再評価を下したが、その奥野氏の葬儀で弔辞を述べた桶谷秀昭氏は、伊藤整文学賞を受賞した著書『伊藤整』において、伊藤整は世界の実体を信じず、人間や文学のすべてを方法や形式や技術に還元しないではいられない人間だったとして、奥野氏とは正反対の立場から伊藤整をきびしく批判した。

どちらが正しいか、ここで私の考えを述べることは差し控える。ただまさに桶谷秀昭氏の批判するような方法で書かれた文壇史が、にもかかわらず私にはすこぶる面白いということだけをいっておきたい。そして人間や事物をその独自性や異質性でなく、共通性や同質性でとらえるという認識と発想が、伊藤整の文学全体を貫く基本的な方法であったことを、最後にあらためて確認しておきたいと思う。

自己喪失を見つめる文学——完結する伊藤整全集に寄せて

伊藤整逝いて五年、一昨年の六月に配本開始された新潮社版『伊藤整全集』全二四巻は、いよいよこの六月に完結する。これとは別に、太平洋戦争下四年間の未発表日記（大学ノート一八冊分）も近々刊行の予定と聞く。

全集には収められなかった大著『日本文壇史』全一八巻（講談社）は昨年一月に完結した。これらに既刊二十余点の翻訳書を加えたものが、四五年に亘る伊藤整の全業績ということになるが、原稿用紙にしておよそ六万枚というその厖大さには今更ながら驚かずにいられない。同時代の作家たちの多くが、戦後、こぞって通俗小説に手を染めていったなかで、伊藤整は最後までかたくなにいわゆる純文学の城を守った。しかも全集の半ば近くは密度の高い評論で占められている。それにしてこの量である。

一体どうして伊藤整はこれほど夥《おびただ》しい量の作品を書かなければならなかったのか。その答は、処女詩集『雪明りの路』の「序」にすでに読まれる。〈自分自身を失うのを何よりも恐れ〉〈どうしたら、何時になったら自分自身を捉えられるのかと、それのみの為に苦し〉んできたからだ、と。だが今日からみると、皮肉なことに、この言葉そのものが自己喪失の予感に顫《ふる》えている。『雪明りの路』の出版されたのが、昭和改元直前の大正一五年一二月だという事実は、この際、象徴的な意味を帯びざるを得ない。

伊藤整は昭和文学を代表する作家の一人に数えられている。そしてそれは、伊藤整がつねに私小説並びにプロレタリア文学との緊張関係のなかで独自の文学論を展開していったからであり、また、ジョイスやプルーストに代表される現代世界文学の新しい方法を消化吸収した作家だったからとされている。たしかにその通りだと思う。しかしそのような文学者が、一方で、いかに自己内面の空虚を見つめ、それに耐え続けていたかを見逃がしてはならないと思う。

伊藤整の自己喪失の過程は、『雪明りの路』に萌《きざ》し、上京、父の死を境に散文に移ってから急速に進んで、文壇的出世作「馬喰《ばくろう》の果《はて》」を発表した昭和一〇年前後にほぼ完全に自覚化される。

郷里を舞台にした「アカシアの匂について」(昭和五年)や「生物祭」(七年)で自意識が生

む不安の感覚を抒情的に綴った伊藤整は、「イカルス失墜」（七年）において、風物や他人を媒介とすることにより、汚辱に塗れた自己の姿を観念的に描いた。しかしそこに見出された自己は〈ただ不具な屈折をする半透明物で、摑もうとすると指から流れて落ちる水母《くらげ》のようなもの〉でしかなかった。三年後の「石狩」の主人公は他人の眼を逃れるために郷里から旅に出る。が、一人になってみると、自分の存在が自分から離れ、故郷の町の友人や女や家族にべたべたとくっついていて、確かなのは生きて呼吸しているだけという痛切な非存在感に襲われる。さらに翌一一年に書かれた「浪の響のなかで」では、主人公は再び自己を求めて故郷に舞い戻るが、ここでも浪の響きだけを反響する洞窟のような内面の空白さに直面し、今度は逆に自らの手で汚辱を自分の軀に塗りつける。しかもその上で〈人間が絶対に正義の上に立てないという理論〉を身につけてすべての人間をその汚辱の池の中へ引きずり込もうとするのである。ここにいわれている〈汚辱〉が具体的に何を指すかを問うことは、もはやほとんど無意味である。

私は、これら昭和初年の詩的、観念的小説のなかに、『街と村』はいうに及ばず、その後の伊藤整のほとんどすべての作品の基本的構図が敷かれていると思う。例えば『鳴海仙吉』の方法、〈自己救出の直接性〉を棄てて〈タイプの構成〉を試みたというその方法は、明らかに「浪の響のなかで」の〈汚辱〉の方法を洗練させたものであるし、〈秩序と生命〉、〈組織と人間〉、〈虚構と実在〉などの二元論もその源をここに溯ることができる。けれどもいま私がいいたいのはそのことではない。私のいいたいのは、三〇歳前後に故郷と自己の完全な喪失に直面しなければならなかった伊藤整が、それにもかかわらず、いやそれゆえに、あれほど厖大な、しかも昭和文学を代表するような仕事をなし得たという驚くべき事実である。『雪明りの路』を出版して以後、伊藤整は、いうところの〈生命〉、〈実在〉の確かな手ごたえを感じたことが一度でもあったろうか。

『発掘』の主人公土谷圭三は、〈虚構〉すなわち周囲の人間の意識が自己の〈実在〉を決定するという陥穽《かんせい》に自ら落ちてそこから這い出すことができない。彼が〈虚構〉を信じるのは、自他に対する恐怖をのがれて〈心の平安〉を得るためだが、伊藤整自身はこれを自己の論理の世界に求めようとする。しかし論理も一種の虚構であることにはかわりない。したがって、〈自分をも、自分の生活をも仮象と見ない人間には、理論は実在のものとならない。そして宗教の信者は一様に自分の生活を仮象と見ることに成功した人々である。私は、あるいはそういう人間に近いのだろう〉(「一つの感想」)と伊藤整はいうのである。これが、『発掘』と『年々の花』を連載中の昭和三八年に、過去三〇年間書き続けてきた文芸評論活動を振り返って、その〈核心〉を語った言葉だということの意味は重い。当時この感想を読み、伊藤整の立っている、この世の涯のような荒涼たる場所をひそかに想像して慄然とした私には、これを単なる評論家廃業宣言とだけとって伊藤整の内面に思いを致さない批評家たちのことが不思議でならなかった憶えがある。

このような深い自己喪失、非実在感のあとに残るものに一体何があるだろうか。おそらく自分の温もりといった程度のものしかあるまい。伊藤整は自己の不在をひそかに抒情することでわずかに自分の温もりを感じていたのではないか、といま私は考える。伊藤整がよく色紙に書いて人に贈った藤村の「酔歌」のなかの一節、〈わきめもふらで急ぎ行く／君の行衛はいづこぞや／琴花酒のあるものを／とどまりたまえ旅人よ〉は、自分を旅人にことよせて慰めようとするためのものではなかったであろうか。

ところで伊藤整の文学論の根幹をなす〈秩序と生命〉の理論には、その枠組だけをとり出せば、明らかに大正期の思想の刻印が押されている。大杉栄に〈生の拡充〉と〈征服の事実〉という似たような対立図式があることは周知の事実だが、最近、厨川白村にさらに近い考え方があるのを知った。白村の遺著『苦悶の象徴』（大正一三年）によれば、文芸とは、人間生活の根本をなすところの盲目的な生命の力を、内的・外的な諸々の強制・抑圧から解放し、これを夢（象徴）として具象化し、表現したものである。生命は、つねに経済生活・社会生活・道徳といったものに縛られている一方、自己の内にあっても諸々の無意識の抑圧を受けている。その生命の〈苦悶〉の〈象徴〉こそが文芸である、という。

注意すべきは白村がここにフロイトを早くも援用していることだろう。白村の考え方はこの限りではほとんど伊藤整の枠組と変らない。しかしその苦悶なり生命なりが、個人のものでありながら同時に宇宙人生に偏在する大なる生命であるというところに、両者の相違もまた歴然としている。伊藤整の担わなければならなかった宿命はあまりにも過酷なものだったが、それはまた、日露戦争の子として生まれ、大正時代にその青春を過ごし、昭和に文学者となったという時代の宿命でもあった。現代がさまざまなかたちで作家にこのような自己喪失を強いるものとすれば、まずそれをはっきり見つめ、それに耐えながら生きることによって、これからの文学の道を考えて行かなければならないだろう。

雑談・伊藤整の生と死

伊藤整が亡くなってから、早いもので、今年はもう九年目になります。明治三八年に生まれて昭和四四年に六四歳で死にました。胃癌が方々に転移して腹膜炎を起こしたらしいんですが、亡くなる半年前まで気がつかなかった。入院して手術してからも、癌だということは本人には内緒にされましたので、はっきり知らないまま死んだようです。もともと胃腸はあまり丈夫な人でなかったらしいんですが、まさか胃癌でやられるとは思っていなかったようです。

伊藤整という人は大変神経質な人で、自分の身体をとても大事にした人です。一番心配していたのは胸をやられるんじゃないかということだったらしい。戦後、結核はこわい病気ではなくなりましたが、戦前の人としては当然だったろうと思います。とくに家族の誰かが結核で死んでいる家では、残った人は胸の病気をひどくおそれました。伝染病ですから、家族が次々と倒れるというケースもめずらしくなかった。伊藤整は一二人兄弟の長男ですが、たしか姉妹四、五人を結核でなくしているはずです。その上、生まれつき身体が丈夫でないときていますから、結核に対して神経質になったのは無理ないことです。

結核のほかに伊藤整がおそれたものがもう一つありました。共産党です。次男の礼さんが書いていることですが、礼さんがまだ四つか五つの子供の頃、父に抱かれて便所に連れてゆかれた。礼さんが小便をし終えてほっとした瞬間、伊藤整は息子にこういったそうです。

「よしよし、これでお前も共産党員と肺病にならなければ大丈夫だ。」

父親の期待どおり、その後、礼さんは共産党員にはならないですみましたが、大学のとき結核にかかってしまいました。礼さんという人は面白い人で、オヤジは共産党員と結核にはなるなといったが、もう一つ大事なことを言い忘れていたようだ。それは、女性にも注意しろ、ということだった、というんです。

共産党員になるなということ、これも戦前の事情を知る人には、うなずけることでしょうが、伊藤整が人一倍共産党をおそれたのには特別の理由があります。小樽高商時代の知り合いの中から小林多喜二とか鈴木信とかいった戦闘的なマルクス主義者が出ていて、拷問で殺されたり、投獄されたりしているからです。理屈ではどうしたって友人たちのマルクス主義に勝てない。倫理的にみてもマルクス主義の正しいことは認めないわけにはゆかない。ところが自分にはそういう大義名分が何もない。伊藤整にはそれが困ったことだったのです。それで自分を守るために、マルクス主義に対抗できる自分なりの考え、理論を作らなければならないと思った。戦前の良心的インテリは多かれ少なかれ同じようなことを考えたと思うんですが、伊藤整もそうだった。そんなことから自然と批評家になり、文学理論家になっていったんだろうと思います。左翼運動の中に飛び込んで行けなかったのは、そこに一種のヒロイズムを嗅ぎつけたことと、肉体的な恐怖を感じたからだといっています。牢屋に入れられて、殺されることがこわかったというのです。

ところで伊藤整というと、冷静に物事を観察し分析してゆく科学者のようなタイプで、頭がいいかわりに、どうもハメをはずしたり感情のおもむくままに何かしたりするところがなくて面白くない。だから批評はいいけれども、小説はどうも、という人が多い。たしかにそうだろうと思います。けれどもこれはやはり伊藤整の表面しか見ていない考えではないか。そういう知的で用心深い姿勢をとらせた何かが奥にあるはずです。ちょっと科学者のように見えますが、科学者と決定的にちがうのは、関心の中心にいつも自分がいたということです。自分というものをまったく離れて、例えば『氾濫』の主人公のように接着剤か何かの研究に没頭していたわけではない。（『氾濫』で思い出しましたが、最近評判になったテレビドラマに『岸辺のアルバム』というのがありました。誰もいっていないようですが、見ていて、あれは完全に『氾濫』の焼き直しだと思いました。）伊藤整は徹頭徹尾自分に、自分だけにしか関心がなかった。科学者のような無私な態度は決してとれなかった。ちょっと逆説めきますが、この、自分だけにしか関心がなかったということ、伊藤整の言葉を使えば、自分に対する執着があまりに強かったということが、彼を批評家にしたんだろうと思います。冷静で科学的に見える批評家の鎧のかげには、おそろしく主我的、自己中心的で、大変傷つきやすい詩人がいました。周囲に対して自分の肉体と感情を守ろうと必死になっている、きわめて感覚的、生理的でナイーヴな人間がいました。そのことを忘れてはならぬだろうと思います。詩人が批評家になる例は多いと思います。伊藤整も表面的に見れば、詩人をやめて批評家になったわけですが、もう少し深いところでは、詩人としての自分を守り抜くために批評家になったのだという言い方もできるのではないでしょうか。

さて批評家になってからの伊藤整は大変立派な業績を残しました。その一つに谷崎潤一郎について書いた一連のものがあります。谷崎潤一郎という主我主義的、芸術至上主義的な作家を、伊藤整は社会的でない、肉体的、生理的な恐怖による存在の不安を描いた作家として高く評価しました。ところで谷崎潤一郎は、死ぬちょっと前に「雪後庵夜話」という遺書めいた回想風の随筆を書きましたが、その冒頭にこんな歌が書かれてあって、伊藤整は大変感心した。その歌というのは、「我といふ人の心はたゞひとりわれより外に知る人はなし」というのでした。いかにも文壇から超然としていた大谷崎らしい歌ですが、伊藤整がえらく感心したのは、自分もひそかにこの歌の内容に共感するところがあったからではないかと思います。

話がそれましたが、最初にもどって、晩年のことをもう少しお話ししてみたいと思います。さきほど申し上げましたように、伊藤整は胸の病気のことをずっと心配しておりました。戦争中は自分も軽い結核をやりましたし、戦後になると次男の礼さんが長い間結核で寝た。その後、結核は大丈夫らしいということになったんですが、今度は肺癌のことが気になりはじめた。自分が年をとってきて、死んだ父親の年齢に近くなると、その父親のことを考えるようになりましたが、昭和のはじめに結核で死んだということになっている父親が、実はどうも肺癌だったらしいということになってきた。昭和三〇年代のことで、世間でも肺癌の問題が騒がれはじめた頃です。書斎にこもりきりで、タバコを沢山すっている自分もオヤジと同じように肺癌で死ぬんじゃないか、そんなことを考えはじめたらしいんです。風邪が長びいてタンがとれないことがあると、ずいぶん心配した。それで毎年、肺癌の検査を受けることにした。この、自分が肺癌で死ぬかもしれないという予感はかなり深刻だったらしくて、その怖れを小説にまで書いた。それが晩年の長篇「発掘」です。

「発掘」の主人公は、作者と同じ位の五〇代後半の学者で、まだ男性としての能力も衰えていないで、若い女性と浮気したりして、奥さんをひどいヒステリーにさせる男ですが、人生に対しては非常に虚無的な見方をしている。ところがその初老の男が肺癌になり、妻やまわりの人間たちから自分がすぐ死ぬ人間として扱われはじめると、そのことに対して絶望的に抵抗するという、そんな小説です。ちょっとトルストイの「イワン・イリッチの死」(この小説を伊藤整は大変高く買っていました)を思わせますが、イワン・イリッチのような光明というか救いというかは最後の最後まで見られません。終りまでおそろしく暗い小説です。

そういう「発掘」をいま読んでみますと、数年後に癌で死んで行く自分の苦しみを先取りして書いてしまっているようで、ちょっと恐ろしいものを感じさせます。この小説にかぎりませんが、伊藤整という人は、たんに「我といふ人の心」をよく知っていたというだけではなくて、自分の将来をも見通す能力を持っていた人のように見えます。「発掘」だけでなくて、詩人時代からいくつもそういう例があるのです。自分の書いたことがあとから現実になるということは、作家の場合、それも自己中心的で認識力のすぐれた作家の場合、めずらしいことではないでしょうが、伊藤整の場合はそれが一度や二度ではないのです。このあともう一度これがあります。

小林秀雄の名文句に「人は様々な可能性を抱いてこの世に生れて来る。彼は科学者にもなれたろう、軍人にもなれたろう、小説家にもなれたろう、然し彼は彼以外のものになれなかった。これは驚くべき事実である」というのがありますが、伊藤整という人は、様々な可能性を抱きながら、それを実現して自分が科学者とか軍人とか小説家とか何かになることを非常におそれた。何かになるということは、他人からそういうものとして規定されるということですから、本来の自分を失うことに通じる。それをおそれるのです。その点で伊藤整は、前にもいいましたように、自己執着、自己防御の構えが異常に強かった人だと思います。そういう人の理想は、様々な可能性を抱きながら、何物にもならないで、いってみれば可能性のカタマリのようなものとして生きるということでしょう。そして、もし何かにならなければならない場合には、そうなった時の自分を先まわりして現在の自分の中に取り込んでおくということです。伊藤整の予知能力は、そういう生き方からおのずと生まれたものだと思います。しかしながらどんなにすぐれた自己透視力を備えていたとしても、人間は自分に与えられた生の幅、肉体の幅を越えることはできません。それがどうしようもない冷厳な現実です。

「発掘」を書いていた頃、つまり癌で死ぬ恐れの予行演習をしていた頃、伊藤整の身体の調子はとくに悪かったわけではありません。伊藤整は六〇歳を過ぎても髪は黒々としていて一〇歳くらいは若く見えました。弱そうに見えて芯は非常に強い人でした。ただ、寝《い》ぎたないというか、眠りに対して貪欲だったというか、よく眠れなかった日はひどく不機嫌になる人だったようで、これは年をとってからもそうだったようです。とにかく眠ることと風呂に入ることを最上の愉しみとして、ほかにほとんど趣味はなかった。

身体のことでもう一つ気にしていたのは、やせているということでした。一度でいいから腹が出てみたい、そういうゼイタクな願いを昔から抱いていたようです。ところが六〇歳を過ぎた頃からようやくこの年来の宿願が達せられる気配が見えてきた。少しずつ肥りはじめてきたのです。ズボンのバンドの穴が足りなくなって自分であけたくらいだそうで、「やっとオレも少し腹が出て来たよ」とうれしそうに奥さんに話したということです。

伊藤整が死んだのは、その一年後のことでした。腹が出て来たのは、癌のためだったのです。あれほど癌を心配して胸のレントゲンを毎年とり、小説で予行演習までしていた人が、胸ということにとらわれて胃の方はすっかり忘れていたのです。癌にいわば死角を狙われたのです。

死ぬ一か月前、絶望的だとわかってから、癌研に移されますが、その時、それまで世話になっていた医者に一枚の色紙を書いて贈っています。それに伊藤整はこう書いているのです。「我といふ人の心は誰ひとり我自らも知るすべはなし」。いうまでもなく前にあげた谷崎潤一郎の歌、「我といふ人の心はたゞひとりわれより外に知る人はなし」を本歌とした辞世です。

この少し前、入院中に、伊藤整の小樽の郷里で、昔の友人たちが伊藤整文学碑を建てたいから、碑文を書いてくれといってきました。伊藤整は二〇歳を少し過ぎたころ作った「海の捨児」という詩の冒頭二連を撰んで筆をとりました。こういうものです。

私は浪の音を守唄にして眠る。
騒がしく　絶間なく
繰り返して語る灰色の年老いた浪
私は涙も涸れた凄壮なその物語りを
つぎつぎに聞かされてゐて眠つてしまふ。

私は白く崩れる浪の穂を越えて
漂つてゐる捨児だ。
私の眺める空には
赤い夕映雲が流れてゆき
そのあとへ　星くづが一面に撒きちらされる。
ああ　この美しい空の下で
海は私を揺り上げ　揺り下げて
休むときもない。

いま、小樽から余市の方に向って国道を行きますと、途中に塩谷という海辺の村があって、その村の国道沿いの、海を見下ろす丘の上に、この詩を刻んだ文学碑が立っています。この碑が完成して除幕式が行なわれたのは、伊藤整が亡くなった半年後のことです。その時には故人の縁者や友人知己がみんな顔を揃えて故人を偲びました。その中には伊藤整の小説のモデルになった人も何人かおりました。伊藤整は、亡くなる前、ある日の病床日記に、自分がこの郷里の村の上空を飛び回っている夢を見て涙を流した、と記していますが、もしこの日、伊藤整の霊が上空から除幕式を見ていたとしたら、きっとこういっただろうと思います――ああ、いつかこういうことがあった、おれの書いたことは嘘ではなかった。みんなそのとおりになる、と。

といいますのも、「発掘」のあと、伊藤整は一番最後の長篇として「変容」という小説を書いて死んだのですが、その「変容」は、ある作家の文学碑の除幕式に故人の縁者や知友たちが年老いた顔を並べるところからはじまって、その作家の友人であった日本画家が、それをきっかけにして現在の中に過去をよみがえらせて老残の生を味わい尽そうとするという物語だったからです。「変容」では、文学碑の表に描かれていたのは、故人にもまた主人公にも関係のあった女性をモデルにして主人公の画家が描いた裸婦像ということになっていますが、「海の捨児」という詩にも、実はそれに似た伊藤整の過去の思い出があったのです。同郷の友人の妹との恋愛の思い出が秘められておりました。その友人は川崎昇さんという方で、川崎さんの妹は、詩人で早死した左川ちかという人です。そして「海の捨児」を刻んだ碑の裏面には、この川崎昇さんが撰文をお書きになっているのです。左川ちかは、若き伊藤整との恋に破れた傷みを「海の捨児」という詩にうたって、昭和一一年に数え年二六歳で亡くなっていました。伊藤整はその三三年後に、左川ちかと同じ胃癌という病気にかかり、左川ちかが入院した癌研で息を引き取ったのでした。

遺作「変容」は、このように散文によって昔の詩の世界を現在に甦らせようという意図の下に書かれた作品でした。そしてこれが図らずも自分の死後まで予見した作品になったのです。短篇の方で最後の作品になったのは「昔の家」という小説ですが、それは次のような言葉で結ばれています。「降る雪の中に目をつぶって眠るような死が、ある日この土地で私を訪れて来るだろう」。「この土地」というのは、もちろん、郷里のことです。『雪明りの路』という詩集を出して文学者として出発した伊藤整は、最後にまた『雪明りの路』に帰ろうとしたといえると思いますが、その詩の世界での休らぎを象徴するのは「眠り」ということだと思います。「昔の家」の主人公は「眠るような死」を願っていますが、『雪明りの路』の詩人が最も愛したのが、まさにこの「眠り」による魂の休息でした。くわしく申し上げる余裕がありませんが（お知りになりたい方は拙著『伝記伊藤整――詩人の肖像』をごらん下さい）、とにかく伊藤整の若い頃の詩を読んで気がつくのは、詩人がいかに眠りを愛し、眠りに対して貪欲であるかということです。『雪明りの路』を見ますと、五、六編に一編は、ぐっすり眠って魂の休息をとり、朝、新鮮な幼時のような気分で林の中に分け入ろう、ということをテーマにしております。『雪明りの路』の後半は恋愛詩が多いのですが、恋人（左川ちか以前の恋人）と別れた時のことをうたった詩にさえ、「その夜　私は安らかに眠り足るだけ眠った」とか「私の眠りの目蓋は　夜毎幼子のやうに静かなのだ」とかいった詩句が出て来ます。先ほどの「海の捨児」（これは「冬夜」という第二詩集に入っています）も、自分のことを、眠りながら浪間を漂う捨児に托してうたっておりました。

この、眠りながら浪間を漂うというかたちで表現される生命のリズムは、多分、伊藤整の一番奥底にあった原始感覚のようなものだと思います。批評家になってからの伊藤整は、生命とか、生命のリズムとかいうものを、文学の根底に据えましたが、それとこれとは一つながりのものだと考えられます。そして、この生命のリズムは、たとえばヴァレリーの「テスト氏」に出てくる、浮身の状態で眠る術を思い起こさせますし、またどこかで母親のイメージとつながっているように思えますが、ここでは立ち入らないことに致します。

それにしても、こうして自然や肉体の生理に忠実に従った健康な生命のリズムをうたっていた詩人が、詩をやめて小説や批評を書くようになり、最後にまたそこに帰って行かなければならなかったということを考えますと、その間にはさまれた数十年にわたる文学活動（それこそが文学者として伊藤整を今日に在らしめている活動です）は、一体何であったのか、という問題が出て来ます。考えようによっては、大変な遠まわりをしたようにも見えますし、あるいはまた、伊藤整が本物の詩人であり文学者であった証拠だといえるかもしれません。

晩年、伊藤整は、自分が長い間批評を書いてきた動機はもっぱら他人との関係の恐怖をのがれて「心の平安」を得るためだった、と洩らしていますが、この「心の平安」といわれるものの内実は、あの「浪の音を守唄にして眠る」生命のリズムに身を委ねることだったかもしれません。もしそうだとすると、やはり、批評は自分のなかの歌にならない詩を大事に守るための役割を担わされていたともいえそうです。

伊藤整は、詩人としては、マイナー・ポエットの一人にすぎません。『雪明りの路』と『冬夜』の詩人で終っていたら、マイナー・ポエットとして人々に記憶させたかどうかもわからないと思います。しかし、伊藤整が告白していますように、その後の伊藤整の文学は詩を原型として、その延長上に築かれたということは確かですし、そうだとしたら、伊藤整の文学全体をこの面からとらえなおしてみることもできるのではないかと考えている次第です。

初出一覧

・一章

持つと持たぬと　「日本古書通信」一九九八年七月号

娘の眼　「新潮」一九八九年六月号

索引がこんなに面白くていいかしら　「海燕」一九八九年六月号

雑誌の発売日　「國文學」一九八八年六月号

芥川龍之介と宇野千代　「國文學」一九八八年九月号

日本近代文学館編『文学者の日記』について　「日本近代文学」第六一集（一九九九年一〇月）

『新日本文学全集』と戦争下の出版状況　「ブックエンド通信」第六号（一九八〇年九月）

文芸評論と大衆　「文学」二〇〇八年三・四月号

・二章

第一書房版『ユリシイズ』の怪　「蒐書通信」第三号（一九八一年一一月）

『L'ESPRIT NOUVEAU』第七号の行方（上）　「日本古書通信」二〇〇四年一月号

『L'ESPRIT NOUVEAU』第七号の行方（下）　「日本古書通信」二〇〇四年二月号

海彼から押し寄せたレスプリ・ヌーボー　『都市モダニズムの奔流』（翰林書房・一九九六年三月）

「アパート」の「孤独」　近代用語の辞典集成別巻『新語辞典の研究と解題』（大空社・一九九六年二月）

十二月八日　「國文學」二〇〇六年五月号

・三章

百田楓花『愛の鳥』　「日本古書通信」二〇一〇年一月号
雑誌『不確定性ぺーパ』　「日本古書通信」二〇一〇年二月号
川端康成『純粋の声』　「日本古書通信」二〇一〇年三月号
小林多喜二「スキー」　「日本古書通信」二〇一〇年四月号
英美子『浪』　「日本古書通信」二〇一〇年五月号
井東憲『人間の巣』　「日本古書通信」二〇一〇年六月号
英美子『春鮒日記』　「日本古書通信」二〇一〇年七月号
伊藤整『石を投げる女』「日本古書通信」二〇一〇年八月号
『丹羽文雄選集第三巻 薔薇』「日本古書通信」二〇一〇年九月号
島木健作『再建』　「日本古書通信」二〇一〇年一〇月号
雑誌『新若人』　「日本古書通信」二〇一〇年一一月号
青柳優『批評の精神』　「日本古書通信」二〇一〇年一二月号
回覧雑誌『榎』　「日本古書通信」二〇一一年一月号
金井融遺稿集『永遠なる郷土』「日本古書通信」二〇一一年二月号
衣巻省三「けしかけられた男」　「日本古書通信」二〇一一年三月号
評論雑誌『現実へ』　「日本古書通信」二〇一一年四月号
雑誌『鳰の巣』　「日本古書通信」二〇一一年五月号

生田蝶介『歌集 宝玉』「日本古書通信」二〇一一年六月号
深尾贇之丞『天の鍵』「日本古書通信」二〇一一年七月号
『横光利一集 第一巻』「日本古書通信」二〇一一年八月号
『川端康成集 第一巻』「日本古書通信」二〇一一年九月号
瀧田樗陰愛蔵品入札目録「日本古書通信」二〇一一年一〇月号
青木茂若『雪に埋れた葡萄園』「日本古書通信」二〇一一年一一月号
小樽高商校友会誌「日本古書通信」二〇一一年一二月号
武田麟太郎編『学生生活短編集』「日本古書通信」二〇一二年一月号

・四章

太宰治と伊藤整「浪速書林古書目録」第二一号（一九九五年三月）
伊藤整と私小説「私小説研究」二〇〇四年第五号
志賀直哉と伊藤整「国文学 解釈と鑑賞」二〇〇三年八月号
大槻憲二と伊藤整とアナキズム「トスキナア」第八号（二〇〇八年一〇月）
谷崎潤一郎と伊藤整「江古田文学」第六五号（二〇〇七年七月）
伊藤整のなかの詩「埼玉新聞」一九七五年五月一五日
『日本文壇史』の叙述法「伊藤整の『日本文壇史』展」図録（市立小樽文学館編・一九九八年七月）
自己喪失を見つめる文学「図書新聞」一九七四年四月一三日
雑談・伊藤整の生と死「燎原」五号（一九七八年一〇月）

曾根博義（そね・ひろよし）
一九四〇年、静岡県生まれ。東京大学経済学部経済学科卒。日本近代文学研究者。日本大学教授を二〇一〇年まで務める。著書に『伝記 伊藤整 詩人の肖像』（六興出版）、『岡本芳雄』（エディトリアルデザイン研究所）などがある。二〇一六年死去。
没後、代表的な論文を集めた『伊藤整とモダニズムの時代』（花鳥社）が刊行された。

私の文学渉猟

二〇二一年一二月二五日発行

著　者　曾根博義
発行者　島田潤一郎
装　丁　櫻井久、中川あゆみ（櫻井事務所）
編集協力　曾根侑子、佐藤健一、山岸郁子
発行所　株式会社　夏葉社
〒一八〇-〇〇〇一
東京都武蔵野市吉祥寺北町
一-五-一〇-一〇六
電話　〇四二二-二〇-〇四八〇
http://natsuhasha.com/
印刷・製本　中央精版印刷株式会社
定価　本体二三〇〇円+税

ISBN 978-4-904816-39-4 C0095 Printed in Japan